한양, 성(城)을 걷다

한양, 성(城)을 걷다

한양도성·탕춘대성·북한산성

기 획 도경재
콘텐츠 도경재 권혁준 김은정 문선
새로운사람들(대표이사 이재욱) **펴냄**
초판 1쇄 발행 2021년 11월 29일
디자인 김성환 / ISBN 978-89-8120-630-7 (03980)

ssbooks(새로운사람들) **등록일** 1994년 10월 27일 / **등록번호** 제2-1825호/
주소 서울특별시 도봉구 덕릉로 54가길 25(창동 557-85, 우 01473)
전화 02)2237-3301 / **팩스** 02)2237-3389
이메일 ssbooks@chol.com

*로로로[두발로 역사로 문화로]는 문화해설사 단체입니다.
*책값은 뒤표지에 씌어 있습니다.

한양, 성(城)을 걷다

한양도성·탕춘대성·북한산성

도경재 | 권혁준 | 김은정 | 문선

새로운사람들

한양의 성(城)을 걸으며 역사를 잇다

서울, 그중에서도 강북 지역에서 학창시절을 보낸 우리는 '그리운 옛 성터를~' '북한산 억센 바위 정기를 타고~'로 시작되는 교가를 부르며, 유년시절 내내 그 자락을 오르내리며 뛰놀았다. '인왕산 푸른 솔은~' '옛 성터 저 너머로 솟아오른 북한산~' 가사를 외며, 산중턱에서 사춘기를 넘기며 남몰래 장밋빛 미래를 꿈꾸었다.

산지(山地)가 70%를 차지하는 우리나라. 전국 대다수 학교의 교가가 '○○산 ~' 또는 '□□봉 ~'으로 시작하고, 또 거의 모든 친구들이 유사한 추억을 공유하리라.

시간이 흘러 오로지 젊은 날의 꿈을 좇던 시간이 켜켜이 쌓여 인생의 전환점을 돌아야 할 때쯤 다시 그 산을 마주할 아주 멋진 기회를 얻었다.

우리 네 사람은 완벽하게 다른 인생길을 제각각 열심히 걸었다. 선과 선이 만나 면을 이룰 때, 그것은 비로소 이름을 가진 형상이 된다. 우리는 서로 다른 길을 걸었음에도 한양도성 내사산(內四山) 자락에서 우연히 조우(遭遇)했고, 한양도성을 수없이 오르내리며 그 역사적 가치와 품고 있는 이야기를 사람들에게 쏟아내며 희열을 느꼈다.

그리고 궁금해졌다.

한양도성에서 이어지는 북한산성과 그 사이를 연결하는 탕춘대성, 계획에 그친 동성 등 600년 조선왕조가 한양을 지키기 위해 고심한 흔적인 한양성(城)의 가치가 어디에 있는지….

북한산 늠름한 능선 위 봉우리를 모두 줄줄이 꿸 만큼 수도 없이 다녔다 자부하는 우리지만, 그 위에 삼백 년 전 조선의 제19대 왕이 쌓은 북한산성과 행궁(行宮), 성랑지, 장대 등 많은 시설이 누구에 의해 어떻게 만들어졌는지, 지금은 어떤 모습으로 남았는지 제대로 모르고 있었다.

한양도성과 북한산성, 탕춘대성을 쌓고, 동성을 계획했던 조선왕조의 수도 방위전략은 무엇이었는지 알려 하지 않았다. 그저 북한산성 16성문 종주(縱走)에 뿌듯해하고, 백운대 정상에 올라 만세를 외치고, 산영루 아래 계곡에서 탁족(濯足)을 즐기며 북한산의 풍광(風光)에만 심취해 있었던 탓이리라.

우연을 필연으로 만드는 우리의 계획이 드디어 시작되었다. 라일락 향기가 흐드러진 봄날, '한양, 성(城)을 걷다' 프로젝트의 깃발을 올렸다. 각자의 생업에 충실하며 일주일에 1번씩 모여 기획회의를 하고, 고심 끝에 집필 방향을 잡았다.

우리는 역사학자도 아니고, 전문 산악인도 아니다. 따라서 일반인들이 접하기 어려운 전문서적일 필요는 없다는 결론에 이르렀다. 서울의 내사산과 북한산을 찾는 이들에게 한양도성과 북한산성을 중심으로 산행과 역사 두 마리 토끼를 잡을 수 있도록 내비게이션 역할을 하는 책을 만들어 보자는데 뜻을 같이했다.

이 한 권을 손에 쥐면 한양도성과 그 주변으로 이어지는 역사길을 걸으며, 그 길이 품고 있는 옛이야기와 함께 현재의 모습을 확인할 수 있다. 또 북한산에 오를 때면 산성의 16성문을 돌아보는 북한산성 일주 코스와 산성의 능선을 만나는 방법, 그리고 숙종과 영조가 직접 찾았던 행궁지와 삼군문의 유영지 등 지금은 흔적만이 아스라이 남은 장소를 돌아보며 조선시대로의 시간여행 코스를 선택할 수도 있다.

한양성(城)의 진정한 내비게이션을 만들기 위해 우리는 발로 뛰는 취재를 선택했다. 6월부터 본격적인 현장답사가 시작되었다.

초여름 더위가 사나운 기세를 보이는 가운데 코로나19 팬데믹 상황까지 더해 마스크를 착용한 채 올라야 하는 고된 산행이 이어졌다. 그럼에도 우리는 매주 북한산 능선을 오르내리며 16성문을 일일이 확인하고, 성문의 구조를 파악했다. 또 행궁지와 승영사찰을 돌아보며 원래의 위치를 정리하고, 장대에도 올랐다.

난관에 봉착하기도 했다. 북한산의 모든 지역이 자유로운 산행이 허락되는 것은 아니기 때문이었다.

특히 북한산성의 방어를 담당했던 삼군문(훈련도감, 어영청, 금위영)의 유영지를 돌아보던 중 노적봉 아래 자리한 훈련도감 유영지는 위험지역으로 등산로가 폐쇄되어 있었다.

그렇다고 포기할 수는 없었다. 우리는 발로 뛰고, 직접 눈으로 확인한 정보를 독자들에게 전달해야만 했기 때문이다.

하여 관련 기관의 허가를 받는 복잡한 절차를 거친 후에야 겨우 몇 차례 찾아가 볼 수 있었다.

훈련도감 유영지를 찾았던 날의 기억은 지금도 생생하다. 무더위와 높은 습도로 마스크 안은 이미 땀으로 흥건했다. 우리의 방문을 알아챈 산모기들도 그들만의 은밀한 손님맞이(?)를 즐기기 위해 떼지어 모여들었다. 게다가 위험지역 입산을 통제하던 국립공원관리공단 직원도 우려 섞인 말로 한마디 보태었다.

"올해 유독 뱀이 많아요…"

등산용 스틱으로 모기떼와 뱀의 접근을 최대한 막으며, 잡풀로 우거진 야트막한 언덕을 넘어섰다. 아무렇게나 자란 나무들과 웬만한 사람의 키만큼 제멋대로 자란 풀들로 가득한 제법 너른 공간이 시야에 들어왔다.

마치 원시림 가운데 서 있는 것 같았다. 풀섶에 파묻혀 앞으로 나가는 것조차 힘겨웠지만, 상당히 넓은 공간임에는 틀림이 없었다.

'여기다! 분명….' 없는 길을 만들며 수풀을 헤치고 나아가다 미끄러지기를 수차례. 어느 사이엔가 제법 잘 쌓인 축대가 모습을 드러내고, 아직도 네모반듯한 모양을 잃지 않은 못(池)이 우리를 반긴다. 그리고 힘찬 글씨체의 '무(戊)'자가 새겨진 바위가 보였다.

'여기구나… 훈련도감 유영지가 바로 이곳이구나.'

발에 차이는 기왓장과 석축들이 우리를 3백 년 전 이곳에서 북한산성을 지키기 위해 무예를 연마하고, 보초를 서며 생활하던 조선의 군인들과 만나게 해주었다.

말로는 표현하기 힘든 그 무언가가 가슴속 깊은 곳에서 울컥 올라온다. 다른 이들은 우습게 넘길지 모르나, 우리에게는 이 순간이 참 오래도록 좋은 추억으로 남을 것 같다. 한참 동안 발길을 돌리지 못하고 우리는 그곳에 있었다. 이 즐거움을 독자들과 함께 나눌 수 있었으면 좋겠다는 바람을 가득 담은 채….

한편, 원고작업이 한창인 가운데 반가운 소식도 들려왔다. 한양도성과 북한산성, 탕춘대성 즉, 한양성(城)을 묶어서 유네스코 세계유산으로 통합 등재하는 방안이 추진된다는 것이다. 그동안 한양도성과 북한산성을 각각 유네스코 세계유산 등재하기 위해 노력했지만, 쉽지는 않았다.

600년 한양도성과 조선후기 새로이 쌓은 북한산성, 그리고 이 두 성을 연결하는 탕춘대성은 18세기 도성 방어체계의 완성이었다. 이는 세계유산으로서 '탁월한 보편적 가치'를 충분히 지니고 있다고 믿어 의심치 않는다. 우리의 작은 결과물이 때를 같이할 수 있다면, 더없이 기쁠 것이다.

백악산, 낙산(타락산), 남산(목멱산), 인왕산, 그리고 북한산…. 오늘도 수많은 이들이 찾는 친근한 우리 산이다. 이곳에 조선 초 20만 명의 전국 백성이 힘을 모아 쌓은 한양도성이, 그리고 18세기 삼군문과 승군(僧軍)이 함께 축성하고 지켜온 북한산성이 오늘을 함께하며 역사를 이어가고 있다. 지난 8개월여, 우리 네 사람이 한마음으로 뛰어 완성한 이 결과물이 산행의 즐거움에 역사의 감칠맛을 더하여, 보다 의미 있는 시간으로 독자들을 안내할 수 있기를 바란다.

아울러 <한양, 성(城)을 걷다> 프로젝트에 날개를 달아준 서울시 50플러스재단, 그리고 자료 제공 및 금지구역 출입허가를 받아주는 등 책의 완성에 큰 도움을 준 경기문화재연구원과 문화유산팀 박현욱 선임연구원에게 깊은 감사의 인사를 전한다.

신축년(辛丑年) 가을의 청명한 날에

都京宰
權赫俊
金思廷
文 善

한양, 성(城)을 걷다
한양도성·탕춘대성·북한산성

CONTENTS

한양도성

탕춘대성, 그리고 동성

북한산성

N
영취봉
인수봉
원효봉
서암문
북문
백운대
백운봉암문
만경대
대서문
용암봉
용암문
중성문
의상봉
가사당암문
대동문
부왕동암문
보국문
청수동암문
대성문
북한산성
문수봉
대남문
승가봉
보현봉
향로봉
비봉
동성
탕춘대성
서성

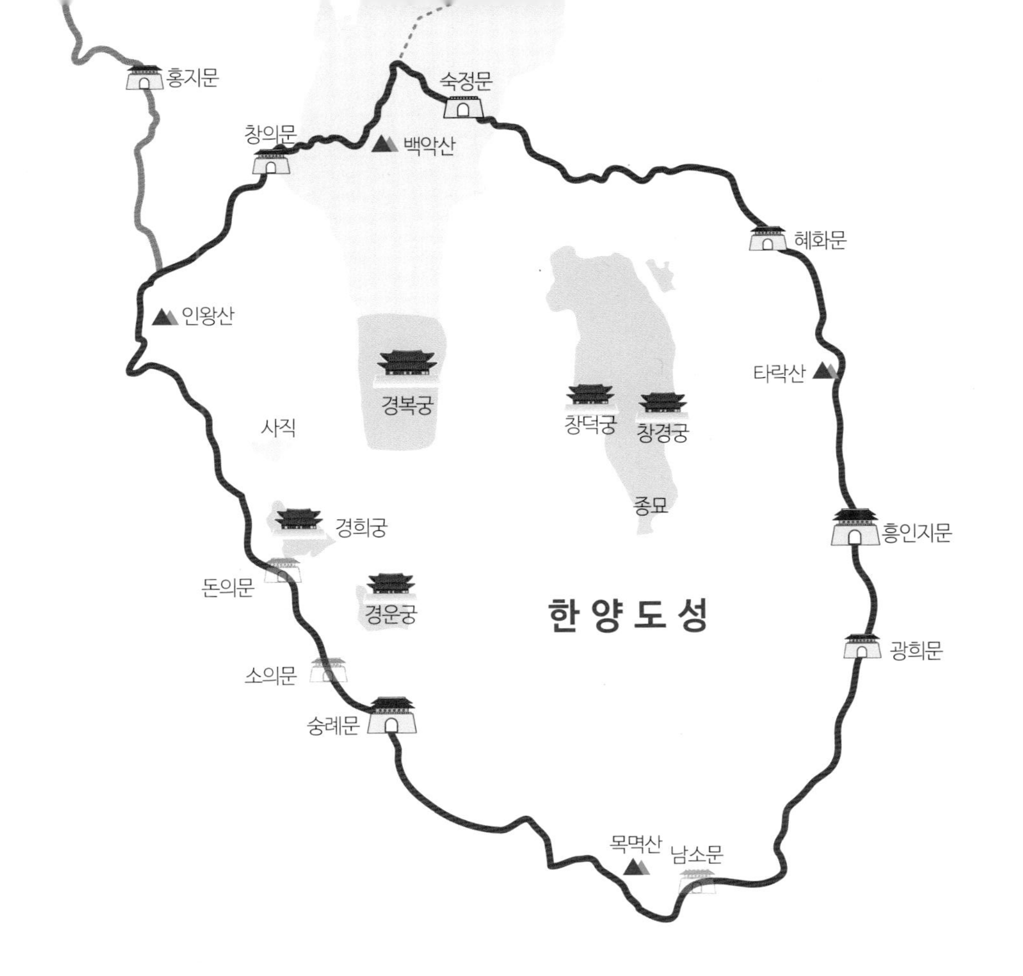
한 양 도 성
홍지문
숙정문
창의문
백악산
혜화문
인왕산
타락산
경복궁
창덕궁
창경궁
사직
종묘
경희궁
흥인지문
돈의문
경운궁
광희문
소의문
숭례문
목멱산
남소문

한양도성

종묘 宗廟는 조종 祖宗을 봉안하여 효성과 공경을 높이는 것이고,
궁궐 宮闕은 국가의 존엄성을 보이고 정령 政令을 내는 것이며,
성곽 城郭은 안팍을 엄하게 하고 나라를 굳게 지키려는 것으로,
이 세 가지는 모두 나라를 가진 사람들이 제일 먼저 해야 하는 것입니다.

<태조실록> 6권, 태조3년 11월 3일 기해2번째 기사 1394년

도평의사사의 건의에 따라 태조는 조선의 도읍지 한성부의 경계를 표시하고, 왕조의 권위를 드러내며 외부의 침입을 막기 위해 성곽을 쌓았다. 한양도성은 이후 500년이 넘도록 조선의 정체성을 뒷받침하는 최대 건축물이자, 수도 한양의 표상으로 존재했다. 또한, 나라의 근본인 종묘와 사직을 보호하는 울타리로 조선의 명암과 그 운명을 함께 했다.

수축과 개축

<조선왕조실록>에 따르면, 개성의 수창궁(壽昌宮)에서
새 왕조의 시작을 알렸던 태조는 백관의 추대에 마지못해
응하며 부족한 자신을 보좌하라 명했다.

내가 수상(首相)이 되어서도 오히려 두려워하는 생각을
가지고 항상 직책을 다하지 못할까 두려워하였는데,
어찌 오늘날 이 일을 볼 것이라 생각했겠는가? …(중략)…
경(卿)들은 마땅히 각자가 마음과 힘을 합하여 덕이 적은
사람을 보좌하라.

余爲首相, 猶懷惕慮, 常懼不克盡職, 豈意今日乃見此事?
…(중략)… 卿等宜各一乃心力, 以輔涼德。

<태조실록> 1권, 태조 1년 7월 17일 병신 1번째기사 1392년

새로운 나라를 담을 새 그릇을 정하다 500년 고려왕조가 공양왕을 끝으로 몰락한 자리에 이성계가 이끄는 새왕조 조선(朝鮮)이 마침내 문을 열었다. 1392년(태조1) 7월 17일의 일이다.

새 술은 새 부대에 담으라 했던가. 개국 이후 태조는 우선 도읍지부터 옮기고자 하였다. 이성계는 백성들에게는 추앙받는 무장이었지만, 고려의 수도였던 개성의 기득권층에게 그는 여전히 한낱 변방

의 장수일 뿐이었다. 이성계는 그들의 텃세가 미치지 않는 새로운 곳에 터를 잡고자 하였다. 천도(遷都)를 향한 그의 굳은 의지는 일등 개국공신 정도전도 막을 수 없었다.

1393년(태조2) 1월, 풍수지리에 정통한 태실증고사(胎室證考使, 태(胎)를 묻을 곳을 찾기 위해 파견한 관리) 권중화(權仲和, 1322~1408)가 답사를 마치고 돌아와 계룡산의 도읍 지도를 바친 것을 시작으로, 본격적으로 천도지의 물색이 진행된다.

지금의 세종시가 자리한 계룡산 일대와 무악(신촌 연세대학교 부근) 등은 풍수지리상 문제가 있거나 수도로 하기엔 너무 좁다는 등 신하들의 의견은 분분했다.

고심 끝에 태조가 최종 낙점한 길지(吉地)는 옛 고려의 수도 중 하나였던 남경(南京), 즉 한양(漢陽)이었다. 태조는 한양 땅을 돌아보고 개경으로 돌아와, 도평의사사(都評議使司)로 하여금 천도를 건의하도록 하였다. 공식적인 절차를 갖춤으로써 예상되는 이견을 막고자 함이었다.

1394년(태조3) 8월 24일, 도평의사사에서 아뢰었다.

그윽이 한양을 보건대, 안팎 산수의 형세가 훌륭한 것은 옛날부터 이름난 것이요, 사방으로 통하는 도로의 거리가 고르며 배와 수레도 통할 수 있으니, 여기에 영구히 도읍을 정하는 것이 하늘과 백성의 뜻에 맞을까 합니다.

竊觀漢陽, 表裏山河, 形勢之勝, 自古所稱, 四方道里之均, 舟車所通。定都于玆, 以永于後, 允合天人之意。

<태조실록> 6권, 태조 3년 8월 24일 신묘 2번째기사 1394년

이렇게 새 조선을 담을 새 그릇으로 한양이 결정되었다. 9월 1일 신도궁궐조성도감(新都宮闕造成都監)이 설치되고, 왕조의 핵심 시

설인 종묘(宗廟)와 사직(社稷)·궁궐(宮闕)이 차례로 축조되었다.

이듬해인 1395년(태조4) 12월 28일, 태조는 경복궁(景福宮)으로 입성하였다.

도성을 쌓아 서울을 완성하다 왕조의 정통성과 왕의 권위를 나타내는 표상으로서 서울(도읍지)이 반드시 갖추어야 할 핵심 건축물은 종묘(宗廟)·궁궐(宮闕)·도성(都城)이다. 따라서 이제 태조가 해야 할 일은 자명(自明)하였다. 한양을 도읍으로 만들기 위한 마지막 조건인 도성을 쌓아 성 안팎을 엄하게 구별하고, 자신으로 대표되는 조정(朝廷), 더 나아가 개창한 나라를 공고하게 하는 것이었다.

1394년(태조3) 11월 3일, 도평의사사(都評議使司)에서 아뢰었다.

종묘는 조종(祖宗)을 봉안하여 효성과 공경을 높이는 것이요, 궁궐은 국가의 존엄성을 보이고 정령(政令)을 내는 것이며, 성곽(城

태조 대의 성돌

郭)은 안팎을 엄하게 하고 나라를 굳게 지키려는 것으로, 이 '세 가지'는 모두 나라를 가진 사람들이 제일 먼저 해야하는 것입니다. …(하략)…

寢廟所以奉祖宗而崇孝敬, 宮闕所以示尊嚴而出政令, 城郭所以嚴內外而固邦國, 此皆有國家者所當先也。

<태조실록> 6권, 태조 3년 11월 3일 기해 2번째기사 1394년

1395년(태조4) 윤 9월 13일 도성조축도감(都城造築都監)을 설치하고, 이듬해 1월 9일 공사의 시작과 함께 백악(白岳)과 5방(方)의 신(神)에게 제사를 올렸다.

도성을 쌓을 노동력은 경상·전라·강원도와 서북면(현 평안도)의 안주(安州) 이남과 동북면(현 함경도)의 함주(咸州) 이남의 민정(民丁) 11만 8천 70여 명을 징발하였다. 당시 한양의 인구가 채 10만을 넘지 않았으니 수도의 인구를 훌쩍 넘어설 만큼 거대한 공사였다.

도성은 궁궐(경복궁)을 중심으로 백악(白岳, 북악), 타락(駝駱, 낙산), 목멱(木覓, 남산), 인왕(仁王)으로 이어지는 내사산(內四山)의 능선과 평지를 연결하여 쌓아 올렸다. 그 시작은 백악(白岳)의 동쪽이었고, 천자문(千字文)을 이용하여 하늘 천자(天字)부터 총 97개 구간으로 나누었으며, 백악의 서쪽 조자(弔字)에서 그치게 하였다. 세부적으로는 천자(天字)로부터 일자(日字)까지는 동북면이, 월자(月字)에서 한자(寒字)까지는 강원도가, 내자(來字)에서 진자(珍字)까지는 경상도가, 이자(李字)에서 용자(龍字)까지는 전라도가, 사자(師字)에서 조자(弔字)까지는 서북면이 맡게 하였다.

공사는 철저하게 구간별 책임제로 실시하였다. 이는 지금도 성돌에 남아있는 280여 개의 각자성석(刻字城石)으로 확인해 볼 수 있다. 담당 군현을 정하여 축성은 물론 사후 보수까지 책임져야 했는데, 오늘날의 공사실명제와 같은 것이다.

대부분의 평지는 토성(土城)으로 쌓아올렸으며, 산지(山地)에는 석성(石城)으로 쌓았다. 태조 대의 성 쌓기는 자연석에 가까운 돌을 막쌓기(허튼층 쌓기)하다 보니 사이사이에 틈이 많아서 작은 돌을 이용하여 그 사이를 메웠다.

8월에 다시 축성 인부 79,400명을 징발하였다. 이때는 산악지역을 제외한 평지에 쌓은 토성(土城)의 무너진 곳을 다시 쌓기도 하였다. 또 물살이 세고 수위가 높은 곳의 석성(石城)을 덧쌓는 등 보수공사가 있었다.

1396년(태조5) 9월 24일 <조선왕조실록>은 성 쌓는 역사를 마치고, 정부(丁夫)들을 돌려보내었다고 기록하고 있다. 총 길이 59,500척(약 18.6km)의 한양도성이 드디어 완성된 것이다. 이때까지 걸린 시간은 놀랍게도 고작 98일에 불과하였다. 총 197,470명의 백성이 동원되어 1월과 2월, 8월과 9월의 농한기를 이용하여 축조한 나라의 울타리였다.

도성 고쳐쌓기(개축)의 흔적 한양도성의 개축은 크게 세종과 숙종, 그리고 순조 대의 세 시기에 이루어진 것으로 구분한다. 물론 다양한 의견이 존재한다.

태조 시기에 완성된 한양도성은 대부분이 토성이었던 터라 기후에 취약하였다. 때문에 이를 고쳐 쌓으려는 시도는 태종 대부터 시작되었으나, 실질적으로 개축 논의가 이루어진 것은 1421년(세종3) 이었다. 도성의 개축을 주도한 것도 태상왕(太上王) 태종이었다. 그해 10월 29일, 도성수축도감이 구체적인 계획을 세워 보고하였다. 여러 도의 군정(軍丁) 가운데 갑사(甲士), 별패(別牌), 시위패(侍衛牌) 등 현역 정규군을 제외하고 봉족(奉足) 및 잡색군(雜色軍), 즉 정규군을 보조하거나 정규군에서 벗어나 있는 이들을 동원하겠다는 것이었다. 이렇게 동원된 인력은 총 322,460명에 달했다.

1422년(세종4) 1월 15일, 드디어 목멱과 백악의 신에게 도성을 고쳐 쌓음을 고(告)하고, 성역(城役)을 시작하였다. 이때 토성을 모두 석성으로 고쳐 쌓았다. 험한 곳의 높이가 태조 대에 쌓은 것은 15척(약 4.5m)이었는데, 세종 대에는 16척(약 4.8m)으로 약간 높아졌고, 평지의 경우는 태조 대의 25척(약 7.5m)에서 조금 낮추어 23척(약 6.9m)으로 쌓았다. 이때에는 넓은 돌로 기단석을 쌓고, 그 위에 모서리를 둥글게 다듬은 메주 형태의 작은 돌을 올렸다.

또한 수문(水門) 두 간을 더 설치하여 물의 흐름을 수월하게 하였으며, 태종 때 인덕궁(정종이 태종에게 양위한 후 상왕으로 거처했던 궁궐) 앞 소동(小洞, 현 경희궁 서쪽 언덕)으로 옮겨 지었던 서전

세종 대의 성돌

문(西箭門)을 막고, 돈의문을 설치하였다. 한양도성은 세종 대를 거치며 석성으로 견고해짐으로써 왕의 권력 영역을 더 공고히 하고, 국가권력의 위엄을 과시하는 건조물이 될 수 있었다.

개국으로부터 200년, 태평성대를 이어온 조선왕조에 위기가 찾아왔다. 1592년(선조25) 4월 13일, 왜(倭)군의 부산성 침략을 시작으로 임진왜란(壬辰倭亂)이 발발한 것이다. 동래·상주·충주가 연달아 무너지자, 결국 선조는 왕실과 조정 신료들을 이끌고 돈의문을 통해 도성을 나섰다. 빗발이 쏟아지는 4월 30일 새벽이었다. 주인이 떠난 궁궐은 완전히 파괴되었고, 도성도 크게 훼손되었다.

일본의 제2 선봉장이던 가토 기요마사(加藤淸正)는 숭례문을 통해, 제1 선봉장 고니시 유키나가(小西行長)는 흥인문을 통해 도성 안으로 입성하였다. 왕권은 실추되었고, 도읍지로서 도성의 면모를 크게 잃어버린 첫 번째 사건이었다.

7년을 끌었던 임진왜란의 상흔(傷痕)이 채 가라앉기도 전인 1627년(인조5) 이번엔 북쪽 후금(後金)이 압록강을 건너 조선을 침략해왔다. 정묘호란(丁卯胡亂)이었다. 이번에도 왕은 도성을 떠나 몽진(蒙塵)을 택하였고, 결국 이 전쟁에서 조선은 후금을 형의 나라로 섬길 것과 성(城)·보(堡)를 새로 쌓지 않을 것을 조건으로 화친을 맺었다.

1636년(인조14) 후금이 세운 청나라가 다시 압록강을 건너 평안도 안주에 도달하였다. 병자호란(丙子胡亂)이었다. 인조는 광희문(光熙門)을 통해 도성을 벗어나 남한산성에 진을 치고 45일간 결사항전하였다.

그러나 1637년(인조15) 1월 30일, 인조는 결국 세자를 데리고 삼전도(三田渡)에 나아가 청태종에게 세 번 절하며, 아홉 번 머리를 땅에 찧는 항복의 예(삼배고구두례, 三拜叩九頭禮)를 행하였다. 이때 맺은 강화조약에도 '옛것이든 새것이든 성원(城垣), 곧 크든 작든 성곽 일체를 쌓거나 고치지 못한다'는 조항이 들어 있었다. 이 때문에 도성은 한동안 상당부분 훼손된 채로 있을 수밖에 없었다.

1674년 8월, 14살의 어린 숙종이 즉위하였다. 숙종은 초년부터 성을 쌓는 일에 관심을 두었다. 그 시작은 북한산성과 도성 가운데 어느 쪽을 먼저 쌓는 것이 좋은가를 두고 논란을 벌인 것이었는데, 결론을 내지 못한 채 결정은 유보되었다.

그로부터 30여 년이 지난 1704년(숙종30) 1월 29일, 숙종은 양국(兩局, 훈련도감·어영청)의 대장(大將)에게 명하여, 가서 도성(都城)의 기지(基址)를 살펴볼 것을 명하였다.

命兩局大將, 看審都城基址。

<숙종실록> 39권, 숙종 30년 1월 29일 기사 1번째기사 1704년

숙종 대의 성돌

3월에는 도성(都城)의 수축(修築)을 시작하기에 앞서 삼각산(三角山)에 고유제(告由祭)를 지냈다. 이후 오군문(五軍門)이 맡아서 경기도민 가운데 군문에 소속된 이들을 동원하여 공사는 8월부터 시작되었다. 돌의 크기와 쌓는 방법도 크게 변화하였다. 이전의 작은 성돌은 잘 무너졌기에 1척 반(약 45cm) 크기로 규격화시킨 방형 석재를 이용하여 더욱 견고하게 쌓았다.

영조 대에도 일부이기는 하나 도성의 정비 공사는 이루어졌다. 흥인문과 광희문 사이에 치성을 6곳 지었고, 창의문과 서소문, 혜화문 등 3개의 문을 고쳐 짓는 정도였다.

순조 대의 성벽축성 기술은 숙종 대와 유사한 형태를 취하고 있다. 이 시기에는 전문기술을 가진 장인들이 성곽 축성에 참여하면서, 면석의 크기가 2척(약 60cm)으로 좀 더 커지고 정교해졌다. 또 이 시기

순조 대의 성돌

에는 여장 안쪽에 감독관·책임자 등의 이름과 날짜를 새겨 기록함으로써 책임소재를 더욱 분명히 하였다.

한양도성의 주요 시설 총 길이 18.6km, 평균 높이 약 5~8m에 이르는 한양도성의 주요 시설로는 성벽과 출입을 위한 성문과 문루, 수문, 곡성과 치성, 순심로, 봉수대, 성랑 등이 있었다. 성벽은 체성(體城)과 여장(女墻)으로 이루어져 있는데, 여장에는 1타(3~4m)마다 양옆에 원총안(遠銃眼) 2개, 가운데에 근총안(近銃眼) 1개를 설치하였다.

성문은 문루를 갖춘 크고 작은 8개의 문을 두었으며, 도성 내 하천수를 처리하기 위해 2개의 수문(水門)을 마련하였다. 또한, 방어를 용이하게 하기 위한 시설물로 6개의 치(雉)와 2곳에 곡성(曲城)을 설치하였으며, 목멱산(남산) 일원에는 통신수단인 봉수대(烽燧臺)를 두었다.

한양도성은 조선왕조의 도읍지인 한성부(漢城府)의 경계를 표시하고, 왕조의 권위를 드러내며, 유사시 외부의 침입으로부터 서울을 보호하기 위하여 수많은 백성의 힘으로 쌓은 성곽유산이다. 1396년(태조5) 내사산 능선을 따라 축조된 이후 여러 차례에 걸쳐 수축과 보수를 거듭하면서 1907년까지 511년 동안은 그 원형을 유지하였다.

훼철과 변화

한양도성을 비롯하여 세계의 중세(中世) 성들은 비슷한
원인으로 해체되는 운명을 겪었다. 과학기술과 운송수단의
발전으로 인한 도로의 확장이 그 주요 원인이었다. 무기체계가
발전하면서 도성이 지니고 있는 방어가치가 사라지고 난 후
도성은 거추장스럽고 전근대적인 중세의 유산으로 인식될
뿐이었고, 성벽은 정체성을 잃어버렸다. 문제는 성벽이
본격적으로 훼철되기 시작하던 시점에 한양도성에 대한
지배권을 가지고 있던 주체가 일본이었다는 것이다.
그렇게 우리는 수도 정체성의 파괴 원인을 타자에게 떠넘기고
근대에 안주했다.

훼철의 시작 한양도성 훼철의 역사는 전차라는 근대 교통수단의 도입과 함께 시작되었다.

1899년 전차와 철도가 도입되면서 새로운 교통시스템에 적응하기 위해 도시 구조가 재편되기 시작한 것이다.

1899년 5월 17일, 돈의문에서 흥인문까지 전차 개통식이 열렸다. 이때 전차가 돈의문 홍예 밑을 통과하기 위해 돈의문 아래 지반을 약

1.27m 깎아내고, 전차선로를 깔았다. 이어 전차의 통행을 위해 문짝이 제거됨으로써 성문은 더이상 통행과 침입을 차단하는 구실을 하지 못하게 되었다. 그에 따라 인정과 파루에 맞추어 도성 출입을 통제하는 전통적인 도성 주민들의 생활방식도 변화되었다.

침략자의 방문 을사늑약 이후 이미 한반도의 주도권을 쥐고 있던 일제는 1907년 7월 고종을 강제퇴위시켰다. 그 직후인 10월, 일본의 황태자가 대한제국을 방문했다.

일제는 황태자의 방문 직전에 '성벽처리위원회'를 조직하여, 한양도성을 계획적으로 훼철하기 시작했다.

그 이전부터 성벽을 허물자고 주청했던 대한제국의 대신들(박제순, 이지용, 권중현)은 일제에 외교권을 헌납한 을사오적이었다. 이들에게 일제 황태자의 한양 입성은 항복의식이었다. 일본 전국시대

돈의문을 통과하는 전차(사진 서울역사아카이브)

에 항복하는 성주가 성벽 일부를 헐어 저항할 의사가 없음을 표시하는 일본의 예법을 따랐다는 설도 있다.

침략자에 아첨하던 세력은 숭례문 앞에 환영의 의미로 봉영문(奉迎門)이라는 또 하나의 문을 세웠다. 숭례문 앞에 세워진 이 문은, 조선시대에 중국 사신을 맞이하던 영은문에 이어, 자주권을 잃어버린 당시의 현실을 말해주었다.

을사늑약 이전에도 이미 숭례문과 흥인문은 한차례 헐릴뻔한 위기에 처했었다.

1904년 조선주둔군사령관으로 임명된 하세가와 요시미치(長谷川好道)가 포차(砲車)가 왕래할 수 있도록 8차선의 도로를 내기 위해, 낡은 숭례문과 흥인문을 파괴해 버리자고 주장한 것이다.

당시 <한성신보> 사장이었던 나카이 기타로(中井喜太郎)가 "숭례

흥인문앞에서 열린 전차개통식(사진 서울역사아카이브)

문은 임진왜란 당시 일본군 장수 가토 기요마사(加藤清正)가 통과한 문입니다. 아깝지 않습니까?"라고 설득하여, 숭례문이 파괴될 운명을 모면했다는 기록이 있다.

성벽처리위원회, 그리고 그 이후 성벽처리위원회는 1907년 8월 1일부터 이듬해 9월 5일까지 13개월 동안 존속 후 폐지되었다. 성벽처리위원회가 폐지되기 전까지 소의문 부근의 성벽 77칸(약 147m)과 숭례문 남측 성벽 77칸(약 147m)이 각각 훼철되었다. 위원회의 폐지 이후 훼철이 중단된 것이 아니라, 오히려 훼철이 일상적인 것이 되었다. 위원회가 폐지된 직후 오간수문이 훼철되었고, 일제의 강제병탄(併呑) 이후에는 '시구개수(市區改修)사업'으로 1910년 흥인문 주변의 성벽 훼철이 시작되고 우회 도로가 생겨났다. 일제는 한양을 경성부로 바꾸고 경기도에 포함하여, 수도의 지위를 박탈했다.

성벽이 훼철된 숭례문(사진 서울역사아카이브)

1914년에는 경성 행정구역을 개편, 용산 일대가 경성부로 포함됨으로써 한양도성의 경계가 무너졌다.

도로와 전차 부설로 인한 훼철의 가속화 1912년에는 을지로에서 광희문을 연결하는 전차노선이 깔리면서 광희문 부근의 성벽이 철거되었다.

이듬해인 1913년에는 장충단에서 한강에 이르는 도로가 만들어지면서, 남소문 터 부근의 성벽이 철거되었다.

소의문과 돈의문은 각각 1914년과 1915년 훼철되었다. 새문안로의 전차가 복선화되는 과정에서 돈의문이 훼철될 때 <매일신보>에는 돈의문을 의인화한 '나는 서대문이올시다'라는 제목의 기사(1915년 3월 4일자)가 실리기도 했다.

동생 서소문은 지난 섯달에 헐려갔고, 맏형 동대문과 셋째 아우

지금은 볼 수 없는 소의문의 옛 모습(사진 서울역사아카이브)

남대문은 좌우편 성이 뭉그러져 몇 해 이래로 우리 형제와 연신이 끊겼는데 …(중략)… 예전에는 송장출입은 물론이오 내 몸에서 고리배 묵못 하나만 빼가도 대명률에 조율하여 엄한 형벌을 씌워서 이 몸을 보호하더니 이제는 나라에서 공번되이 이를 팔아 도끼와 연장이 나의 몸을 파회할 생각을 하니 소름이 죽죽 끼치나이다. …(하략)…

<매일신보> 1915년 3월 4일자

돈의문 자리에 세운 표지판

500년이 넘는 세월동안 돈의문이 어떤 지위를 누려왔는지, 그리고 한순간 얼마나 허무하게 헐리고 팔려나갔는지, 그 시절 기사를 작성한 기자가 느낀 아쉬움이 전해진다. 그렇게 서쪽의 큰 문 돈의문은 염딕기라는 사람에게 단돈 205원 50전에 경매로 팔려나갔다.

경복궁을 내려다보는 조선신궁의 건설 일제는 조선의 식민통치를 영구화하는 동시에 정신적 지배의 상징으로 남산자락에 조선신궁을 건립하였다. 이때 신궁이 들어서는 위치보다 위쪽에 있던 조선의 국사당을 인왕산으로 이전하고, 남산 일대와 숭례문 동측 성벽을 헐어버렸다. 그해 여름, 을축대홍수로 인해 한양이 물에 잠기고 관측이 시작된 이래 최대 수해를 입었지만, 가장 큰 재해는 조선신궁의 건립이었다.

1925년 10월 15일, 조선신궁에서는 진좌제(鎭座祭)가 거행되었

남산에 조성된 조선신궁의 참배로 입구(사진 서울역사아카이브)

고, 같은 날 25,800명을 수용할 수 있도록 지어진 경성운동장에서는 일본 황태자의 결혼을 축하하는 개장 이벤트가 벌어졌다. 경성운동장의 건립으로 흥인문에서 광희문 간 성벽도 훼철되었다.

기사로 실린 혜화문·광희문 문루의 최후 혜화문과 광희문, 두 문의 문루는 모두 1928년에 철거되었다. 1928년 7월 12일자 <동아일보>에는 동소문(혜화문)과 광희문이 '돈이 없어 보존할 수 없다'는 이유로 문루가 훼철된다는 기사가 실렸다.

> 오백년의 역사 사진 동소 수구 양문(東小 水口 兩門) 철훼(撤毁)
> 돈이 없어 보존할 수가 없다는 이유로
> 역사 긴 동소문과 수구문 헐어버려
> 창의문(彰義門)만 근보전태(僅保前態)
> 경성성벽 구문 중에는 동북간 문인 동소문(東小門)과 동남간에

있는 부정문(不淨門)이라고 하는 광희문(光熙門)은 퇴락하여 위험하기 짝이 없으며, 또한 보관을 소홀히 하여 걸인의 숙박처가 되어 위생상 그대로 둘 수 없다 하여, 이전부터 돈을 들여 고적보존회의 손으로 수리보관을 하든지 그렇지 못하면 차라리 철훼하여 불안이 없이 하자는 두 의견이 있어 오던 바, 고적보존회가 경비가 없어서 두 문을 유지할 수 없으니 철훼하여도 무방하다는 의견을 표시하였으므로, 토목부 관유재산계에서는 재목만을 내자동에 사는 진모(秦某)에게 일천이백여원에 팔아버리어 철훼케 하는 중인데, 동소문은 이태조 오년에 창건되어 홍화문(弘化門)이라고 하다가 연산군 십년에 현재 위치로 이전하여 지금까지 내려온 것이오, 광희문은 본시 시구문으로 출상(出喪)하던 문인데 창건된 연대는 미상하다고 한다. 이밖에 창의문(彰義門)마저 헐어버리자는 의견도 있었

경성운동장 모습(사진 서울역사아카이브)

으나, 아직 그럴 필요가 없다 하여 그것만은 고적보존회에서 관리하기로 되었다더라.

<동아일보> 1928년 7월 12일자

하지만 두 문의 육축과 홍예의 수명은 달랐다. 혜화문의 육축과 홍예는 1938년 전차선 연장 공사로 인해 철거되었고, 광희문의 육축과 홍예는 오랜 세월 방치되었다가 1975년 도로 확장공사로 인해 남쪽으로 15m 이전 후 문루가 복원되어 오늘에 이른다.

다양한 이유로 훼철된 한양도성 1932년 낙원동에 있던 기상관측소가 송월동으로 옮겨오면서, 돈의문 북측 성벽이 훼손된다. 1998년 신대방동으로 기상청이 이전하기 전까지 기상대·중앙기상대·기상청 등 다양한 이름으로 불리며, 날씨를 관측했던 곳이다. 한양도성을 깔고 앉은 근대건축물은 2020년 10월 30일부터 국립기상

건물 벽으로 사용중인 성벽

박물관으로 운영중이다.

1936년, 신당동과 장충동 일대의 한양도성은 일본인들을 위한 고급 주택단지가 들어서면서 훼철되었다.

광희문에서부터 장충체육관까지 이어지는 구간은 아예 도성의 흔적을 찾아볼 수 없거나, 극히 일부 지점에서 성벽을 축대로 깔고 앉은 주택으로 만나게 되어 아쉬울 뿐이다.

광복 이후 한국전쟁과 산업화 시기에도 성벽은 도외시되었다.

생존의 문제로 인해 한양도성의 가치를 인지하지 못했기 때문이다. 도시로 몰려든 피난민들은 성벽을 축대로 삼거나, 성돌을 가져가 집을 지었다.

1955년, 경신고등학교가 혜화동으로 이전할 때도 혜화문 북측 도성의 일부가 훼철되었다. 일부 성벽 위에는 담을 쌓았고, 그 옆으로

광희문의 옛 모습(사진 서울역사아카이브)

는 성벽이 있었던 흔적마저 찾을 수 없다.

학교 인근에 들어선 주택 역시 커다란 성돌을 축대로 사용하고 있거나, 성벽 위에 건축물을 지었다. 심지어 관사(官舍)조차 한양도성을 깔고 지어졌을 정도였다.

남산의 경우, 광복 전이나 후나 할 것 없이 도성의 훼철에는 국가 권력이 주요 원인으로 작동했다. 일제강점기에는 식민통치 권력이 남산을 훼손했다. 광복 후에는 1956년 이승만 동상 건립, 1959년 국회의사당 건립을 위한 토목공사, 1964년 아시아반공연맹 자유센터 건립, 1969년 타워호텔, 1972년 남산종합송신탑 건설 등에 의해 목멱의 한양도성이 훼철되었다.

방어가치의 부활 무분별하게 훼철되던 한양도성은 1968년 1월 21일 일어난 북한 특수부대의 청와대 습격 사건으로 인해 일대

장충동 일대 성벽을 깔고 앉은 개인주택

전기를 맞는다.

이 사건은 북한이 당시 대통령이던 박정희와 요인 암살을 위해 31명의 특수부대(124군 부대)를 남파한 것이다. 현재의 청운실버타운 앞 도로에서 시작된 총격전은 청와대 뒤 백악산 일대로 이어졌고, 29명 사살·1명(김신조) 생포·1명 도주로 마무리된 사건으로 일명 '1.21사태'라 한다.

이 사건 이후 한양도성이 서울방위에 큰 역할을 한다는 이유로, 그리고 국민들의 안보의식 고취를 위해 정부는 한양도성의 대대적인 수리에 착수하게 된다.

1974년의 베트남 통일로 인한 안보 강화와 국방유적 정화사업의 일환으로 도성이 대상지로 꼽힌 것도 한몫했다.

이후 1975년부터 1982년까지 약 9.8km에 달하는 성곽의 대대적

경신고등학교 담장이 된 한양도성 성벽

인 복원이 진행되었다. 한양도성 복원의 주역은 수도경비사령부 또는 서울시였다. 이렇게 한양도성은 이 당시 조국수호와 국민단결의 상징성을 부여받고, 화려하게 부활했다.

잠들었던 한양도성이 돌아오다 지난 2005년 청계천을 복원할 때 땅속에 묻혀 있던 광통교가 그 모습을 드러냈다. 다시 모습을 드러낸 광통교는 감동을 선사했다. 땅속에 감춰졌던 한양도성의 유구가 발굴되는 순간도 마찬가지였다.

2008년 동대문운동장을 헐고, 동대문디자인플라자 건립부지에 대한 발굴조사에 착수했을 때, 땅 밑에 파묻혀 83년을 보냈던 이간수문이 모습을 드러냈다. 이간수문은 목멱산의 동쪽, 옛 남소문터 인근에서 시작되어 장충단을 흘러온 물길인 남소문동천의 주 물길이 한양도성 밖으로 흘러나가는 수문이다.

이간수문의 모습

훈련원 터에 있던 이간수문이 일제강점기 경성운동장이 만들어질 때 땅속에 묻혔다가, 오랜 시간이 지난 뒤 모습을 드러낸 것이다. 이간수문의 유구는 한양에 있던 여러 수문 가운데 유일하게 그 모습을 유지하고 있어, 그 의미가 크다.

목멱산이라 불리던 남산은 긴 세월 동안 여러 질곡을 거쳤다. 남산은 경복궁에 머무는 임금이 책상으로 사용하는 안산(案山)이다. 그런데 이런 신성한 공간에 왜적이 쳐들어와 주둔지로 사용하고, 왜적의 종교시설이 들어서기도 하고, 권력기관의 고문시설이 자리하는가 하면, 어린이들이 오르기 힘든 남산에 어린이회관과 동물원, 식물원을 만들기도 했다.

1994년 남산 외인아파트 철거로 시작된 '남산 제모습찾기' 사업은 국가정보원의 이전으로 이어졌다. 이러한 물리적 변화와 함께 우리

조선신궁 터

의 삶을 옥죄던 권력기관의 흔적을 보존·기억하고, 역사의 교훈으로 삼기 위한 작업이 진행되었다.

2013년, 남산 분수대 일대에서 땅속에 묻혔던 한양도성이 100년 만에 모습을 드러냈고, 이와 함께 일제가 만들었던 조선신궁 배전 터가 함께 발굴되었다. 한양도성 회현자락에서 발굴된 유구(遺構)는 그 자리에, 그대로 보존하는 방법을 선택하였다. 야외전시장으로 꾸며진 한양도성유적전시관은 2020년 11월 개방되었다.

시민에게 돌아온 한양도성 1502년(연산8) 10월 21일자 <연산군일기>에는 초동(樵童) 5~6명이 목멱산 마루에 올라 바라보았다고 하여 쫓아가서 붙잡아, 심하게 곤장을 쳤다는 기사가 나온다. 有樵童五六, 登(木覽山)〔木覓山〕 頂覽, 王觀之追捕, 連延者數十人, 皆杖之甚毒。

2020년 개방된 백악북측면 1번 출입구

<연산군일기> 46권, 연산8년 10월 21일 경신 6번째기사 1502년

연산군은 자신은 음탕한 놀이를 즐기면서도 사람들이 궁궐을 엿보지 못하도록 했다.

목멱산에서 궁궐을 쳐다보는 것은 물론, 인왕산의 사찰도 모두 없앴다. 또 산 아래 민가(民家)를 헐어버리기까지 했다.

시선을 차단하고자 하는 것은 절대 권력의 속성이다. 1.21사태 이후 군사독재 및 권위주의 정권하에서 오랫동안 청와대를 내려다볼 수 있는 인왕산과 백악산의 출입은 물론 접근조차 허용되지 않았다.

그러다가 인왕산은 1993년, 백악산은 2006년부터 개방되어 시민들의 품으로 돌아왔다. 2018년부터 인왕산의 초소들이 철거되었고, 2019년부터 백악산 출입을 위한 신분증 검사도 사라졌다.

또 2020년 11월 1일에는 그동안 지속적으로 민간인 출입이 통제되던 백악산 북측면도 개방되었다.

1396년 만들어진 한양도성은 역사의 굴곡만큼 많은 부침을 겪어왔다. 그 결과 총길이 18.6km의 한양도성 가운데 70%에 해당하는 13.1km만이 남아있고, 나머지는 훼절되어 그 흔적조차 찾기 힘들다.

한양의 주산, 백악구간

백악산 정상인 백악마루는 낙산-목멱산-인왕산을 잇는
18.6km 한양도성의 출발점이다. 조선의 심장이던 한양의
주산인 백악은 시대를 넘어 권력과 안보의 중심에 서 있다.
조선시대에는 풍수지리에 의해 길이 막혔고, 대한민국에서는
안보를 이유로 오랫동안 출입이 통제되었던 백악구간.
어렵사리 시민의 품으로 돌아온 백악구간의 도성 안팎은 많은
이야기를 품고 있다.

창의문

자하문이라 불리는 창의문 한양도성의 서북쪽에 자리한 창의문은 '드러낼(밝힐) 창(彰), 옳을 의(義)' 자를 써서 '옳음을 밝힌다' 또는 '올바른 것을 드러나게 하다'는 뜻을 지녔다.

그러나 예부터 오늘날까지 사람들은 이 문을 '자하문'이라는 별칭으로 부르고 있다.

그 연유는 이 지역이 '개성의 (경치좋은) 자하동처럼 골이 깊고, 물과 바위가 아름다워' 자하골이라 부른데서 비롯되었다고 한다. 다른

이유로는, 멀리서 보는 이곳의 자줏빛 노을이 아름답다 하여 '자줏빛 자(紫), 노을 하(霞)'를 써서 자하문이라고 불렀다 한다.

폐쇄된 성문, 반정으로 열리다 창의문은 1413년(태종13)부터 일찌감치 성문으로서의 기능을 상실했다.

<조선왕조실록>에 따르면, 풍수가 최양선(崔揚善)이 '장의동 문(창의문)과 관광방 동쪽 고갯길(숙정문)은 경복궁의 좌우 팔이니, 길을 막아 지맥을 온전하게 해야한다' 以地理考之, 國都藏義洞門與觀光坊東嶺路, 乃景福宮左右臂也。乞勿開路, 以完地脈。(태종13년 6월 19일자 병인 두번째 기사)고 주장하여, 숙정문과 함께 폐쇄되었다.

세종 때 음양가 이양달(李陽達)은 '장의문이 경복궁을 임(臨, 정면으로 향하다)하여 기를 누르고, 해(害)가 있으니, 사람의 자취를 통(通)하는 것은 좋지 않다' 術士李陽達嘗以莊義門臨壓景福宮且亦有害, 不可通人迹(세종28년 4월 15일 첫번째 기사 1446년)고 하였다. 이에 세종이 이를 받아들여 길을 막아 소나무를 심게 되면서 1446년(세종28)부터는 창의문이 아예 폐쇄되다시피 하였다. 이후 오랫동안

창의문

창의문은 굳게 닫히게 된다.

폐쇄된 창의문은 1623년(광해군15)에 갑작스레 열렸다. 광해군의 통치에 반기를 든 이귀·최명길·김자점 등의 인조반정군에 의해 문이 열린 것이다. 파주에서 군대를 편성한 1,500여 명의 반정군은 창의문을 통해 도성 안으로 진입, 거사에 성공했다. 이로써 창의문은 인조반정의 가장 중추적인 장소가 되었다.

영조 때 문루 건립… 보물이 되다 창의문에 문루가 세워진 것은 1741년(영조17)이다. 문루 건립의 정확한 연대를 알 수 있는 것은 1956년 창의문을 보수할 때 건립연대가 기록된 문서가 발견되었기 때문이다.

훈련대장 구성임이 '창의문은 인조반정 때 의군이 진입한 곳이니 성문을 개수하면서 문루를 건축함이 좋을 것'이라고 건의하자, 영조

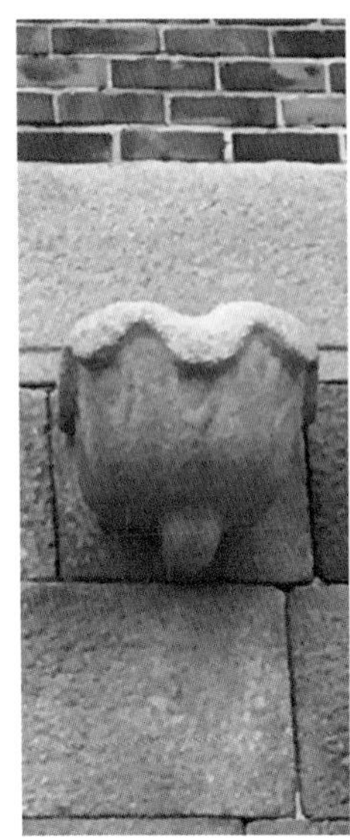

연꽃 누조와 바닥돌

가 이를 받아들여 문루를 세우면서 문루 안쪽에 인조반정의 공신 이름을 새긴 현판을 걸도록 한다.

인조반정의 공신은 모두 53명이었지만, 현판에는 이괄을 비롯한 6명을 제외한 47명의 이름이 새겨져 있다.

오랫동안 외면받던 창의문은 지난 2008년 숭례문 화재 이후 흥인지문과 더불어 조선시대 건축된 위치 그대로 원형을 유지하고 있는 문으로 재조명받아, 2015년 12월 2일 보물로 지정되었다.

창의문 안팎의 누조(漏槽)는 현존하는 한양도성의 문 가운데 가장 아름답다.

성 안쪽의 연꽃모양 누조와 바깥쪽 누조 옆면에 새겨진 무늬와 아래쪽에 새겨진 글씨, '壽·福'은 다른 곳에서는 찾아보기 힘들다.

백악의 계단

창의문에서 백악마루를 향해 걷는 계단길 곳곳에서는 백악의 서쪽과 북쪽 비경(秘境)을 한눈에 볼 수 있다. 위쪽으로 아득히 보이는 계단길이 숨을 멎게 하지만, 한 계단 한 계단 오르다보면 성곽의 총안(銃眼)에서 불어오는 시원한 바람이 더없이 상쾌하다. 그제야 성곽 밖으로 멀리 시선을 돌릴 여유가 생긴다. 백악마루로 이어지는 계단 어디든 멈추는 그곳이 바로 비경(秘境)을 바라보는 조망지점이다.

흥선대원군의 별장을 한눈에 창의문에서 백악마루를 향해 오르는 길에는 부암동 지역과 인왕산자락, 그리고 북쪽으로 삼각산의 아름다운 경치를 감상할 수 있는 지점이 있다. 첫 번째는 흥선대원군의 별장으로 알려진 석파정이 보이는 지점이다. <매천야록>에 따르면, 이곳은 철종 때 영의정을 지낸 김흥근의 별장이었으나, 권력을

백악의 계단

잡은 흥선대원군이 고종과 함께 이곳에서 하루를 묵은 후 '왕이 거처한 곳은 사저로 쓸 수 없다'는 관례를 이용하여 빼앗다시피 했다. 본래 '삼계동정사'로 불렸으나 대원군은 거대한 바위 위에 있음을 들어 '석파정'이라 불렀고, 자신의 호도 석파(石坡)라 하였다.

인왕에서 뻗어내린 거대한 기차바위 돌고래쉼터와 백악쉼터는 물론 백악마루로 올라가는 어느 지점에서도 백악 서북방의 멋진 경치를 볼 수 있다. 서쪽으로는 인왕산 중턱에서 북으로 뻗은 기차바위(벽련봉)가 보인다. 벽련봉 능선을 따라가면 홍지문(弘智門)과 오간수문을 지나고, 이어지는 성곽은 삼각산(북한산) 향로봉으로 향하는 탕춘대성(蕩春臺城)이다. 탕춘대성은 숙종 대에 한양도성과 북한산성을 잇기 위해 자연지형에 최소한의 인위적인 구조물을 쌓은 것으로, 서성(西城)이라 불리기도 한다.

창의문 서쪽 벽련봉 아래쪽은 경치가 좋아 청계동천(淸溪洞天)이라 불렸다. 청계동천에는 안평대군의 별장인 무계정사가 있던 곳에 '무계동(武溪洞)'이라 새겨진 바위가 남아 있다. 이 자리는 <동아일보>의 사회부장이던 소설가 현진건이 1936년 8월 25일자 '일장기 말소사건' 이후 관훈동에서 이곳으로 이사와 살았던 곳이기도 하다. 사실 당시 여운형이 사장으로 있던 <조선중앙일보>가 8월 13일자에 먼저 손기정 선수의 가슴에 있는 일장기를 지운 채 사진을 실었다.

족두리봉에서 보현봉까지 백악마루를 향해 올라가는 계단에서 멀리 북쪽으로 북한산 능선이 조망된다. 서쪽의 족두리봉에서부터 향로봉과 비봉, 사모바위를 지나 문수봉과 보현봉으로 이어지는 북한산 비봉능선은 멋지기 이를 데 없다. 이슬비가 내리는 날이면 운무(雲霧)가 산중턱까지 삼켜버려, 안개 속에 솟은 북한산 봉우리들이 마치 에베레스트 고봉처럼 보이기도 한다.

백악마루

백악마루는 백악산(白岳山)의 정상을 일컫는다. 백악산은 해발 342m로 한양도성을 잇는 네 개의 산 가운데 가장 높으며, 한양의 주산(主山)이다. 백악산은 면악산(面岳山), 공극산(拱極山), 북악산(北岳山) 등 여러 이름을 갖고 있으며, 조선시대에는 주로 백악으로 불렸으나, 간혹 북악이라고 불리기도 했다.

백악산신을 진국백에 봉하다 나각순의 <서울 문화유산 둘러보기>에 따르면, 조선의 태조 이성계는 1395년 12월, 북산(北山, 백악·북악)의 산신인 백악산신(白岳山神)을 진국백(鎭國伯, 국사당을 높여 부르는 말), 남산의 산신을 목멱대왕(木覓大王)에 봉(奉)하였다. 산악숭배사상에 따라 백악은 봄·가을에 국가에서 제사를 지내는 대상이 되었다.

곡성에서 본 백악마루

한양도성의 기준이 되다 한양도성은 백악을 중심으로 축조되었다. 백악마루를 기준으로 동쪽으로 600척(尺)마다 구간을 나누어 공사를 진행했다. 각 구간은 천자문(千字文)의 글자 순서에 따라 천(天)·지(地)·현(玄)·황(黃)… 순으로 표기했고, 마지막은 97번째 글자인 조(弔)자 구간이 되었다.

군사보호지역에서 시민의 품으로 한양도성의 백악구간 가운데 청와대와 가까운 곳은 1968년 1.21사태 이후 군사보호지역으로 지정되어 오랫동안 일반인의 출입이 제한되었다. 2006년 삼청터널 옆 홍련사(紅蓮寺)에서 숙정문을 거쳐 촛대바위까지의 구간을 시작으로, 2020년 11월 1일 백악산 북측면 구간까지 순차적으로 확대, 개방되고 있다. 2022년 백악산 남측면도 시민에게 개방된다는 소식이 반갑기만 하다.

1.21사태 소나무

하얀 원 안에 붉은색이 칠해진 소나무는 이른바 '1.21사태 소나무'라 불린다. '1.21사태'는 북한의 민족보위성 정찰국 소속 게릴라부대 31명이 대통령과 정부 요인들을 암살하기 위해 침투한 사건이다.

나무와 바위에 남은 그날의 흔적 1968년 1월 21일, 북한의 특수부대인 124군 부대 소속 31명은 완전무장한 채 서울까지 잠입했다. 이들은 청와대로 진입하기 위해 자하문고개를 통과하여 경복고등학교 인근(지금의 청운실버타운 앞)에서 비상근무 중이던 경찰에 의해 정체가 드러나자, 경찰과 지나가던 시내버스에 수류탄을 던지고 총격을 가했다.

우이령과 북한산 등 산길을 거쳐 잠입한 이들은 발각되면 잠입 경로를 되짚어나가기로 했으나, 날이 어둡고 교전이 시작되자 대부분은 백악산으로 도주하였다. 1.21사태 소나무는 당시 이곳에서 총격전이 벌어졌음을 말하고 있다. 숙정문 북쪽 구진봉 자락에 있는 바위(호경암)와 주변 나무에는 더 많은 총탄의 흔적이 남아있다.

당시 북한 게릴라부대 31명 중 29명 사살, 1명 도주, 1명이 생포되었다. 생포된 사람은 김신조이며, 후에 귀순하여 목사가 되었다.

"박정희 모가지 따러 왔수다" 1968년 1월 22일, 생포된 김신조가 기자회견에서 한 말이다. 이 말은 대한민국을 뒤흔들었고, 이후 많은 것을 변화시켰다. 변화의 골자는 '대북 대응태세 강화'였다. 가장 먼저 군 복무기간이 늘었고, 예비군 창설과 육군3사관학교 설립, 그리고 대학교와 고등학교에 교련 실습이 생겨났다. 여기에 을지프리덤가디언연습(한미합동군사연습)이 시작되었고, 산에 벙커시설, 도로에는 대전차진행방해시설물이 생겨났다.

1.21사태 소나무

한편 서울의 요새화계획에 따라 남산 1,2호선 터널이 생겼다. 갑작스레 완공된 북악스카이웨이도 군사 목적으로 개발되었다. 수도 방위를 목적으로 1975년부터 서울성곽에 대한 보수작업이 시작되었고, 산으로 남아있던 평창동과 성북동을 개발하기 시작한다. 이때 백악산과 함께 우이령 길이 폐쇄되었고, 1971년에 발생한 실미도사건(684부대)도 이 사건으로부터 비롯되었다.

안보 논리가 '영동'을 개발하다 1.21사태 이후 서울의 남동쪽 지역이 주목받기 시작했다.

이때까지만 해도 논밭만 가득해 허허벌판과 다름없던 한강의 남동지역에 대한 개발에 속도가 붙기 시작했다.

당시만 해도 오늘날의 강남3구는 제대로 된 지역 명칭도 갖지 못할 정도로 외면당하던 곳이었다. 영등포의 동쪽에 있어서 '영동', 서울의 남쪽에 있다하여 '남서울', 한강 이남이어서 '강남'이라 불렸다.

그러나 1.21사태 이후 안보 논리와 맞물려 남서울 개발에 박차를 가하기 시작했다. 기반 시설이 부족했던 강남개발 초기에 각종 기관과 명문 중고등학교를 강남으로 이전시킴으로써 강북 중심의 서울을 분산시켰다. 또 강남에 고속버스터미널을 만들고, 강북에 흩어져 있던 버스터미널들을 강제 폐쇄시키는 등의 조치를 취했다.

청운대

백악마루는 정상임에도 불구하고, 나무에 가로막혀 남쪽 풍경을 볼 수가 없어 아쉬움을 달랠 수밖에 없었다. 하지만, 청운대는 사방으로 멋진 경치를 볼 수 있도록 시원하게 열린 공간이다.

세종대로가 된 육조거리 청운대 서쪽으로 나무 가득한 백악마루가 보이고, 능선을 따라 겸재 정선의 그림에서 보았던 부아암이

청운대에서 본 경복궁과 광화문거리

보인다. 남쪽으로는 경복궁이 한눈에 들어오고, 광화문 남쪽으로 광화문광장과 세종대로가 시원하게 뻗어있다. 조선시대 광화문 양옆으로는 관청이 늘어서 있어 육조거리라 불렸다. 한편 종로에는 육의전 등 상점이 있던 운종가가 자리하고 있었다. 사람들이 구름처럼 몰려들었다가 사라진다하여 운종가라 하였다.

남산의 N타워가 시선을 끌고, 더 멀리 관악산도 보인다. 동쪽은 가까이는 촛대바위, 조금 먼 곳에는 구진봉이 자리하고 있고, 성곽이 이어지는 곳에 자리잡은 응봉(鷹峯)을 볼 수 있는 곳이다. 청운대 이름은 한양도성 백악구간 개방을 앞두고 이곳을 답사한 전 문화재청장 유홍준이 붙인 이름이다.

日帝총독관사, 美軍사령관 관사 터에 자리한 청와대 경복궁의 북쪽, 청운대 바로 아래에는 청와대가 자리하고 있다. 고려시대에는 남경의 '이궁(離宮)'이 있었고, 조선시대에는 경복궁의 후원이 있던 자리로 왕이 농사를 짓거나 활을 쏘며 심신을 단련하던 곳이다. 일제강점기에는 총독관사로, 미군정기에는 사령관사로 사용되었고, 이승만 정권 때부터 대통령의 숙소 및 업무공간으로 사용되었다. 이승만 때에는 경무대(경복궁+신무문)라 불렸으며, 4.19시민혁명 이후(윤보선 대통령 당시) 청와대로 이름이 바뀌었다.

공사실명제의 시작, 각자성석 청운대 옆 성곽의 여장에는 글씨가 새겨져 있다.

여장 안쪽의 각자성석(刻字城石)에는 조선 후기에 한양도성을 개축하면서, 개축시기와 책임자, 감독관, 책임기술자 등의 이름이 새겨져 있어 공사에 관여한 사람들이 누구인지 알 수 있다.

태조, 세종 때는 구간명(천자문)·담당군현명(지역명) 등을 성벽 바깥 아래쪽에 새겼고, 순조 이후에는 여장 안쪽에 감독관·책임기술자·날짜 등을 쓰도록 하여 책임소재를 밝혔다. 이를 통해 부실공사 등 유사시에 그 책임을 묻기도 했는데, 당시 이미 공사실명제가 시작되었음을 알 수 있다.

개축 시기에 따른 성벽의 차이 청운대에서 성곽 너머로 이어진 계단으로 나서면 한양도성의 외곽 면을 만난다. 성 안에서 만난 나지막한 여장 부분과는 달리, 성 밖에서는 성돌이 만든 높은 체성과 그 위의 여장으로 인해 웅장해 보인다. 한양도성의 수축과 개축 시기에 따라 사용된 돌의 모양과 규모가 달라, 성돌의 모양으로 그 시기를 추정할 수 있다.

성곽 옆 철망으로 구분된 백악구간 북측면은 2020년 11월 1일, 52년 만에 개방되어 시민의 품으로 돌아왔다.

곡성(曲城)

성의 한 부분이 둥그렇게 밖으로 튀어나와 있는 것을 곡성이라 한다. 곡성은 높은 위치를 선점하고 있어 적진을 관찰하기 쉽고, 성벽을 오르려는 적을 양측에서 공격할 수 있어 방어가 수월하며, 또 직선으로 성벽을 쌓는 것보다 곡선을 이루기에 무게가 분산되어 성벽이 더 튼튼하다는 장점이 있다.

한양도성 절경을 한눈에 담다 한양도성에서 곡성은 이곳과 인왕산에 각 한곳씩 있다. 인왕에 있는 곡성은 군사지역으로 출입이 안 되기에 이곳이 유일하게 직접 올라볼 수 있는 곳이다. 곡성에 오르면 사방이 확 트여 한양도성이 한눈에 보인다. 가까이에는 백악마루까지 이어진 도성의 성벽이 보이고, 서쪽에는 인왕산 정상으로 이어진 성곽의 풍경이 절경이다. 남쪽으로는 남산(목멱산)이 보이고,

곡성에서 본 북한산 비봉능선

동쪽에 낮게 낙산(타락산)이 눈에 들어온다.

외사산과 서울의 풍경을 품은 곳 곡성 북쪽으로는 북한산 능선이 시원하게 펼쳐져 있다. 서쪽 족두리봉부터 향로봉, 비봉, 승가봉, 문수봉을 거쳐 보현봉까지 한눈에 볼 수 있다. 보현봉에서 뻗어내린 능선은 형제봉을 지나 구진봉을 거쳐 곡성으로 이어진다. 동쪽 멀리 용마산과 아차산이, 남쪽 멀리에는 관악산이 보인다. 이곳에서 보이지는 않지만 서쪽 멀리 자리한 덕양산까지를 포함하여 외사산(外四山)이라 한다.

수원 화성에서 곡성과 비슷하지만 사각형(방형)으로 생긴 것을 볼 수 있다. 성곽에 사각형으로 튀어나와 있는 것을 치(雉)라 부른다. 한양도성에서도 치를 확인할 수 있는데, 동대문디자인플라자(DDP)에 복원되어 있다.

숙정문

문 역할을 하지 못한 도성의 북문 한양도성의 북문(北門)인 숙정문은 태종 때 창의문과 함께 폐쇄되어, 이후 오랫동안 굳게 닫혀 문으로써의 역할을 하지 못했다. 축조 당시에는 숙청문 또는 북문으로 불렸다. 그러나 1523년(중종18) 이후에 숙정문(엄숙하게 다스린다는 의미)이라는 기록이 나타나며, 북정문(北靖門)이란 표현도 찾을 수 있다. 원래 정도전은 북문의 이름을 소지문(炤智門)으로 하자고 주장했지만, 숙청문(肅淸門)으로 정해졌다.

기우제, 그리고 풍속과 속설 음양론에 따르면 음은 북쪽과 물을 상징하고, 양은 남쪽과 불을 상징한다. 따라서 숙정문은 음에 해당하기에 가뭄이 들어 기우제를 지낼 때면 닫혀 있던 북문인 숙정문을 열고 남문인 숭례문을 닫아 물의 기운이 들어오게 했다. 한편, 비가 많이 내리면 반대로 기청제를 지냈다.

<동국세시기>에는 '정월 대보름 전에 민가의 부녀자들이 세 번 숙정문에 가서 놀면 그해의 재액(災厄)을 면할 수 있다'는 풍속이 전해진다. 그러나 이규경이 쓴 <오주연문장전산고(五洲衍文長箋散稿)>는 '숙정문을 열어놓으면 장안 여자들이 음란해지므로 항시 문을 닫아두게 했다'는 정반대의 속설을 전하고 있다.

원래는 없던 문루, 박정희가 만들다 숙정문에는 원래 문루가 없었다. 숙정문에 문루가 없던 것은 옛 지도를 보면 알 수 있다. 또한 문 안쪽 천정의 투박한 돌의 모습에서도 이곳에는 문루가 없었음을 알 수 있다. 지금의 문루는 1975년 한양도성을 복원할 당시에 만든 것이다. 왼쪽부터 쓰인 편액 글씨는 문루를 만들 당시 박정희가 직접 쓴 것이다.

원래 문루가 없던 숙정문

말바위

말바위안내소 위쪽 쉼터와 성밖으로 이어진 전망대에서는 성북동 저택과 주택단지를 조망할 수 있다. 성북동은 서울에서도 부익부빈익빈 현상이 두드러진 대표적인 마을이다.

'도둑촌'이라 불린 성북동 부자동네 성북동이 부촌의 상징이 된 것은 1968년 1.21사태 이후 평창동과 함께 성북동 산을 개발하면서부터다. 1970년 12월 30일 삼청터널이 개통되자 청와대가 가깝다는 이유로 권력자들이 먼저 이곳에 터를 잡았고, 뒤이어 대기업 총수와 부자들이 모여들어 부촌이 형성된 것이다. 한편으로는 외국 대사관저들이 자리 잡았다.

성북동 부자동네는 한때 이른바 '성북동 도둑촌'이라 불렸다. 이는 박정희가 권력 실세의 집을 방문했을 때, 집의 규모가 어마어마하고

도둑촌이라 불린 성북동 부자동네

너무나 호화스러워 "이 도적놈들아" 하고 불호령을 내렸다는 일화에서 비롯된다. 이 사실이 언론에 알려지면서, 성북동 부잣집 동네는 일명 성북동 도둑촌이 되었다.

주민의 아픔을 노래한 김광섭의 '성북동 비둘기' 성북동이 개발되면서 현지 주민들의 내몰리는 모습을 비둘기에 빗대어 노래한 김광섭 시인의 <성북동 비둘기>는 당시의 광경을 잘 묘사해 주고 있다. 이러한 모습은 최근에는 재개발로 쫓겨나는 서민들의 아픈 삶으로 그대로 이어지고 있기도 하다.

성북동 산에 번지가 새로 생기면서
본래 살던 성북동 비둘기만이 번지가 없어졌다.
새벽부터 돌 깨는 산울림에 떨다가
가슴에 금이 갔다.
… (중략) …
사랑과 평화의 새 비둘기는
이제 산도 잃고 사람도 잃고
사랑과 평화의 사상까지
낳지 못하는 쫓기는 새가 되었다.

<김광섭의 '성북동 비둘기' 중에서>

백악 능선의 막내, 응봉과 말바위 백악마루에서 시작된 능선은 응봉으로 이어진다.

성균관대학교 뒷산인 응봉에는 군부대가 자리하고 있고, 응봉이 흘러내린 곳에는 창덕궁과 종묘가 자리하고 있다.

응봉 못미처 자리한 말바위에는 이름의 유래와 관련한 이야기가

말바위

전해진다. 첫 번째는 백악산에서 흘러내린 바위산의 마지막 바위라 해서 말(末)바위라는 설이 있다.

두 번째는 말을 타고 온 사람들이 산을 오르기 전에 이 바위에 말을 매어두었다 하여 말(馬)바위가 되었다고 한다.

북정마을

응봉과 와룡공원의 한양도성 밖에 자리한 북정마을은 성북동 부자촌과 극명하게 대비된다. 작은 집들이 다닥다닥 붙어있는 마을은 복잡한 골목길로 이어져 있다. 심지어는 한사람이 지나가기도 버거운 골목길이 어지러이 연결되어 있다.

성북에 어영청 북둔이 들어서다 성북동에 사람이 살기 시작한 것은 영조 때의 일이다.

1765년(영조41)에 김한구(金漢耈)와 홍봉한(洪鳳漢)은 어영청 북둔(北屯)을 설치해 도성을 방위하고, 백성이 살 곳을 마련하고자 했다. 그러나 백성을 이주시키긴 했지만, 산이 깊고 농지가 적어 백성이 살기가 막막했다.

조정에서는 백성에게 베·무명 등의 직물을 빨거나 삶아서 볕에서 바래는 마전 기술을 익히게 하고, 도성의 일감을 받도록 했다. 성북천이 넓고, 물이 맑으며, 바위가 많아 마전하기 좋은 장소였기 때문이다. 이런 연유로 마전을 하던 곳을 마전터라 불렀다. 사람들로부터 잊혀진 마전터는 인근의 식당 이름으로 남아 전하고 있다.

북둔의 백성들은 마전 일을 하기 어려운 겨울이면 메주를 쑤는 일을 했다. 이를 위해 메주를 쑤는 훈조막을 두었다. 고려대한국어대사전에 따르면, 훈조(燻造)란 '간장, 고추장, 된장 따위를 담그기 위하

북정마을과 부자동네

여 삶은 콩을 찧어 덩이를 지어서 띄워 말린 것'을 뜻한다.

북정마을이란 이름은 메주를 쑬 때 가마솥에 콩 삶는 소리가 '북적북적'하여, 북적골이라는 이름이 붙었다는 이야기가 전해진다.

하지만, 실은 도성의 북쪽인 이곳에 작은 우물이 있어 북정(北井)이라 이름 붙었다.

훼철구간

창의문에서부터 줄곧 이어지던 한양도성은 서울과학고등학교 북쪽에서 도로를 만나면서 끊어진다. 이곳에서부터는 한양도성의 흔적을 찾기가 쉽지 않다.

개발로 사라진 한양도성 한양도성이 끊어진 곳에서 도성의 흐름을 따르면 경신고교 뒷담으로 연결된다. 한양도성을 끊어버

성곽 훼철지점

린 도로를 건너 경신고 북서쪽 담장은 아래쪽에는 한양도성의 흔적이 남아있고, 위쪽에는 블록담장이 있다. 아래쪽 성돌 중 하나에는 '江陵(강릉)'이라는 글씨가 새겨져 있어, 한양도성이 축조될 때 강릉 사람들이 이곳에 동원되었음을 알 수 있다.

오래지 않아 한양도성의 흔적은 찾을 수 없고, 경신고교의 담장만이 길을 따라 나있다. 경신고 후문을 지나 만나는 주택의 축대에서 다시 성돌의 흔적을 만나게 되면서 착잡한 마음을 떨칠 수 없다.

도성으로 돌아온 삶의 현장 다시 사라진 도성의 흔적은 혜성교회 진입로 아래 축대로 사용되는 곳에서 다시 만나게 된다. 그나마 오랫동안 개인 주택의 뒤편에 감춰져 있던 것이 최근 시민의 눈앞에 드러나게 된 것이다.

또다시 사라진 도성의 흔적은 두산빌라 축대로 사용되는 현장에

판잣집 뒷담으로 사용된 한양도성

서 다시 만난다. 이곳부터 약 100m 정도의 길 위는 1970년까지 서민들이 천막을 치고 살았던 삶의 현장이다. 지금은 얼마 전까지 남아있던 슬레이트 지붕 흔적조차 사라진 상황인데다, 작은 성돌의 훼손이 심해 교체한 흔적이 역력하다.

1994년 원래의 위치에서 북쪽으로 이동하여 복원된 지금의 혜화문과 그 주변도 복원 전까지는 서민들이 옹기종기 모여 살던 곳이다. 당시는 도성의 흔적을 찾기 힘들었던 곳이지만, 혜화문과 함께 일부 성벽이 복원되어 있다.

백악 계단에서 본 안개에 싸인 북한산 비봉능선

예나 지금이나 사람을 품은 낙산구간

낙산구간은 한양도성의 동쪽 구간으로 궁궐에 있는 임금이 남면(남쪽을 바라봄)할 때 풍수상 좌청룡에 해당한다. 혜화문에서 시작하여 낙산 정상을 지나 광희문까지 약 2.7km에 달한다. 낙산은 해발 125m로 내사산 중 가장 낮고 낙타의 등과 비슷하다 하여, 타락산(駝駱山)이라고도 했다. 낙산 정상에서는 병풍처럼 펼쳐지는 북한산의 절경을 감상할 수 있으며, 한양도성과 내사산을 보면서 옛 도읍지의 모습을 그려볼 수 있다. 또한 장수마을, 이화마을 등 성곽마을이 위치하며, 청계천 평화시장과 연계한 공장들이 있는 창신동과 정순왕후의 애환이 담긴 동망봉이 멀지 않은 곳에 있다. 흥인문을 지나 하도감터에 자리한 이간수문과 동대문디자인플라자(DDP), 광희문에 이르기까지 사람을 품은 역사 이야기가 가득한 구간이다.

혜화문(惠化門)

여진족이 왕래하던 경원가도의 관문 한양도성의 동북문으로 '동소문' 또는 '소청문'으로도 불렸던 혜화문은 흥인지문과 숙정문 사이에 위치하고 있다. 처음 이름은 홍화문(弘化門)이었으나, 1483년

(성종14) 창경궁의 정문을 홍화문이라 하면서 1511년(중종6)에 혜화문으로 바뀌었다.

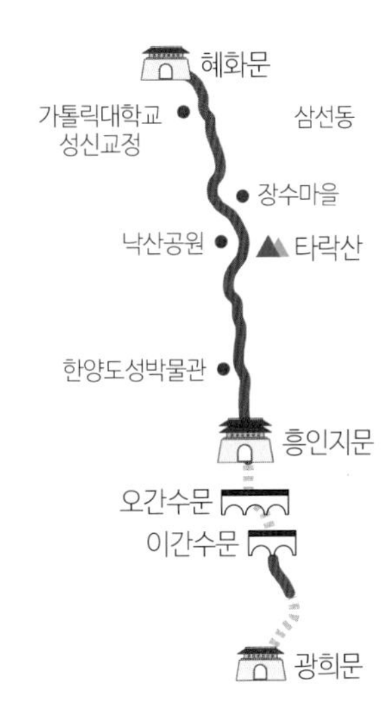

<중종실록>에 '야인은 항상 동소문으로 왕래한다 野人則常以東小門往來也'는 기록이 있다(중종 23년 9월 21일자 기사 1528년). 야인은 여진족을 가리키는 말로 오랑캐 취급을 받았기에 대문으로 들어오지 못하고 동소문을 이용하여 흥인문 옆의 북평관에 머물렀지만, 병자호란 이후에는 돈의문과 숭례문으로 왕래하였다.

1744년(영조20) 홍예와 문루를 다시 지었고, 당시 명필 조강이(趙江履, 1697~1756)가 현판을 썼다. 1994년 혜화문 복원 시 27대 서울시장 이원종이 쓴 글씨로 걸었으나, 2019년 다시 조강이의 글씨로 복원한 현판으로 교체하였다.

홍예문 천장에 그려진 봉황 지금의 삼선동, 동선동, 동소문동 일대 혜화문 주변은 넓은 들판이 펼쳐져 있어 삼선평(三仙坪)이라 하였다. 이곳에 새떼들이 모여들어 농사에 막대한 피해를 주자 이를 막기 위해 혜화문 천장에 새들의 왕인 봉황을 그렸다는 이야기가 전해진다. 조선 후기에는 삼선평에서 무예 등 군대 훈련이 행해지기도 했다. 대한제국 말기 군대 해산 이후에는 서북 출신의 유학생들이 모여 운동회를 열었던 곳이며, 안창호의 강연이나 각종 집회가 열린 장소이기도 하다.

특히 1929년 12월에는 혜화동 큰 거리에서 경신학교 학생들의 주도로 광주학생운동 관련 항일 시위운동이 개최되기도 하였다.

돈암동에 전차가 들어오면서 헐리다 1928년, 부근의 정비공사로 인해 혜화문 문루가 헐렸다. 1934년 <조선시가지계획령>과 1936년 12월 26일 220개 계획가로가 발표된 후 1938년 동소문에서 돈암동까지 전차선 연장 공사로 인해 돌로 쌓은 육축(陸築)이 철거되었다. 전차가 지나갈 수 있도록 언덕을 깎아 평탄하게 만들어야 했기에 약 7m가량 땅이 낮아졌다. 지금의 혜화문은 1994년, 원래의 위치보다 30m 정도 북쪽 언덕인 현재의 자리에 복원하였다.

혜화문을 나와서 큰길을 건너면 계단이 있고, 계단을 오르면서 본격적으로 낙산구간이 시작된다. 삼선 재개발 6구역의 첫소리를 따서 '369마을'이라고 부르게 된 삼선동 성곽마을의 주민공동시설들을 만

일제강점기 혜화문의 모습(사진 서울역사아카이브)

나게 되고, 아름다운 성벽을 따라 장수마을까지 평탄하고 걷기 좋은 길이 이어진다.

혜화문의 남서쪽에 자리한 혜화동성당 자리는 타락산에서 이어지는 언덕이다. <가톨릭대사전>에 따르면, 혜화동은 조선 초 문신 박은(朴訔, 호 조은釣隱, 1370~1422)이 이곳에 잣나무 숲을 만들고, 백림정(栢林亭)이라는 정자를 만들었다 해서 백동(栢洞)이라 불렸고, 잣나무가 무성하여 잣골이라고도 했다. 또 반궁(泮宮)이라 불리던 성균관이 있어 반촌(泮村)으로도 불리다가, 1914년 혜화문 이름에서 따온 혜화동이라는 지명을 갖게 되었다.

가톨릭대학교의 담장이 된 한양도성 백동은 천주교의 도입기부터 매우 밀접한 연관을 가진 곳이다. 1787년(정조11), 당시 성균관 유생이던 이승훈과 정약용 등이 반촌에서 서학서(西學書, 천주교

복원된 혜화문의 모습과 현판

서적)를 강독하다가 동료 이기경(李基慶)의 고발로 '정미반회사건(丁未泮會事件)'이 일어났다. 정조의 무마로 직접적인 처벌은 없었지만 이 사건은 이후 천주교박해의 시발점이 되었다.

1866년(고종3), 병인박해 때는 장치선, 김계교, 이연식 등 천주교 신자들이 피신해 있던 곳이기도 하다.

1909년 독일 상트 오틸리엔 베네딕토(Sankt Ottilien Benediktiner) 수도회가 한반도에 진출하면서, 이곳에 수도원과 숭공(崇工)학교, 숭신(崇信)사범학교를 세웠다. 1920년 베네딕토회가 원산으로 진출하자 서울교구가 이를 인수하여 1927년 혜화동본당을 창설하고, 1929년 용산에 있던 예수성심신학교를 이전했다. 1931년에는 서울교구가 운영하던 남대문상업학교를 이곳으로 이전하고, 동성(東星)상업학교로 이름을 바꿨다.

원 위치에서 북쪽으로 이동 복원된 혜화문

베네딕토회의 대수도원장(Abbas) 베버(Norbert Weber, 1870~1956) 신부는 두 차례나 한국을 찾아 여행하면서 수많은 귀중한 사진 자료를 남겼다. 베버는 금강산을 여행하며 겸재 정선의 화첩을 사서 독일로 가져갔다. 1975년 독일 유학중이던 유준영 전 이화여대 교수가 상트 오틸리엔 베네딕토 수도원 선교박물관에서 겸재의 화첩을 만났고, 2005년 영구 임대형식으로 한국에 반환되었다.

장수마을

주민들의 손으로 이뤄낸 도시재생 낙산 정상을 향해 올라가는 가파른 언덕길 어귀에 '장수마을'이라는 표지석이 세워져 있다. 대부분 노인층으로 이루어진 주민들이 이름에 걸맞게 실제로 장수하고 있는 마을이다.

장수마을의 모습

장수마을은 원래 한국전쟁 이후 산업화 시기에 먹고 살기 위해 상경한 사람들이 국유지에 무허가 집을 짓고 살던 대표적인 슬럼가였다. 가파른 언덕과 좁은 면적으로 인해 도시 재개발에서도 외면받았지만, 이로 인해 오히려 성곽 마을이 가지는 수려한 경관을 오롯이 간직할 수 있게 되었다.

새로운 도시재생의 모델을 제시한 것은 주민들이었다. 주민들이 직접 참여하여 만든 '동네목수'라는 마을기업은 마을공동체를 형성하였고, 정든 고향을 떠나야 하는 젠트리피케이션(Gentrification)을 겪지 않아도 되었다. 서울의 대표적인 달동네였던 장수마을은 모범적인 도시재생을 상징하는 사례이자, 서민들의 삶을 담은 다양한 스토리를 보유한 마을로 자리매김하고 있다.

낙산공원

광화문 앞에서 옮겨온 삼군부 총무당 낙산 정상 암문에서 삼선동 한성대학교 방향에는 흥선대원군 개혁정치의 산물인 삼군부(三軍府) 총무당(總武堂) 건물이 자리하고 있다. 흥선대원군은 조선 후기 최고 의사결정 기구였던 비변사를 폐지하고, 1865년(고종2)에 세종 때 철폐되었던 삼군부를 부활시켰다. 부활한 삼군부는 군무(軍務)를 통솔하고, 변방에 관한 일을 관장하였다. 1868년(고종5) 흥선대원군은 현재 세종로 정부종합청사 자리에 총무당, 청헌당(淸憲堂), 덕의당(德義堂)으로 구성된 삼군부 건물을 지었다.

총무당은 1880년에 삼군부가 혁파된 후 통리기무아문과 시위대 청사로 사용되다가, 1930년 일제에 의해 현재의 위치로 옮겨졌다. 덕의당은 헐어버렸고, 청헌당은 1967년 공릉동의 육군사관학교로 이전되었다.

낙산자락으로 옮겨진 삼군부 총무당의 모습

총무당 현판은 외교관 신헌(申櫶, 1810~1884)의 글씨다. 신헌은 불평등한 강화도조약과 조미수호통상조약을 체결한 인물이다. 현판의 글씨 하나에도 역사가 얽혀있다.

한양의 낙조와 북한산 경관을 품다 2002년 낙산 정상 주변에 조성된 낙산공원은 육각 정자와 전망대가 잘 갖추어져 있고, 정상까지 마을버스가 운행되어 접근성이 뛰어나다. 또한 고도가 높지 않아 늦은 시간에도 가벼운 마음으로 산책을 즐길 수 있다.

낙산은 낙타의 등과 비슷하게 생겼다고 해서 낙타산이라 했다. 또는 왕실에 공급할 우유를 생산하는 소를 키운 곳이라고 하여 타락산(駝駱山)이라 불렸다.

나지막한 높이의 낙산이지만 한양도성을 잇는 백악과 목멱, 인왕은 물론이고, 한양도성 안이 한눈에 들어온다. 특히 일몰 때 인왕과

낙산공원

백악 사이로 떨어지는 낙조는 절경이다.

한편 북쪽으로는 북한산이 한 폭의 병풍처럼 펼쳐져 있다. 내사산의 모든 정상에서 볼 수 있는 북한산을 보면 왜 북한산을 횡악(橫嶽)이라고 불렀는지 짐작할 수 있다. 동서로 길게 뻗어 있는 능선의 형상을 보고 '가로산'이라 하였을 것이다.

낙산공원에서 서쪽 동숭동 방향으로 나무계단을 내려가면, 왼편에 자리한 작은 텃밭 앞에 '홍덕이밭'이라는 표지판이 세워져 있다. 이와 관련된 이야기가 전한다.

병자호란 때 봉림대군은 볼모가 되어 청나라 심양으로 끌려갔다. 당시 봉림대군을 따라갔던 나인중에 홍덕이 그곳에서 채소를 가꾸어 김치를 담가 바쳤다.

본국으로 돌아온 후에도 나인 홍덕이의 김치 맛을 잊지 못했던 봉

낙산 암문에서 바라본 북한산 전경

림대군은 효종으로 등극한 이후 홍덕에게 낙산 중턱의 채소밭을 주어 계속 김치를 담가 바치도록 했다는 이야기이다.

반촌(泮村), 대학로가 되다 낙산 정상에서 이화마을 방향으로 내려오다가 삼거리 부근에서 정자를 만난다. 이곳은 한양도성 구간 중에서도 손꼽히는 야경을 자랑하는 장소로 내사산과 도성 안의 모습을 한눈에 볼 수 있다.

아래쪽 대학로는 젊은이들의 문화거리이다. 대학로의 역사는 조선시대 성균관으로 거슬러 올라간다. 조선 최고의 국립교육기관인 성균관은 '반궁(泮宮)'이라고도 했다.

이런 연유로 주변 마을은 반촌이라 불렸는데, 성균관 유생들의 하숙촌이자 유흥가, 또는 신학문 논쟁을 주도하는 등 당대의 유행을 선도하는 곳이기도 했다. 또한 이곳은 일종의 치외법권 지역으로, 범

낙산에서 바라본 인왕산 일몰

죄자들이 숨어들어도 체포할 수 없는 곳이기도 했다. 실제로 영조가 성균관 대사성에게 반촌을 뒤지라고 명하니, 성균관 유생들의 항의가 이어졌다는 기록이 남아있다.

1924년, 일제는 동숭동에 4년제 경성제국대학을 설립하였다. 경성제국대학은 광복 후 서울대학교가 되었다. 1975년 서울대학교가 관악구로 이전하였고, 그 자리에 고급 주택단지가 들어섰다. 1980년대 중반 대학로는 '차 없는 거리'로 지정되면서 유흥가로 바뀌고, 소극장들이 들어서면서 젊은이들이 모여들기 시작했다. 한편으로는 민주화를 염원하는 대학생들의 주요 집회장소이기도 했다.

수백 년 전 유생들이 학문을 연마하고 풍류를 즐기던 그 자리에는 지금도 새로운 세대들이 미래를 꿈꾸고 있다.

창신동

채석장 돌 위에 몰려든 삶, 판자촌에서 아파트로 낙산 정상부에서 성 밖으로 나서면 창신동으로, 곳곳에 채석장 터가 보인다. 한양도성을 지을 때 도성 주변의 돌을 캐서 사용하다가, 조선 후기로 가면서 한양도성이 연결된 네 개 산의 파괴를 막기 위해 도성에서 떨어진 곳의 돌을 사용했다. 창신동의 채석장은 일제강점기 경성부의 직영채석장으로 운영되어 한국은행, 경성부청(현 서울시청), 경성역(현 문화역서울284), 조선총독부 건물을 지을 때도 사용되었다.

한국전쟁 이후 낙산 일대에는 전쟁 난민과 노동자, 도시 빈민들이 몰려들어 판자촌이 들어섰다. 채석장으로 사용되던 창신동의 커다란 화강암 바위 더미 인근에 형성되었던 판자촌은 1962년에 철거되고, 1963년 그 자리에 100세대의 창신아파트가 지어졌다.

창신숭인채석장전망대의 야경

이렇게 낙산 일대 동숭동과 창신동 등 산동네에는 동숭시민·낙산시민·동숭시범아파트 등 대규모 단지가 들어서게 된다. 시간이 흘러 낙산 일대에 지어진 아파트는 안전과 미관 문제로 인해 단계적으로 철거되기 시작했다. 동숭시민아파트가 철거된 자리에 2002년, 지금의 낙산공원이 들어서게 되었다.

채석장이 있던 언덕꼭대기에 지금은 창신숭인채석장전망대가 들어서 있다. 마치 긴 사각형 막대기 2개를 교차시켜 십자가처럼 보인다. 2층은 실내전망대카페이고 3층은 옥외전망대로, 모두 한양도성과 서울 동쪽의 야경을 마음껏 즐길 수 있는 곳이다. 돌산이라고 불리던 채석장 언덕에 등장한 역사와 사람, 문화와 자연을 잇는 건축물로 많은 사랑을 받고 있다. 2020년 제38회 서울특별시건축상 우수상을 받았다.

멀리 보이는 창신동 채석장의 모습

노동자들이 만들어낸 의류산업의 배후거점 창신동 일대는 1960년대부터 동대문 의류산업을 떠받치고 있는 거대한 제조 거점이다. 창신동에 있던 종업원 3명 이하의 가내수공업 규모의 공장은 한때 3천 개가 넘었다.

아침에 디자인을 가지고 의뢰하면, 오후에 샘플 작업이 완성될 정도로 신속한 기동력을 자랑(?)하던 곳이다. 이런 속도전이 가능했던 이면에는 산업화시대에 수많은 노동자들이 그 대가를 지불해야만 했던 아픔이 고스란히 전해져 오는 곳이기도 하다. 평화시장 어린 여공들의 피와 땀, 그리고 비인간적인 노동환경에 온몸으로 저항했던 수많은 전태일 열사의 소리 없는 외침이 서린 곳이기도 하다.

이화마을

아름다운 벽화가 애물단지로 낙산공원의 바로 아래 자리잡은 이화마을은 조선시대부터 풍류를 즐기던 경치 좋은 명소로 쌍계동(雙溪洞)이라 불렸다. 일제강점기에는 일본인들이 고급 주택을 짓고 살았던 곳이며, 해방 후에는 국민주택 단지로 조성이 되었넌 곳이다.

이후 점점 낙후되어 가던 이화마을에 2006년 문화체육관광부 도시예술 캠페인의 일환으로 곳곳에 아름다운 벽화를 그렸다. 2014년에는 '이화동 마을박물관' 프로젝트를 가동하면서, 관광객들이 앞다투어 찾는 으뜸 명소가 되었다. 낙후되었던 마을이 변화하면서 많은 사람이 찾도록 하는 데 성공하면서, 전국적으로 마을에 벽화를 그리는 유행을 만들어내기도 하였다.

하지만 과열된 관광지화가 진행되면서 과도관광이 새로운 문제가 되었다. 무분별한 관광객들로 인한 소음과 각종 오염 등에 대한 주민들의 불만으로 인해 주민협의회의 결정으로 벽화가 철거됨으로써

이화마을에 몰려든 관광객

이화마을을 찾는 사람들의 발길도 줄어들었다.

장수마을과 이화마을의 사례는 마을공동체가 중심이 되어 상생과 공생을 추구하는 도시재생 과정과 방법의 중요성에 대한 과제를 남기고 있다.

흥인지문공원

도성의 역사를 만나는 한양도성박물관 흥인지문이 내려다보이는 언덕에 2014년 7월 31일 개관한 한양도성박물관이 있다. 서울디자인지원센터 건물의 1층부터 3층까지가 한양도성과 관련된 유물과 역사를 전시하는 한양도성박물관이다. 1층과 3층의 상설전시실에서는 한양도성과 관련된 총체적인 정보와 역사를 만날 수 있고, 2층에는 기획전시실과 자료실, 교육실 등이 있다.

한양도성박물관

여성을 위한 병원, 보구여관 흥인지문공원 언덕 위 평평한 곳에는 이곳이 이화여대 동대문병원이 있던 자리임을 알리는 커다란 원형 동판이 하나 있다.

이화학당을 세운 메리 스크랜튼 여사는 정동에 최초의 여성 전문병원을 세우고, 보구여관이라 하였다. 그 시작은 스크랜튼 여사의 아들이 운영하던 정동의 시병원(施病院)에서 여성 환자들을 진료하면서부터다. 1887년 10월 정동 이화학당 아래 별도의 한옥 건물을 마련하고, 보구여관이라 이름 지은 것이다.

정동제일교회와 이화여고 담장이 이어지는 곳에 보구여관 터를 알리는 표지판이 있다.

가난한 자들을 찾아가다 정동의 보구여관을 동대문으로 옮긴 이유에서 스크랜튼 여사의 헌신과 봉사의 숭고한 정신을 읽을

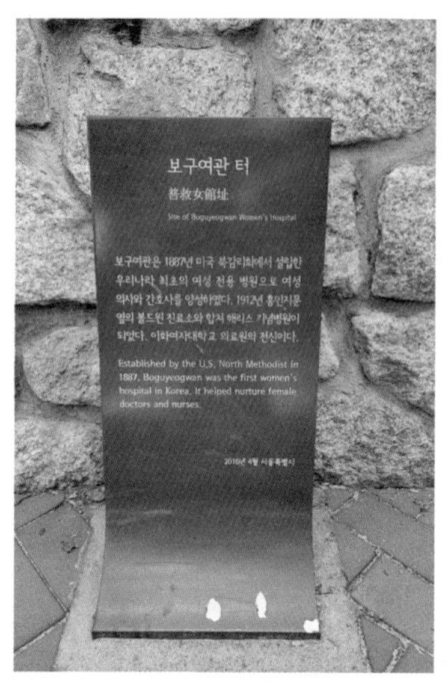

정동의 보구여관 표지석

수 있다. 1887년 스크랜튼은 본국 선교본부에 한 통의 편지를 보낸다. 그 편지에서 그녀는 '선한 사마리아인 병원 계획(Good Samaritan's Hospital Plan)'을 밝힌다.

편지는 현재 병원이 있는 정동은 외교공관과 궁궐, 양반집 건물들에 둘러싸여 있어 가난한 환자들이 찾아오기 힘든 곳이므로 버려진 환자들이 있는 곳. 즉, 서대문 밖 애오개와 남대문 시장 언덕, 그리고 동대문 성벽 안쪽 민중 계층이 사는 곳에 시약소(施藥所)를 개설하여 민중 구제를 위한 진료와 선교의 거점으로 삼겠다는 내용을 골자로 하고 있다.

편지에서 스크랜튼이 말한 이 세 곳에는 아현교회, 상동교회, 동대문교회가 설립되었다. 보구여관도 이 계획에 따라, 의료의 손길이 필요한 이들이 있던 동대문 언덕으로 자리를 옮긴다.

1892년, 여성해외선교기금으로 동대문 안 부지를 확장, 병원과 교회를 짓고 볼드윈 시약소(Baldwin Dispensary)라 하였다. 이어 1912년, 현대식으로 건물을 짓고 릴리언 해리스 기념병원(Lillian Harris Memorial Hospital)이라 하였다가, 후에 동대문 부인병원으로 바뀌었다.

1945년 광복 후 이화여대가 의학부를 설립하면서 이화여대의과대학부속병원이 되었다. 1993년 이대목동병원이 건립된 이후에도 진료를 계속해 왔던 이대동대문병원은 2008년 폐원되었다.

흥인문(興仁門)

1398년(태조7) 건설된 한양도성의 동쪽 대문. 이름에 유교에서 말하는 사람이 지켜야 할 다섯 가지 기본 덕목인 오상(五常) 중 '어질 인(仁)'자를 가진 문, 도성 8문 중 숭례문과 함께 중층의 문루를 가진 문이다. 지금의 흥인문은 1869년(고종6)에 고쳐 지은 것으로, 1963년 1월 21일 대한민국의 보물로 지정되었다.

도성의 동쪽 문에 옹성을 쌓다 흥인지문이 있는 한양도성의 동쪽은 지세가 낮을 뿐만 아니라, 지반(地盤)이 단단하지 못했다. <조선왕조실록>은 '동대문에는 지세가 낮으므로 밑에다가 돌을 포

흥인문 옹성의 모습

개어 올리고 그 뒤에 성을 쌓았으므로, 그 힘이 다른 곳보다 배나 되었다'고 기록하고 있다.

東大門以其地洿下, 排樅疊石, 而後城之, 故其功倍他。

<태조실록> 9권, 태조 5년 2월 28일 병진 1번째기사 1396년

이 지역은 지대가 낮은 탓에 적의 공격으로부터 취약한 곳이었다. 흥인문이 강원도와 연결될 뿐 아니라, 동북면으로 통하는 길이라 방비를 허술히 할 수 없어 문 앞쪽에 옹성을 쌓도록 했다. 옹성을 쌓으면 밖에서 성문이 보이지 않을뿐더러, 적의 공격으로부터 성을 지키고 방어하기에 쉽기 때문이다. 또 흥인문 옹성은 한양 동쪽의 낮은 지형으로 인한 취약한 풍수를 보완하는 역할을 하기도 했다.

한양도성 다른 문의 직사각형 현판과는 달리 흥인문의 정사각형 현판은 방패(防牌) 모양으로 약한 지세를 보완하고 있다고 한다. 현

흥인문

판에는 문 이름 흥인문에 지(之)를 덧붙여 '흥인지문'이라는 네 글자를 써넣었다. 마치 용이 승천하는 모습을 닮은 글자인 '지(之)' 자를 추가함으로써, 풍수적으로 동쪽 지역의 약한 지세와 기를 보완하고자 한 것으로 이해할 수 있다.

흥인문은 창건(創建)되고 불과 50여 년만인 1451년(문종1)에 경기, 충청 전라도 수군을 동원하여 개축했다. 또 1453년(단종1)에도 대규모의 개축 작업이 있었고, 4백여 년이 지난 1869년(고종6) 다시 한번 개축되었다.

철마(鐵馬), 근대를 질주하다 1899년 부처님오신날(5월 17일)에 흥인지문 앞은 엄청난 인파로 붐볐다.

사람들은 한 번도 경험하지 못한 대규모 운송수단의 출현을 목격하기 위해 흥인문과 주변 도성의 여장 위까지 빽빽이 올라가 진을 치고 기다렸다. 전차(電車)의 시범운행을 보기 위해서다.

새로운 세기가 도래하기 전에 전차와 기차가 잇달아 선보였다. 기차는 제물포에서 노량진까지 개통되었고, 이후 서대문정거장에 기차역이 설치되어 돈의문에서 출발하는 전차와의 연계가 이루어졌다.

전차 운행을 위해 고종과 콜브란(H. Collbran), 그리고 보스트윅(H. R. Bostwick)이 합작하여 1898년 한성전기회사를 설립하였다. 이듬해인 1899년 돈의문에서 흥인지문까지 처음으로 전차가 운행되었고, 동대문 바로 옆(현 메리어트호텔)에 발전소가 만들어졌다. 같은 해 개통된 종로~숭례문 노선이 1900년 구 용산(원효로)까지 증설되고, 1901년에는 남대문과 서대문 밖을 잇는 노선이 추가되었다. 대한제국 시절 4개였던 전차노선은 일제강점기 말인 1943년에는 지선을 포함한 16개 노선으로 크게 확장되었다.

전차는 개설 70년 만인 1968년에 마지막 전차가 운행되면서 그 역할을 다하고, 사라졌다.

지금은 서울역사박물관 앞에 당시 운행하던 전차 1대가 전시되어 있을 뿐, 버스와 지하철에 그 역할을 내어주고 말았다.

한양의 동쪽

정순왕후의 삶을 담은 정업원과 동망봉 흥인문 밖 숭인동에서는 삼촌 수양대군에게 왕위를 찬탈당한 비운의 왕 단종과 왕비 정순왕후의 흔적을 곳곳에서 만날 수 있다.

영월로 귀양 가던 단종은 정순왕후와 청계천 영도다리 위에서 작별해야 했다. 1457년(세조3) 단종이 사약을 받고 죽은 후 세종대왕의 부마였던 윤사로가 정순왕후를 노비로 달라고 했다. 왕위를 찬탈

청룡사

한 세조였지만, 차마 그럴 수 없어 정순왕후에게 집을 주고 살아가게 하고자 했다.

그러나 정순왕후는 왕실에서 주는 도움을 모두 거절하고, 이곳 흥인문 밖에서 염색으로 생계를 꾸리는 등 모진 생을 이어 나갔다.

어린 나이에 혼자된 정순왕후가 여생을 살기 위해 자리잡은 곳은 낙산 자락의 정업원(淨業院)이다. 지금의 청룡사 한쪽에 1771년(영조47) 영조가 세운 '淨業院舊基(정업원구기)'라는 비석과 비각이 남아있다. 청룡사 대웅전 맞은편의 우화루(雨花樓)가 단종과 정순왕후가 마지막 밤을 보낸 곳이라 전해진다.

청룡사 바로 앞의 봉우리는 정순왕후가 영월이 있는 동쪽을 바라보며, 단종을 그리워했다는 동망봉(東望峰)이다. 지금은 숭인근린공원이 조성되어 있고, 공원 내에는 동망봉에 얽힌 정순왕후의 애달픈

청룡사 정업원구기

사연이 소개되어 있다.

비우당, 그리고 자주동샘과 여인시장 낙산 동쪽의 비우당(庇雨堂)은 황희, 맹사성과 함께 조선의 청백리 중 한 사람인 유관(柳寬, 1346~1433)의 집이었다. 세종 대 우의정을 지낸 그는 지봉유설을 쓴 이수광의 외가 5대조(祖)이다. 장마로 집에 비가 줄줄 새자, 우산을 받치고 한탄하는 부인에게 '그래도 우리는 우산이 있어 다행이지, 우산이 없는 집은 얼마나 힘들겠소?'라고 하자, 부인이 '그들은 그들 나름대로의 계획이 있을 것'이라고 대답했다는 일화가 전한다.

비우당의 바로 옆에 자주동샘이라는 우물이 있다. 정순왕후가 염색을 하며 살아간 이 동네 언덕에 항상 자주색 염색물이 흘러내렸다 하여 붙은 이름이다.

바위에는 '紫芝洞泉(자지동천)'이라 글씨가 새겨져 있다.

영월에 있는 단종 능, 장릉

동묘 앞에서는 좌판을 깔고 각종 상품을 싸게 팔고 있는 동묘시장을 만난다. 그 옛날, 정순왕후에게 채소와 푸성귀 등 도움을 주려는 도성 안팎의 아낙네들이 몰려들어 여인시장을 형성했던 곳이다.

18세에 과부가 된 정순왕후는 82세까지(남편을 죽인 세조뿐 아니라 예종, 성종, 연산군, 중종 대까지) 살아남아서, 계유정난의 일등공신 한명회가 부관참시당하는 꼴까지 지켜보았다. 단종은 1698년(숙종24) 숙종에 의해 241년 만에 복권되었고, 이로써 단종과 정순왕후의 신주가 종묘에 복위부묘(復位祔廟)되었다. 정순왕후는 시누이의 아들을 양자로 삼아 단종과 자신의 제사를 의탁하고 해주정씨 묘역에 묻혔으나, 복권과 함께 사릉(思陵)으로 추상(追上, 임금이나 왕비가 죽은 뒤에 존호를 올리던 일)되었다.

비우당과 자주동샘

이간수문과 오간수문

한양의 지세는 북서쪽이 높고 남동쪽이 낮아서 한양의 내수인 청계천은 서에서 동으로 흐른다. 내사산의 물길들이 모인 청계천은 도성을 빠져나갈 때 오간수문으로 나갔다. 한양의 많은 물길 중 남산 동쪽에서 발원한 남소문동천은 이간수문을 통해 도성 밖으로 흘렀다. 홍명희의 소설에는 임꺽정이 한양을 빠져나갈 때 오간수문으로 나갔다고 묘사되어 있다.

훈련도감, 도성의 동쪽을 담당하다 임진왜란이 발발한 다음 해인 1593년(선조26)에 유성룡의 건의로 훈련도감이 설치되었다. 이후 숙종 대까지 차례로 어영청(1623)과 금위영(1682)이 만들어져, 수도방위의 주력부대인 삼군영 체제가 완성된다.

훈련도감은 훈국이라고도 하였고, 본청 이외에 서영, 남영, 북영,

경성운동장(사진 서울역사아카이브)

하도감, 염초청 등의 부속 관청이 있었다. 도성의 동쪽이 지대가 낮고 허술하므로 이곳을 막기 위해서 효종 때 훈련도감의 분영을 동쪽에 주둔시켰는데, 이 부대가 하도감이다.

1808년(순조8)에 18세기 후반부터 19세기 초에 이르기까지 조선 왕조의 재정과 군정에 관한 내용을 수록한 행정서이자 정책서인 <만기요람(萬機要覽)>이 편찬되었다. <만기요람>에 따르면 하도감은 390간의 거대한 시설에 조총과 화약공장을 갖추고 있었다는 기록이 있으며, 1천 명이 넘는 군인이 상주하는 대규모 부대였다.

또 종합군사훈련장인 훈련원이 있었다. 훈련원은 조선 군사의 무예 훈련을 담당한 병조 소속의 관서로, 건국 초기인 1392년(태조1)에 설치된 훈련관을 계승한 것으로 1466년(세조12)에 훈련원으로 개칭되었다.

이간수문

훈련원 연병장은 1907년 8월 1일 군부대신 이병무가 병력을 소집하고, 군부 협판(協辦, 대한제국기 각 부의 차관) 한진창으로 하여금 군대해산 조칙을 낭독하게 함으로써 군대를 해산시킨 사건이 일어났던 곳이기도 하다.

18세기 <도성도>에 훈련원 우측 하단·이간수문 아래쪽에 하도감, 좌측에 염초청이 함께 표기되어 있어, 세 가지 군사시설이 흥인문 주변에 밀집해 있었음을 알 수 있다.

저항의지 분출의 場, 역사 속으로 사라지다 일제는 하도감 터에 운동장을 건설했다. 조선신궁이 완공되던 1925년에 히로히토 왕세자의 결혼을 축하한다는 명목으로, 훈련원과 하도감 터에 운동장을 만들고 경성운동장이라 했다.

일제는 군국주의를 주입하고 자신들의 우월성 입증을 목적으로 각종 대회를 개최했다. 그러나 조선의 젊은이들은 식민지의 울분을 토해내며, 승리를 통해 저항의 의지를 보여주었다.

경성운동장은 해방 이후 그대로 서울운동장이 되었고, 각종 국내·국제 대회가 열리던 명실상부한 한국 스포츠의 메카로 자리매김했다. 88서울올림픽을 준비하면서 1984년 잠실운동장이 완성된 후, 1985년 7월 동대문운동장으로 이름이 바뀌었다. 1984년 5월 지하철 2호선이 개통될 때만 해도 '서울운동장역'이라 이름 붙었던 역이름도, 운동장 명칭의 변화에 따라 동대문역사공원역으로 바뀌었다.

2007년 12월, 동대문운동장은 야구장부터 철거되기 시작했다. 2008년 5월 14일 '굿바이 동대문운동장' 행사를 마지막으로 축구장 철거작업에 들어갔는데, 축구장 아래쪽에 묻혀 있던 이간수문의 흔적이 그대로 드러났다.

한양도성 깔고 앉은 동대문디자인플라자(DDP) 한양도

동대문디자인플라자 야경

성, 하도감, 염초청, 훈련원 등 조선의 역사가 흘렀던 시설물과 유구 위에 경성운동장과 서울운동장, 동대문운동장이 저마다의 이름으로 한 시대를 풍미했다.

지금은 이라크 출신 영국 건축가인 자하 하디드(Zaha Hadid)가 설계하여 2014년에 개관한 DDP가 마치 한양도성 위에 불시착한 우주선처럼 자리를 차지하고 있다. 옛 하도감의 흔적은 도성 밖으로 밀려나 있고, 동대문운동장이 있었던 흔적은 주경기장의 조명탑과 성화대를 철거하지 않고 동대문역사문화공원 내에 남겨놓음으로써 옛 발자취를 더듬어 볼 수 있다.

훼손과 파괴의 현장, 목멱구간

광희문에서 시작하는 목멱구간은 훼철구간인 신당동·
장충동 길과 자유센터, 반얀트리를 지나 목멱산 정상을 거쳐
숭례문까지 이어진다. 조선 초기(태조)에 쌓은 성벽을 만날 수
있으며, 성벽 주변의 들꽃과 단풍의 다채로운 모습이 아름다운
곳이다. 동봉과 서봉, 2개의 봉우리로 형성된 정상에는 조선의
안위를 비는 국사당과 봉수대가 있으며, 현재 서울의 중심부에
해당하는 '서울 중심점'이 설치되어 있다.
서울의 표상(表象)인 남산은 일제강점기와 현대사를
거쳐오면서 잊지 말고 기억해야 하는 곳이다.

광희문(光熙門)

숭례문과 흥인지문 사이에 건설된 광희문은 조선시대 도성 동쪽 밖으로 드나들던 백성들의 주된 출입구로서 1396년(태조5) 처음 지어진 후 1422년(세종4) 개축되었다가 임진왜란 때 파괴되었다.

광희문·수구문·시구문 <승정원일기>에 따르면, 1711년(숙종37) 3월 광희문을 새로 짓는 터에 문루를 짓자는 임금의 재가를

받은 후 문비를 달고, 체성을 지었으나 문루는 목재를 구하지 못하여 미루다가 1719년(숙종45) 행예조판서 민진후(閔鎭厚)가 실록 기록을 찾아 광희문 편액을 써서 걸자는 제안을 한 후 편액을 건 것으로 보인다.

頃見實錄, 則國初都城畢築後, 各門皆作樓閣, 而有名號。水口門舊號, 乃是光熙門。分付各該軍門, 書揭其額, 而西小門前頭設樓後, 亦爲揭額似好矣

<승정원일기> 숙종37년 3월 14일 26/29번째기사 1711년

백성의 삶과 밀접하게 닿아 있는 문이었기 때문에 한양도성의 다른 어떤 문보다 많은 별칭으로 불렸다.

'빛이 멀리까지 사방을 밝힌다(光明遠熙)'는 뜻의 광희문, 청계천의 물이 도성을 빠져나가는 오간수문·이간수문과 가까웠기에 수구문(水口門), 도성 내 백성들의 시신이 성 밖으로 나가는 출구였으므로 시구문(屍口門)이라 불리기도 했다.

한편 인조반정의 공신이던 이괄은 스스로 일으킨 반정에 실패한 후 광희문을 통해 도망치다 부하 장수에 의해 살해당했다. 병자호란

이 일어나자 인조는 광희문을 통해 남한산성으로 도피했다.

한양도성의 성벽은 도로확장의 걸림돌로 작용하면서 헐리기 시작했다. 1914년 지금의 을지로 도로를 내면서 광희문 북쪽 성벽이 잘려나갔다. 조선총독부 기관지 매일신보에 실린 '헐리는 광희문. 이전에는 부정한 문, 지금은 걸인의 소굴'(1927년 7월 1일자)과 '경매로 헐린다'(1928년 7월 12일자) 등의 기사는 당시 광희문의 상황을 말해준다.

1962년 동아일보의 '임종 앞둔 늙은 성곽 수구문'(1962년 10월 10일자)이라는 기사는 일제강점기와 한국전쟁, 도시화를 거치면서 성곽이 더욱 심하게 훼손되었음을 말해준다. 1975년 도성 복원사업으로 문루와 주변 정비공사가 이루어질 때 퇴계로의 도로 폭을 확장하면서, 광희문의 육축부를 남쪽으로 약 15m 이전하고 문루를 복원하

도로확장으로 단절된 광희문

여 지금의 모습이 되었다.

낮은 자들의 삶의 공간 18세기 한양으로 유민이 몰려들자, 1732년(영조8) 이들이 주로 머물던 광희문 밖으로 동활인서를 이전하였다. 활인서는 일반 의료활동 이외에도 무의탁 환자를 수용하고, 전염병이 발생할 때는 병막을 가설하여 환자를 간호하며, 음식과 의복·약 등을 배급하고, 사망자가 있을 때는 매장까지 담당한 기관이었다.

활인서가 옮겨오게 되자 광희문 밖은 습지에 인접한 구릉에서부터 듬성듬성 묘지가 들어서기 시작하더니, 공동묘지로 변했다.

1820년대 창궐했던 콜레라, 1860년대 병인박해, 1907년 군대해산에 반대해 일본군과 벌인 시가전 등에서 숨진 많은 이들의 시신이 광희문 밖으로 옮겨졌다. 때문에 광희문 밖은 한번 가면 다시는 돌아올

광희문 밖 조선인공동묘지(사진 서울역사아카이브)

수 없는 길, 굽이굽이 넘어가는 한 많은 아리랑고갯길(현 가톨릭순교현양관 인근)이 되었다. 일제강점기인 1912년 일본 거류민을 위한 화장터가 조성된 후 이곳은 신당리 공동묘지로 불렸다.

신당리는 원래 광희문 밖에 있는 신당(神堂)을 중심으로 무속인들이 모여 살았다. 또 이들이 필요로 하는 주술용품 제작을 위한 대장간이 성업하였던 곳이었다. 이런 연유로 신당리(神堂里)였으나, 갑오개혁 때 한자를 神(귀신 신)에서 新(새 신)으로 바꿔어 지금의 신당동(新堂洞)이 되었다. 1928년 신당리 공동묘지는 화장장과 함께 미아리로 이전되었고, 이후 신당동 일부 지역은 일본인들을 위한 문화주택지로 조성되었다.

광희문과 관련하여 '수구문 차례' 또는 '못된 바람은 수구문으로 분다'는 속담이 전한다.

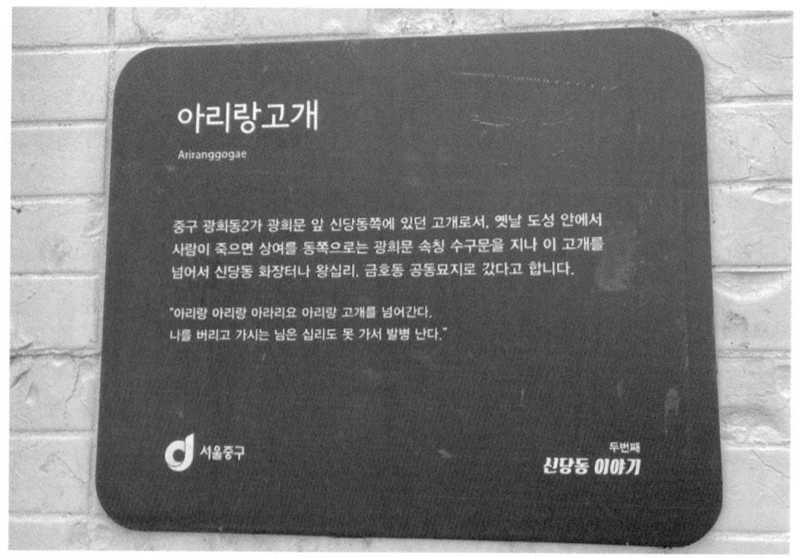

신당동 아리랑고개임을 알리는 표지판

이는 광희문을 통해 나갈 차례가 되었다는 뜻으로, 나이 들고 병들어 죽을 때가 가까워졌다는 부정적인 의미를 담고 있다.

장충체육관

스포츠 메카에서 정치의 장으로 1919년, 일제는 장충단에 공원을 조성하면서 지금의 장충체육관 자리에는 작은 운동장을 만들었다. 일제강점기 장충운동장에서는 봄, 가을로 자전거경주대회가 열렸다. 당시 엄복동 선수의 뛰어난 활약 덕분에 자전거경기는 민족의 한과 울분을 달래주고 위안과 자부심을 심어주던 최고의 스포츠 경기였다.

떴다 보아라 안창남의 비행기, 내려다 보아라 엄복동의 자전거
간다 못 간다 얼마나 울었나, 정거장 마당이 한강수 되었네

장충단소공원 · 1926(사진 서울역사아카이브)

체육관대통령을 배출한 장충실내체육관

1955년 장충운동장 자리에 육군체육관이 만들어졌고, 1959년 관리 주체가 서울시로 이관되었다. 서울시는 1963년 2월 1일 국내 최초로 돔양식 원형경기장 실내체육관의 문을 열었다.

장충체육관과 관련하여 잘못된 소문이 끊임없이 이어진다. 이는 2011년 이명박 대통령이 필리핀 방문 시 교민들 앞에서 "우리 건설회사가 지을 수 없어서 필리핀 회사가 미국대사관, 문화관광부, 장충체육관을 설계하고 만들었다"는 잘못된 내용의 연설이 언론에 보도된 탓이다. 실제 장충체육관은 건축디자인 김정수, 구조설계는 최종완, 시공은 삼부토건이 맡은 순 우리 자본과 기술력으로 지어진 것이다.

장충체육관은 이후 실내스포츠의 메카로 자리매김했다. 농구·배구·씨름 등 각종 실내스포츠는 물론이고, 프로레슬러 김일의 경기와 한국 최초의 프로복싱 챔피언 김기수의 경기도 이곳에서 치러졌다. 또 그룹사운드 경연을 비롯한 각종 공연장으로 활용되기도 했다.

그러나 '체육관대통령'을 선출한 곳이라는 오명도 벗을 수 없다. 유신 이후 통일주체국민회의에 의한 대통령 간접선거가 바로 이곳에서 치러졌기 때문이다. 스포츠의 요람이어야 할 체육관이 잘못된 정치의 장으로 그 용도가 변질된 사례이다.

장충단

최초의 국립현충원을 만들다 1900년, 한양도성의 동남쪽 수비를 담당했던 어영청의 분원 남소영(南小營)터에 건립된 장충단(奬忠壇)은 최초의 국립 현충시설이었다.

처음에는 을미사변 당시 희생된 군인과 신하의 충절을 기리기 위함이었으나, 이후 임오군란과 갑신정변으로 희생된 이들의 신위(神

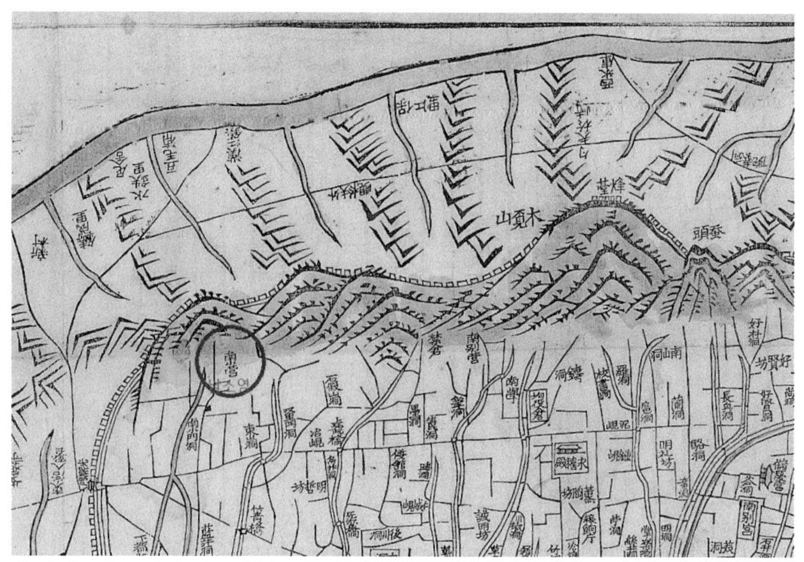

수선전도에 표기된 남소영(붉은색 선 안)

位)도 함께 포함되었다. 최초 제향(祭享)은 1900년 11월 10일(음력 9월 19일) 시행되었는데, 1901년 8월 발간된 <장충단영건하기책(奬忠壇營建下記冊)> 등의 자료에 따르면 제단을 비롯한 많은 시설과 부속 건물로 이루어졌음을 알 수 있다.

1909년 10월 15일, 19번째 제향을 지냈다. 그해 10월 26일, 안중근 의사가 초대통감 이토 히로부미(伊藤博文)를 사살하자 일제는 우리의 추모공간이던 이곳에서 이토 히로부미의 추도회를 행하였다. 이후 일제에 의해 장충단은 우리의 추모시설로의 기능을 잃게 되었다.

太子太師文忠公 伊藤公爵國葬日, 皇族、宮內官、吏閣部官吏及人民一同, 設行追悼會于奬忠壇。

<순종실록> 3권, 순종 2년 11월 4일 양력 세번째기사 1909년

이후 장충단은 더이상 대한제국 선열의 제향 장소가 아닌 소방계원의 운동회 개최, 불교진흥회 천도의식, 총독부 후원 백일장대회 등이 열리는 장소가 된다.

순종이 황태자 시절에 쓴 장충단

추모의 공간, 공원·사찰이 되다

1919년 경성부는 동대문 부근의 훈련원 터와 함께 장충단을 공원 조성 대상지로 선정하였다. 이에 따라 비각은 철거되었으며, 벚나무를 심고 산책로와 광장·연못을 조성하고, 끽다점(喫茶店) 등 편의시설을 설치한 후 1920년 2월 무료공원으로 개장하였다.

당시 장충단공원에 운동장을 함께 조성하여 운동회나 기념회가 자주 열렸다. 1926년 장충단공원 입구까지 전차선로를 연장하여 '장충단선'을 개통하고, 버스노선까지 공원 안으로 들어오면서 밤낮으로 꽃구경하는 사람들로 북적였다.

1929년 일제는 이토 히로부미(伊藤博文) 사망 20주년을 기해 보리사(菩提寺, 위패를 모신 사찰)인 박문사(博文寺) 건립추진위원회를 만들고 1932년 장충단에 이등박문을 기리는 사찰 박문사를 완공했다. 10월 26일(이토 히로부미 사망 23주년), 낙성식에는 조선총독 우가키 가즈시게(宇垣一成)를 비롯해 이광수, 최린, 윤덕영 등 친일부역자와 그 외 1천여 명이 참석하였다.

박문사에서는 조선총독부에 근무한 일본인이나 박영효 등 친일파

일제강점기 장충단공원과 박문사(사진 서울역사아카이브)

의 장례식도 열렸으며, 일제는 이토를 포함한 이용구, 송병준, 이완용 등 친일부역자들을 위한 감사위령제(1939)를 지내기도 했다. 한편, 이용구의 아들 이석규와 흑룡회(黑龍會, 1901년에 결성된 일본의 우익 조직)는 안중근 의사에 의해 사살된 이토 히로부미의 죽음조차도 식민통치에 이용하고자 억지 행사를 개최했다.

이는 당시 <경성일보> 기사 '안중근의 차남 안중생과 이토의 차남 이토 분키치와의 만남, 화해의 장면, 참된 내선일체'(1939년 10월 19일자)에서 확인된다.

박문사 터, 영빈관 거쳐 호텔이 들어서다 광복과 한국전쟁으로 장충단 사전(祠殿)과 부속 건물은 파손되고, 박문사를 지을 때 한쪽에 버려두었던 장충단비만 남아있었다. 장충단비는 지금의 신라호텔 쪽에 버려져 있던 것을 1969년 지금의 자리로 옮겨왔다. 장충단

신라호텔 영빈관

비 앞면은 순종황제가 황태자 시절에 쓴 친필이고, 뒷면 찬문(撰文)은 당시 육군부장을 지낸 충정공 민영환이 지었다.

한국전쟁 이후 장충단 권역에는 시차를 두고 육군체육관·재향군인회관·한국반공연맹자유센터·중앙공무원교육원 등 여러 건물이 들어섰다. 박문사 터는 이승만 정권 시절 국빈용 숙소인 영빈관으로 계획됐으나, 4.19와 5.16을 거치면서 공사가 중단되었다. 1967년 완공된 영빈관은 경영난을 겪다가 삼성에 매각(1973)되어, 1979년 신라호텔이 들어섰다.

다산동 성곽길

신라호텔의 담벼락 역할을 하는 성벽은 반얀트리 골프연습장 부근에서 모습을 보이지 않다가 남산 정상으로 오르는 나무계단 앞에서 만나게 된다. 사라진 성벽은 자유총연맹 건물의 축대로 사용되고 있다. 이는 일제에 의해서만이 아닌 우리의 손으로 한양도성을 훼손·파괴한 대표적인 현장이다.

반공을 빌미로 도성을 훼철하다 1960년대 박정희 정권에게 남산은 조국 근대화의 상징적 공간이었다. 경부고속도로의 끝에서 서울 시내로 이어지는 남산자락의 외인아파트(1972), 남산자유센터(1964), 남산도서관(1964), 장충체육관(1963), 남산식물원(1968), 어린이회관(1970), 국립극장(1973), 남산타워(1975) 등이 바로 그것이다.

건축학 박사 정인하는 자유센터를 권위주의적 군사문화와 반공 이념으로 대표되는 건축물이라 하였다.

자유센터는 한국에서 전후 최초로 지어진 국가 차원의 기념 건축으로서 권위주의적인 군사문화와 반공 이념으로 대표되는 이념,

장충단에 들어선 신라호텔

군사정권의 이데올로기를 정당화하는 역할, 군사정권이 갖는 권력의 정당성과 지배계급이 갖는 이데올로기, 즉 경제 제일주의를 통한 국력의 신장과 반공주의, 그리고 민족감정을 건축적으로 정당화하는 것이다.

<김수근 건축론:한국건축의 새로운 이념형>, 정인하, 1996, 시공문화사

1962년 5월 아시아반공연맹 임시총회를 개최한 군사정부는 반공지도자 양성, 이론체계 수립, 게릴라요원 훈련 등을 수행하고자 서울에 아시아반공센터 건설을 제안해 참가국의 동의를 받는다.

자유센터 건립 공사는 박정희의 혁명공약 제1조 '반공을 국시로 지금까지 형식적이고 구호에 그친 반공 태세를 재정비한다'를 이행하기 위한 국가프로젝트사업으로, 1964년 완공했다. 당시 최빈국 수준인 국민소득 87달러 시절이었음에도 국민 모금을 통해 1억 5천만 원

자유센터 축대로 사용된 태조 대 성돌

을 마련하였고, 여기에 국가보조금 1억을 더한 초대형 예산이 투입된 사업이었다.

2년 후 자유센터에서는 제12차 아시아민족 반공연맹 총회(1966)가 열렸으며, 1967년에는 세계반공연맹 사무국이 설치되었고, 이후 제9차 세계반공연맹 총회(1976)도 치러졌다.

정권이 바뀐 80년대에는 주로 공무원, 학생, 일반인을 대상으로 한 반공교육과 해외출국자 안보교육공간으로 활용됐다. 지금은 웨딩홀과 연회장으로 이용되고 있다.

'반얀트리 클럽앤스파 서울'로 바뀐 자유센터 숙소 자유센터는 아시아반공연맹 자유센터의 본관과 숙소건물인 국제자유회관, 그리고 국제회의장 등 3개의 복합시설로 계획되었다. 그러나 당시 한국전쟁 참전국으로부터 건립 보조금이 계획대로 걷히지 않자 숙

반공의 선봉장이 되고자 건립한 자유센터(군화발을 연상시키는 기둥)

소인 국제자유회관은 완공되지 못한 채 국제관광공사에 매각되어 1969년 타워호텔로 개관하였다.

남산 기슭에 한국전쟁 전투부대 참전국 16국에 대한민국을 더한 17개국을 상징하는 의미에서 17층의 철근콘크리트 건물로 지어진 타워호텔은 매우 파격적인 건축이었다. 그러나 2007년 타워호텔을 인수한 새로운 주인은 리조트 체인 '반얀트리 클럽앤스파 서울'과 20년간 호텔 운영 계약을 맺었다. 3년간의 리모델링을 거친 후 2010년 6월 문을 연 반얀트리는 현재 회원제로 운영하고 있다.

통치이념으로써의 종합민족문화센터, 국립극장 박정희 정권은 반공과 전통문화를 통치이념의 양대 축으로 삼았다. 1967년 남산을 중심으로 장충동 일대에 종합민족문화센터를 건립하기로 하고, 국립극장을 비롯하여 국립국악원 부설 국악인양성소(국립국악고등

국립극장

학교 전신) 설립을 계획했다.

1967년 기공식을 가진 직후 국악인양성소가 건립되나, 예산문제로 인해 국립극장은 1973년에야 완공된다.

민족문화센터가 들어서는 지역은 교통이 불편한 데다 진입로부터 대중과 차단되어 관객 확보가 어려운 실정이었으나, 국가행사 건축물로의 역할의 필요성이 강조되었다.

자유센터가 반공을 대변하는 것이라면, 국립극장은 전통문화를 내세우는 공간으로 조성되었다.

도성에서 만나는 수많은 민초, 안이토리 남산의 남측 순환로 초입에서 시작되는 계단에서는 조선 태조 대의 성돌부터 1970년대까지의 다양한 시대의 역사를 만날 수 있다. 정으로 쪼고, 다듬고, 땅을 파고 다져 쌓아 올린 높다란 성벽에서 수많은 민초들의 피와 땀으로 쓰인 백성들의 애잔한 삶의 기록을 만날 수 있다. 목멱구간에서 만나는 각자성석을 통해 도성 공사에 참여한 지역명과 군영, 감독관 등을 확인할 수 있다.

특히 태조 연간에 새긴 각자를 많이 만날 수 있는 곳이다. 태조 때는 '거자종궐 ○백척(巨字綜闕 ○百尺, 천자문 51번째 巨자 끝. 52번째 闕자 시작 의미)'처럼 천자문 간자에 육백척으로 표현하였다. 세종 때는 태조 때의 성돌을 재활용하거나 경산, 흥해, 연일, 하양, 울산, 예천 등의 지명으로 보아 경상도 지역 백성이 목멱산 구간 축성에 동원되었음을 알 수 있다.

병자호란 이후 청의 간섭에 의해 도성을 개보수할 수 없었던 관계로 오랫동안 도성은 무너진 상태로 방치되었다. 숙종 대에 이르러 북방의 정세변화와 맞물리면서, 3군문(훈련도감, 어영청, 금위영) 중심

태조 대 쌓은 성벽 위에 시멘트를 발라 잘못 복원한 여장

의 도성 수축공사가 활발하게 진행되었다. 이때는 성돌의 크기와 모양이 규격화되었으며, 감독관과 도편수(전문 목수·석수 가운데 가장 높은 지위의 기술자) 등의 이름을 여장에 새겼다.

목멱산 계단길을 오르다 만나는 안이토리는 금위영의 석수였다. 초입에서는 '금도청감관이수지오수준(禁都廳監官李秀枝吳首俊) 석수편수안이토리(石手邊首安二土里) 경인(庚寅, 1710년, 숙종36) 삼월일(三月日)'을 만난다. 약 100여m 위에서는 '도청감관조정원오택윤상후(道廳監官趙廷元吳澤尹商厚) 편수안이토리 기축(己丑, 1709년, 숙종35) 팔월일(八月日)'을 만난다.

<승정원일기>에는 1711년(숙종37) 광희문 공사 때 홍예 돌에 깔려 중상을 입고 끝내 운명하였다는 기록이 있다.

'저희 영의 석수인 안이토리가 돌에 깔려서 중상을 입었습니다.

편수 안이토리 각자

여러모로 치료하였지만 끝내 운명하였습니다. 일이 지극히 놀랍고 참담합니다. 저희 영에서 약간의 쌀과 포목을 지급하여 염을 해서 장사 지내도록 하겠다는 뜻으로 계를 올리나이다.'

임금이 알겠다고 답을 하고 담당 호조로 하여금 휼전을 베풀도록 명하였다.

禁衛營啓曰, 今此水口門改築時, 虹霓石安排之際, 本營石手安二土里, 爲石所壓, 以致重傷, 多般救療, 終至殞命, 事極驚慘。自本營, 題給若干米布, 使之斂葬之意, 敢啓。答曰, 知道。令該曹恤典擧行。禁營

<승정원일기> 숙종37년 4월 8일, 1711년

평생을 석수로, 민초의 삶을 살다 돌에 깔려 죽어간 무수한 이토리들의 역사가 한양도성에 남겨진 것이다.

조선의 안산(案山), 남산

비록 그리 높지 않은 고도이지만, 남산 정상에서는 서울의 거의 모든 지역을 볼 수 있다. 북쪽으로는 인왕, 백악, 낙산을 둘러싼 성곽길 너머 삼각산 봉우리로 솟아오르는 원근의 산들이 펼쳐지고, 남쪽으로는 유유히 흐르는 한강을 품은 도시의 풍광이 펼쳐진다.

조선시대 목멱산은 꽃구경(목멱상화 木覓賞花), 봉화(목멱봉화 木覓烽火), 해돋이(목멱조돈 木覓朝暾) 등 많은 문인 사대부들이 풍류를 즐기는 공간이었다.

서울의 중심점을 만나다 남산 정상부 한쪽 바닥에 설치된 둥근 석재 조형물은 이곳이 바로 서울의 중심임을 알려주는 '서울의 측량 기준점'이다.

서울시는 2008년 위치정보시스템(GPS)을 이용해, 남산 정상부 녹

지대 안에 서울의 중심점 위치를 밝혀내고, 이곳에 구조물을 세웠다. 그러나 이 구조물이 자연경관을 해친다는 지적이 잇따르자, 2010년 이를 철거하고 200m가량 떨어진 곳에 지금의 상징물을 만들어 '서울의 중심점'임을 표시하고 있다.

서울 종로구 인사동 194-4번지(하나로빌딩)에서 또 하나의 서울 중심점 표식을 만날 수 있다. 그러나 이 서울 중심점 표시는 오래전인 1896년 당시의 기준점으로, 오늘날의 확장된 서울 중심점으로는 맞지 않기에 남산으로 옮긴 것이다.

한편, 일반적으로 서울의 중심점과 도로원표를 착각하기도 한다. 실제로 많은 이들이 세종로파출소 앞의 도로원표를 서울의 지리적 중심으로 잘못 알고 있기도 하다. 도로원표(道路元標)는 도로의 시작지점과 도착지점을 알리는 표식이다.

서울중심점

기록에 따르면, 1914년 일제는 '광화문통 황토현광장(光化門通 黃土峴廣場, 지금의 세종로광장 중앙)을 모든 도로의 시발점인 도로원표로 삼았으나, 이후 몇 차례 이동하였다. 현재 서울의 도로원표(진표)는 세종대로사거리이나, 1997년 세종로파출소 앞에 도로원표(이표)를 설치하여 오늘에 이르고 있다.

국사당 남산은 조선시대 도읍의 안산으로, 백악산과 함께 중요한 제의(祭儀) 장소였다. <조선왕조실록>에 따르면, 1395년(태조 4) 12월에 북산인 백악을 진국백(鎭國伯), 남산을 목멱대왕으로 삼아 국가에서 제사를 받들게 하고, 일반인의 제사를 금하였다.

> 이조에 명하여 백악(白岳)을 진국백(鎭國伯)으로 삼고 남산(南山)을 목멱대왕(木覓大王)으로 삼아, 경대부(卿大夫)와 사서인(士庶人)은 제사를 올릴 수 없게 하였다.

1997년 세종로파출소 앞에 세워진 서울의 도로원표(이표)

命吏曹, 封白岳爲鎭國伯, 南山爲木覓大王, 禁卿大夫士庶不得祭。太祖康獻大王實錄卷第八

<태조실록> 8권, 태조 4년 12월 29일 무오 1번째기사 1395년

이는 <세종실록지리지>의 '남산꼭대기에 있는 목멱신사에서 소사(小祀)로 제사 지낸다'는 내용과, <동국여지승람>의 '목멱산 마루에서 봄·가을로 초제(醮祭)를 행하였다'는 기록으로 확인된다.

목멱사(木覓祠)에서는 조선시대 국가제의인 기우제, 기청제는 물론 기은제(祈恩祭, 왕가의 복을 빌던 제사)를 지냈다. 그러나 '서울 국사당의 역사적 변천과 기능'(정연학, <서울민속학> 제5호, 2018)에 따르면, 1484년(성종15) 이후 국가제의와 무속인의 신앙행위가 병행하게 되었다.

나라에서 행하는 굿·산천제 등을 지내는 목멱신사의 제사는 고종

인왕산으로 옮겨진 국사당

연간에 폐지되었으나, 건물은 남산에 남아있었다.

일제가 1925년 조선신궁(神宮)을 지으면서 사당 일부만 지금의 인왕산 국사당 터로 이전되었다.

인왕산으로 이전 후에는 단군·태조 이성계와 부인 강씨·민비 등의 새로운 신상(神像)이 봉안되었다. 국사당의 소유가 국가에서 개인으로 바뀌었으며, 소유권도 이전되었다.

목멱산 봉수대

봉화의 종착지 ‘목멱산 봉수대’ 또는 ‘경봉수대’라 부르는 남산 봉수대는 전국의 봉수가 도달하는 중앙봉수대이다.

<조선왕조실록>에 따르면, 1423년(세종5) 병조에서 남산 다섯 곳에 봉화를 설치하였다.

복원된 봉수대

병조에서 아뢰기를, '서울 남산(南山)의 봉화(烽火) 다섯 곳을, 본조(本曹)가 진무소(鎭撫所)와 더불어 산에 올라 바라보고 불을 들어 서로 조준(照準)한 뒤에 땅을 측량하여 설치하였는데, 그 지명(地名)과 내력을 아래와 같이 자세히 기록해 올립니다. 동쪽의 제1봉화는 명철방(明哲坊)의 동원령(洞源嶺)에 …(중략)…, 제2봉화는 성명방(誠明坊)의 동원령(洞源嶺)에 …(중략)…, 제3봉화는 훈도방(薰陶坊)의 동원령(洞源嶺)에 …(중략)…, 제4봉화는 명례방(明禮坊)의 동원령(洞源嶺)에 …(중략)…, 제5봉화는 호현방(好賢坊)의 동원령(洞源嶺)에 …(중략)…. 위의 봉화를 들어 서로 마주치는 곳이 연대가 오래되면, 혹 변동이 있을까 염려되오니, 청컨대, 한성부(漢城府)로 하여금 대(臺)를 쌓고 표(標)를 세워, 서로 마주치는 지명(地名)과 봉화를 드는 식례(式例)를 써서 둘 것입니다.'

兵曹啓: 京城南山烽火五所, 曹與鎭撫所登山, 看望擧火相準後, 度地設置。其地名及來歷, 具錄如左。東第一烽火在明哲坊洞源嶺, …(중략)… 第二烽火誠明坊洞源嶺, …(중략)… 第三烽火薰陶坊洞源嶺, …(중략)… 第四烽火明禮坊洞源嶺, …(중략)… 第五烽火好賢坊 洞源嶺, …(중략)… 右擧火相準處, 恐年代久遠, 則或有變易。請令漢城府築臺立標, 書相準地名, 擧火式例。

<세종실록> 19권, 세종 5년 2월 26일 정축 5번째기사 1423년

남산의 다섯 개 봉화가 자리했던 곳은 2007년 서울역사박물관의 <남산봉수대지 지표조사 보고서>를 통해 알려졌다. 보고서에서는 제1봉수는 남산동봉으로 현재 미군통신캠프(CP.MORSE) 지역, 제2봉수는 남산2등 삼각점(현 서울 중심점 동쪽 수풀 일대), 현재 남산봉수가 설치되어 있는 곳이 제3봉수, 제4봉수는 남산케이블카 종점 아래 평탄지이며, 제5봉수는 남산식물원 일대로 추정하였다.

조선의 군사통신수단 1885년 전신·전화 등의 도입으로 봉수의 역할이 축소되었고, 1895년 봉수제와 봉화군을 폐지하라는 명이 내려진 후 전통적인 통신의 기능은 사라진다. 지금 남산의 봉수는 1993년 수원 화성의 봉돈(烽墩, 군사신호체계)을 참고하여 3봉수 자리에 만들고, 서울특별시 기념물로 지정하였다.

1808년(순조8)에 편찬된 행정서인 <만기요람>의 기록을 통해 봉화를 통한 통신의 전달방법과 방향을 상세히 알 수 있다.

평시에는 횃불이 하나요, 적이 나타나면 횃불이 둘이요, 국경에 가까이 오면 횃불이 셋이요, 국경을 침범하면 횃불이 넷이요, 교전 상태에 들어가면 횃불이 다섯이다.

목멱산(木覓山)의 봉수는 동쪽에서 서쪽까지 횃불이 5개인데, 동쪽으로 첫째 것은 함경·강원도에서 양주의 아차산 봉수로 온 것을 받는 것이요, 둘째 것은 경상도에서 광주(廣州) 천림산(天臨山) 봉수로 오는 것을 받는 것이요, 셋째는 평안도에서 육로로 모악(毋岳)의 동쪽 봉수로 오는 것을 받는 것이요, 넷째는 평안·황해도에서 바닷길로 모악의 서쪽 봉수로 오는 것을 받는 것이요, 다섯째는 충청 전라도에서 개화산 봉수로 오는 것을 받는 것이다.

병조에서 사람을 선정하여 망을 보고 있다가 이튿날 이른 새벽에 승정원에 보고하여 국왕에게 알린다. 사변이 있으면 밤중이라도 곧 보고해야 한다.

목멱산에는 봉수소마다 군졸이 4명·오장(伍長)이 2명씩이며, 연변에는 소마다 군졸이 10명·오장이 2명씩이며, 내지(內地)에는 소마다 군졸이 6명·오장이 2명씩이다. 군졸과 오장은 모두 봉수가 있는 부근에 거주하는 사람으로 선정한다. 혹 구름이 끼거나 바람이 요란하여 횃불이 잘 나타나지 않을 때는 봉수군이 차례차례로 달려가서 보고한다.

이방인의 눈에 비친 조선의 평온함 봉화의 기록 서울을 방문한 이방인들의 기록에도 봉화와 관련된 내용이 자주 등장한다.

<서울 중구지역 역사문화자원 조사>에는 릴리 언더우드(Underwood Lillias H.)가 쓴 책 <Fifteen years among the Top-knots or life in Korea>(1904)의 내용 중에서 봉화에 대해 기록한 부분을 이렇게 정리했다.

성벽 내의 남산 위에는 4개의 봉화가 있는데, 이것은 각각 나침반의 동서남북에 해당하는 것으로 짧은 소식들이 이곳에 모인다. 매일 밤 해가 지자마자 이 4개의 봉화가 켜져 영토 내에 모든 것이 순조롭다는 사실을 알려주면, 봉화의 메시지를 국왕에게 보고하는 4명의 관리는 왕궁으로 가서 낮게 부복하여 절하고 각각 동서남북의 모든 것이 순조롭다고 말한다.

조용만은 <향토서울 2호>(1958)에서 조지 길모어(George W. Gilmore)가 쓴 책 <Korea from its Capital : With a Chapter on Missions>(Philadelphia, 1892) 가운데 제3장 '수도(首都)' 이야기를 번역하여 소개했다. 조지 길모어는 이 책에서 봉화를 통해 왕국의 평온함을 확인할 수 있음을 전한다.

외국인은 여름날 해 질 무렵에 그 산봉우리(남산)에서 처음에는 안개의 불, 다음으로 또 다른 불, 그리고 마침내 네 개의 불이 타오르는 것을 볼 것이다. 질문하면, 그 불이 먼 지방으로부터 모두 무사하고 왕국 전체가 평온하다는 것을 알리는 최후의 봉화인 것임을 알 것이다. 그 뒤에 곧장 대궐 종이 쳐지고 관리들이 대궐에 들어가서 황제한테 국사에 대한 보고를 올린다.

일제 침략과 독재정권의 흔적

일제강점기 남산에 세워진 조선신궁은 경복궁을 완전히 가린 채 절대 권력의 자리를 차지한 조선총독부 청사와 더불어 공간적으로 경성 전역을 위압하면서 종교·사상적 통제와 지배를 위한 상징적 공간이었다.

한양공원에 들어선 조선신궁 일제는 강압적으로 남산 서북쪽 자락 약 30만 평의 땅을 무상으로 대여받아, 1910년 한양공원을 만들었다. 이후 한반도를 강점한 일제는 정신적, 종교적 지배를 꾀하기 위해, 1925년 한양공원 부지에 조선신궁을 완공하였다. 조선신궁은 일본 황실의 조상신인 아마테라스 오미카미(天照大神)와 메이지천황(明治天皇)을 제신(祭神)으로 안치한 신사로, 신사 중에서도 가장 등급이 높은 관폐대사(官弊大社)로 지어졌다.

한양도성을 깔고 앉은 조선신궁(사진 서울역사아카이브)

부산항을 거쳐 경성역 첫 운행 열차로 도착한 신물(神物)은 1925년 10월 15일 조선신궁에 안치되었다. 같은 날, 일본의 왕세자 히로히토(迪宮裕仁)의 결혼을 기념하여 건립된 경성운동장에서는 3일간 조선신궁 경기대회가 개최되었다. 일본은 경성역-조선신궁-경성운동장을 연계하여 '일본의 신이 새로운 문명인 기차를 타고 조선에 온다'는 이미지의 엽서 등을 만들어 선전하였다.

남산에 자리했던 조선신궁은 경성의 어느 곳에서나 보이는 일제가 내세운 대표 건축물 가운데 하나였다. 그러나 1945년 일제 패망 직후 일제는 자신들의 손으로 직접 조선신궁을 해체·철거하였고, 본전 역시 소각하여 그 흔적을 찾을 수 없다.

1956년 조선신궁 터 앞에 거대한 이승만 동상이 세워졌다가, 1960년 4.19혁명 이후 헐렸다. 1968년 남산공원이 조성되면서 조선신궁 본전(本殿) 자리에 남산식물원이 문을 열고, 인근에 남산 소동물원(1971)이 들어섰다. 2006년 '남산 제모습 가꾸기 사업'에 따라 식물원을 철거·발굴하는 과정에, 조선신궁 본전과 배전(拜殿, 방문객들

노기신사 수조대

이 절하며 참배하는 곳)이 깔고 앉았던 터에서 한양도성의 유구(遺構)가 발견되었다. 일제가 조선신궁 건립 시 완벽히 파괴하여 멸실된 줄로만 알았던 한양도성의 성벽 일부가 땅속에 남아있었다. 100여 년만에 빛을 본 태조 대의 각자성석 내자육백척(奈字六百尺)을 비롯하여, 숙종 대 이후 다양한 성벽의 모습은 한양도성유적전시관으로 조성되어 우리에게 돌아왔다.

그 과정에서 함께 발견된 조선신궁 배전 터의 콘크리트 기초와 타다 남은 기둥, 그리고 방공호 등은 일제강점기의 반드시 기억해야 할 역사의 흔적이다.

왜장대가 된 예장대 조선시대 군졸들이 남산에서 '무예를 닦던 곳', 즉 예장(藝場)이라 불리던 곳이 임진왜란 당시 일본군들이 주둔하면서 '왜장'이라 불리게 되었다.

조선신궁 배전 터

1885년 일본인들이 남산 기슭(지금의 리라초교, 숭의여대 일대)에 살기 시작했다. 이후 일제는 동학 농민봉기를 구실로 이곳에 대포를 설치하고, 조선 정부를 위협하였다.

1897년, 조선 정부로부터 토지를 임대하여 왜성대공원을 만든 일제는 이곳에 남산대신궁을 세웠다. 청일전쟁과 러일전쟁에서 사망한 일본인을 위한 초혼제(招魂祭)를 거행하고, 일본 거류민을 위한 공간으로 사용하다가, 1913년 경성신사로 명칭을 바꾸었다.

해방 후 경성신사 터에 개교한 숭의여자고등학교에는 신사로 오르는 계단과 참배 터의 흔적이 남아있다. 리라초등학교 옆 사회복지법인 남산원은 러일전쟁의 영웅 노기마레스케(乃木希典) 부부 사망 22주년인 1934년에 노기(乃木)신사가 조성된 곳이다. 지금도 이곳에는 당시 사용하던 석물 일부가 남아있다.

화해·인권·평화를 상징하는 위안부기림비 2019년 8월 14일, 3.1운동 100주년 기념사업으로 남산교육연구정보원(옛 어린이회관) 느티나무 옆에 위안부기림비를 세웠다.

위안부기림비는 과거와 미래에 대한 화해, 세대 간의 소통과 인권과 평화에 대한 국제적 연대를 표현하고 있다. 기림비는 160㎝ 크기의 동상으로 고(故) 김학순(1924~1997) 할머니를 정면으로 응시하고 있는 세 명의 소녀(한국, 중국, 필리핀)들이 손을 맞잡고 있는 모습이다. 김학순 할머니는 위안부 피해자이며 증언자로서, 위안부 문제 해결을 위한 인권운동가로 사셨던 분이다.

기림비 옆에는 다섯 개의 검은 앉음돌이 놓여있다. 이는 태어난 곳(중국 지린성), 유년시절을 보낸 곳(평양), 고통의 공간(베이징), 도피생활을 했던 곳(상하이), 광복 이후 삶의 터전(서울) 등 고(故) 김학순 할머니가 걸었던 고단한 삶의 여정을 의미한다.

위안부기림비

아시아연대회의는 2012년, 김학순 할머니가 최초로 위안부 피해자 증언을 한 8월14일을 '위안부기림의 날'로 지정했다. 우리나라에서는 2017년 법 개정을 통해 국가기념일로 지정했다.

우상화 작업과 도성의 파괴 1956년 8월 15일, 조선신궁 터에 이승만의 동상이 들어섰다. 당시 80회 탄신축하위원회(위원장 이기붕)의 발의로 81척(尺, 기단부까지 24.5m)의 높이로 건립된 우상화 작업의 극치였다.

1959년에는 남산 정상(팔각정 자리)에 이승만의 호를 딴 우남(雩南)정이 세워지면서, 남산 정상부의 성벽이 사라졌다. 지금의 백범광장에는 국회의사당 부지조성 작업을 위해 기공식을 거행하고, 불도저로 지반을 다지는 등 작업을 진행하다가 4.19시민혁명과 5.16군사쿠데타로 중단되었다. 이때 일부 남아있던 조선신궁의 흔적이 사라졌고, 한양도성의 성벽도 파괴되었다. 이 터에 60~70년대를 거치면서 백범광장이 조성되었다.

통치의 일환으로 동상을 건립하다 근대 국민국가 형성기에 국민통합의 일환으로 활용된 동상 건립 방식을 1960~70년대 박정희 정권이 활용하였다. 박정희 정권하에서 국민통합을 내세우면서 대대적으로 동상이 건립되었다.

1968년 '애국선열조상건립위원회'를 만들어 1972년까지 4차에 걸쳐 15기의 동상이 제작되었다. 이순신 동상을 시작으로 김유신과 유관순의 동상이 광화문 앞에서 남대문까지 일렬로 세워졌다. 이 가운데 김유신과 유관순 동상은 1970년대 지하철 1호선 공사를 계기로 이전한다. 김유신 동상은 남산 백범광장으로, 유관순 동상은 남산2호터널 앞 옛 박문사가 내려다보이는 곳으로 옮겨졌다.

팔각정

백범광장

유관순 동상

장충단공원과 인근에는 3.1운동기념탑과 순국열사 이한응선생기념비, 이준 동상, 한국유림독립운동 파리장서비, 유정대사 동상과 외솔 최현배 기념비 등이 자리하고 있다. 이밖에도 남산도서관 앞에 다산 정약용과 퇴계 이황 동상 등 남산은 그 자체로 동상과 기념비의 집합공간이 되었다.

1960~1970년대 당시 애국선열조상건립위원회(총재 김종필,

공화당 의장)와 서울신문사가 주관한 이 사업은 시민들의 합의나 동의 없이 진행되다 보니, 항일열사 동상 제작자의 친일경력 논란과 구국영웅 동상의 왜색 논쟁이 벌어지기도 하였다.

목멱 성곽길

굴곡의 역사를 품은 **인왕구간**

숭례문에서 시작되는 인왕구간은 한양도성 가운데서도 성벽의 훼철이 가장 심한 구간이다. 일제강점기, 암흑의 시대에 서울 교통의 중심지가 되었기 때문이다. 이 과정에서 인왕구간 3개 성문 가운데 2개가 경매를 통해 철거되었기에, 인왕산 자락을 오르기 전까지 성벽의 모습을 확인하기도 쉽지 않다. 기우는 국운과 함께 성곽은 헐렸지만, 그곳엔 한때 민초들의 거친 삶이 부딪히는 시장이 번성하였고, 대한제국의 정치·외교 1번지이자 이 땅의 청년들이 신교육을 받으며 독립의 의지를 불태우던 정동길과 광복 후 대한민국 임시정부를 이끌었던 백범 김구의 경교장이 고스란히 남아있다. 그리고 개화기 이 땅에 살았던 서양인들의 다양한 삶의 흔적까지…. 인왕구간은 한양도성 훼철의 역사와 함께 군주국에서 시민사회로 변화해간 서울의 성장통을 그대로 담고 있는 곳이다.

숭례문

도성(都城)의 남문(南門)이자, 조선의 정문(正門) 조선의 건국이념인 유교의 오상 가운데 하나인 '예(禮)'를 '높인(崇)다'는 의미를 담고 있는 숭례문은 한양도성의 정남쪽 문으로 속칭 '남대문'이라 불렀다. 한양도성의 축성과 동시에 공사가 이루어졌으며, 1398년(태조7) 2월에 완성되었다. 거대한 육축 위에 정면 5칸, 측면 2칸의 중층구조 문루로 성문 중에서 가장 규모가 크다.

1962년 12월 20일 국보로 지정되었다. 1962년 해체 수리 당시 대들보에서 발견된 묵서(墨書)에 따르면 1433년(세종15)에 풍수지리적 관점에서 숭례문의 터를 높이자는 논의가 있었나. 1448년(세종30)에 문루와 석축을 완전히 들어내고 지대를 높여 그 위에 다시 건축하였다. 그러나 30여 년이 지나면서 숭례문이 기울기 시작하여, 1479년(성종10)에 개축하였다는 기록도 남아있다.

한편, 숭례문의 현판은 한양도성의 다른 성문과는 달리 세로로 쓰여 있는데, 이를 두고 풍수지리적으로 관악산의 화기(火氣)를 누르기 위한 것이라는 설이 전해진다.

숭례문은 밖으로는 충청, 전라, 경상도로 통하는 관문이었으며, 안으로는 임금이 사는 궁궐과 나라의 주요 기관이 있는 조선의 심장부와 바로 연결되었다.

대한민국의 자존심, 숭례문

또 나라의 정문으로서, 왕의 주요 행차와 중국사신 영접 등 국가의 중요한 행사가 열리던 공식적인 공간이었다.

일제강점기, 양쪽 날개를 빼앗기다 1907년 헤이그특사 사건을 계기로 고종을 강제 퇴위시킨 일제는 내각령 제1호로 성벽처리위원회를 만들겠다고 공표하였다. 그해 10월, 당시 일본의 요시히토(嘉仁) 황태자가 대한제국을 방문할 때 숭례문을 통해 지나갈 수 없다하여 양쪽 성벽을 차례로 허물어 버리게 된다. 500년간 조선왕조의 정문이었던 숭례문은 이렇게 양쪽 날개를 잃고, 성문으로서의 기능을 상실한 채 도로 한가운데에 외딴섬으로 남게 되었다.

대한민국의 자존심, 화염에 휩싸이다 숭례문은 한국전쟁 때 폭격으로 문루와 현판 일부가 훼손되기도 하였으나, 서울에서 가장 오래된 목조 건축물이자 국보로서의 면모를 지켜왔다.

일제에 의해 성벽이 잘려나간 숭례문(사진 서울역사아카이브)

그러나 2008년 2월 10일 설 연휴가 끝나가던 날, 토지보상에 불만을 품은 한 시민의 방화로 화염(火焰)에 휩싸이면서 약 5시간 만에 2층 문루의 90%가 전소되고, 1층 문루의 10%가 소실되었다. 600년 역사상 가장 큰 피해를 입던 순간이다.

이후 피해 조사 및 복구를 위한 고증·발굴조사 등 2년간의 준비기간과 3년에 걸친 복구공사를 거쳐 2013년 5월 4일에야 시민의 품으로 돌아올 수 있었다. 이 과정에서 일제강점기에 훼손되었던 성벽을 동쪽으로는 53m, 서쪽으로는 16m를 복원하였으며, 지반(地盤)도 조선후기를 기준으로 30~50cm 정도 낮추었다.

숭례문 화재 사고 3년 후인 2011년, 문화재청은 2월 10일을 '문화재 방재의 날'로 지정했다.

칠패시장(七牌市場)

어영청 제7구역, 칠패 표준국어대사전에 의하면 '패(牌)'란 같이 어울려 다니는 사람의 무리를 이르는 말이다. 역사에서는 '조선시대 관청에서 함께 번(番, 숙직 또는 당직)을 서는 한 무리(대개 40~50명이 한 조), 또는 군대의 가장 작은 부대'를 일컫는다.

숭례문 밖 염천교, 중림동 일대는 조선후기 삼군문(훈련도감, 어영청, 금위영) 중 어영청의 일곱 번째 조가 관할하던 구역으로 칠패라 하였는데, 이곳에 생겨난 시장이 바로 칠패시장이었다.

조선전기의 시전(市廛)은 도성의 중심인 운종가 한 곳에만 있었다. 그러나 17세기 후반 이후 진행된 한양 인구의 폭발적인 증가는 시전의 확대를 가져왔고, 18세기 말에 이르러서는 등록된 시전만 120여 곳으로 늘어나게 된다. 또한, 이 같은 시전 수의 증가는 한양

칠패시장터 표지석

도성 안팎에서 시장의 확대로 이어졌다.

조선후기 역사지리서인 <동국여지비고>에는 '행상이 모여서 물건을 바꾸고 헤어지는 것을 장(場)이라고 한다. 모두 네 곳이 있다. 종루가상(鐘樓街上) 이현(李峴) 칠패(七牌) 소의문외(昭義門外)이다' 라고 기록되어 있다. 난전(亂廛)으로 출발했던 칠패시장이 조선후기 한양을 대표하는 시장으로 성장했음을 알 수 있다.

동부채(菜), 칠패어(漁) 칠패시장은 숭례문에서 무악재를 넘어 평양·의주로 가는 의주대로와 아현을 넘어 마포로 가는 길, 그리고 용산에서 올라오는 길이 모두 만나는 교통의 요지로, 새벽부터 사람들로 북적거리던 곳이었다. 이곳에서는 미곡, 포목, 어물 등의 품목이 거래되었는데, 지리적으로 용산과 마포 나루터가 가까워 어물전이 특히 유명하였다. 18~19세기 한양에는 '동부채 칠패어'라는 말이 생겼는데, 종로4가 이현(배오개)시장은 채소가 좋고 숭례문 밖 칠패시장은 어물이 좋다는 뜻이다. 당시 칠패시장에서 거래된 어물의 종류는 민어, 석어, 수석어, 도미, 준치, 고등어, 낙지, 소라, 오징어, 조개, 새우, 전어 등으로 다양하였다.

소의문·서소문 처형장

도로명으로 남은 문의 흔적 소의문(昭義門)은 한양도성의 서남쪽에 위치한 소문으로 1398년(태조7) 축조 당시 첫 이름은 소덕문(昭德門)이었다. 별칭인 서소문으로도 불리다가, 1744년(영조20) 문루를 개축하면서 두 번째 이름인 소의문으로 개칭하였다.

소의문은 동남쪽 광희문(光熙門)과 함께 시구문(屍口門)으로도 불렸다. 이는 도성 밖으로 상여를 내보내던 문이었기 때문이다.

소의문 밖 서소문 네거리에는 조선시대 사형 집행장이 있었다.

훼철되기 전 소의문(사진 서울역사아카이브)

1801년(순조1) 신유박해에서 1866년(고종3) 병인박해까지 많은 천주교 신자들이 이곳에서 처형당했기 때문에 '순교자의 문'으로 불리기도 했다.

일제강점기인 1914년 '경성시구 개수사업' 진행 과정에서 총독부에 의해 경매로 팔려 훼철되었고, '서소문로'라는 도로 이름만이 문이 있었음을 말해주고 있다.

사형장, 동대문에서 서소문 밖으로… 1416년(태종16) 7월 17일 예조에서 아뢰었다.

'사람을 동대문(東大門) 밖에서 사형하는 것은 실로 미편합니다. 《서경(書經)》에 말하기를, '사(社) 에서 죽인다.' 하였는데, '사(社)는 우편에 있으니, 빌건대, 예전 제도에 의하여 서소문(西小門) 밖 성밑 10리 양천(陽川)지방, 예전 공암(孔巖) 북쪽으로 다시 장소를

소의문 자리로 추정되는 서소문고가 끝자락

정하소서.'

刑人於東大門外, 實爲未便。《書》曰: '戮于社, 社在右。' 乞依古制, 以西小門外城底十里陽川之地, 古孔巖北邊, 更定常所。

<태종실록> 32권, 태종 16년 7월 17일 병오 5번째기사 1416년

사형장을 서쪽으로 바꾸려는 이유는 '숙살(肅殺, 쌀쌀한 기운이 나무를 말려 죽임)의 방위'이기 때문이었다. 유교적 통치이념을 가진 조선의 관료들에게 사형장을 서쪽에 두는 것은 지극히 당연한 논리였다. 이는 죄인의 '용형(用刑, 형벌을 적용함)'을 '숙살의 기운'이 강해지는 가을과 겨울에 행했던 것과도 일맥상통한다.

조선시대 사형장은 주로 도성에서 서쪽으로 10리 안팎 떨어진 당고개, 양화, 새남터와 서소문 밖 등에 자리하고 있었다. 이 가운데 서소문 밖 형장의 위치는 이교(흙다리)의 남쪽 백사장으로 만초천변

서소문역사공원에 세워진 천주교순교자현양비

(蔓草川邊)이었다. 조선의 신분제 개혁을 주장했던 <홍길동전>의 허균, 서북(평안도 지역)에 대한 차별대우와 세도정치에 저항하여 민란을 일으켰던 홍경래와 그 동조자들이 여기서 처형되거나 다른 곳에서 죽임을 당했어도 그 수급(首級)은 이곳에 내걸렸다.

무엇보다 천주교와 천도교(동학)의 입장에서 서소문 밖은 '순교성지'였다. 천주교 박해 60여 년 동안 이곳에서 84명이 처형되었고, 그 가운데 44명이 1984년 교황 요한바오로 2세 한국방문 당시 순교성인으로 시성(諡聖)되었다. 또한 1894년 갑오농민혁명 이후 적지 않은 동학교도들이 서소문 처형장에서 죽임을 당했다.

때문에 '서소문 밖'이란 말은 조선시대 내내 '처형장', '효시터'라는 말을 대신했다.

현재 서소문 사거리에는 2019년 6월 새롭게 조성된 서소문역사공

서소문역사공원 한켠에 재현된 두께(망나니)우물

원이 자리하고 있다. 공원 한켠에는 조선시대 사형 집행수였던 망나니가 죄인을 참수한 후 처형 도구를 씻었다는 두께우물(망나니우물)이 재현되어 있다. 1922년 제작된 '경성도(京城圖)'에도 서소문 처형장 동쪽 부근에 두께우물이 표시되어 있다.

개화기 서양 선교사들의 활동터

미국 감리교, 헨리 G 아펜젤러 정동은 태조의 계비 신덕왕후(神德王后) 강씨의 능(陵)이 있었던 곳이라는 의미에서 유래한 지명(地名)이다. 1876년 강화도조약 이후 세계 열강들에게 차례로 문호를 개방하면서, 정동에는 속속 미국 선교사들이 터를 잡기 시작하였다. 경운궁(덕수궁)의 돌담길을 따라 돈의문 방향으로 정동길 왼편에는 헨리 G 아펜젤러의 감리교, 오른편에는 언더우드의 장로교가

선교사 헨리 아펜젤러의 동상

터를 닦았다.

아펜젤러는 1885년 4월 5일 제물포를 통해 우리나라에 첫발을 디뎠다. 그는 정동길에 외국인으로서는 최초로 근대 교육기관인 배재학당과 최초의 개신교 예배당인 정동제일교회를 세우고 선교활동을 펼쳐나갔다.

1885년 8월 설립된 배재학당은 '유용한 인재를 길러내는 곳'이라는 의미로, 1886년에 고종이 직접 내려준 이름이다. 한문, 영어, 천문, 지리, 수학 등의 교과목 외에 과외활동으로 연설회, 토론회 등 발표 훈련과 정구, 야구, 축구 등의 운동을 장려하였다. 이곳 출신의 저명인사로는 시인 김소월, 한글학자 주시경, 소설가 나도향, 대통령 이승만 등이 있다. 현재 정동길에는 '배재학당역사박물관'이라는 이름으로 1916년에 세워진 배재학당의 동관 건물이 남아있다.

또 1885년 10월 아펜젤러가 정동 사저(私邸)에서 예배를 드리기 시작했다. 1887년 예배 전용 건물을 구입한 후 베델예배당이라 한 것이 오늘날 정동제일교회이다. 정동제일교회에는 한국 최초로 파이프 오르간이 설치되어 연주되었으며, 한반도에서 처음으로 서양식 결혼식이 열린 곳이기도 하다.

이 교회의 제5대 담임목사였던 이필주 목사와 박동완 전도사는 1919년 3.1운동 당시 민족대표 33인으로 참여하였다. 한편 이 교회

배재학당역사박물관이 된 배재학당 동관

의 신자였던 유관순 열사의 장례식이 거행된 곳이기도 하다.

미국 감리교, 여성 선교사 메리 스크랜튼 이화여고 본관 건물 옆에는 '한국 여성 신교육의 발상지'라 새겨진 기념비가 있다. 이곳이 우리나라 최초의 신식 여학교 이화학당이 문을 연 자리이다.

미국 메사추세츠주의 독실한 기독교 집안 출신의 메리 스크랜튼(Mary F. Scranton)은 1885년 53살이라는 늦은 나이에 외아들 윌리엄 스크랜튼 부부와 함께 선교사로 대한제국에 들어왔다.

미국 공사관의 도움으로 정동길에 자리 잡은 그녀는 1886년 5월 31일, 여성교육을 기피하던 사회 분위기 속에서 영어를 배워 왕비의 통역관이 되고 싶다며 찾아온 소실(少室, 첩) 김 부인을 첫 학생으로 교육 선교를 시작하였다.

1887년 2월, 고종으로부터 '이화학당(梨花學堂)'이라는 교명을 하사받은 뒤 꾸준히 학생 수를 늘리고 영어 외에 국어, 한문, 수학, 역사 등의 교과목을 추가하면서 여성 근대 교육기관으로서의 면모를 갖추어 나갔다. 1910년에는 4년 과정의 대학과를 신설하였으며, 1914년에는 김앨리스, 신마실라, 이화수 등 한국 최초의 국내 여자대학 졸업생 3명을 배출하기에 이르렀다. 1919년 3.1운동의 상징인 유관순 열사 또한 이화학당 고등과에 재학 중인 학생이었다.

한편, 스크랜튼 여사는 1887년 한국 최초의 여성 전용 병원인 보구여관(普救女館, 이화여대 부속병원 전신)을 설립하여, 환자를 돌봄과 동시에 여성 의료인을 양성하는 데에도 힘을 쏟았다. 당시 조선의 여성들은 질병에 걸려도 제대로 치료를 받지 못한 채 고통받아야 했던 시절이었다. 보구여관은 '널리 여성을 구하는 집'이란 뜻으로 이 또한 고종이 내려준 이름이었다. 정동길 이화여고 담장 밑에는 지금

우리나라 여성 신교육의 발상지, 이화학당

도 이를 기념하는 작은 안내판이 설치되어 있다.

조선에서 소외된 여성의 교육과 의료 발전을 위해 20여 년간 헌신했던 스크랜튼 여사는 1909년 10월 타계하였으며, 양화진외국인선교사묘원에 안장되었다.

미국 장로교, 언더우드 아펜젤러와 같은 날, 조선 땅에 들어온 호러스 그랜트 언더우드(Horace Grant Underwood)는 제중원에서 물리와 화학을 가르치는 교사로 이 땅에서의 활동을 시작하였다.

1886년 정동길 오른편에 선교 및 청년교육을 위해 숙식(宿食)을 같이하는 고아원 성격을 띤 학교 '언더우드학당'을 세웠다. 이 학교는 1901년 연지동으로 교사를 옮긴 후 1902년 '예수교 중학교'라 했으며, 1905년부터는 '경신학교'로 부르게 되었다. 경신(儆新)이란 '깨우쳐서 새롭게 한다'는 의미이다.

언더우드 사택 자리에 세워진 예원학교

2019년 새로이 완공된 새문안교회

또한, 1887년 9월, 언더우드는 정동길 자신의 집 사랑채에서 세례교인 14명과 예배를 드리는 것으로 선교활동을 시작했다. 그해 10월에 장로교회인 새문안교회가 설립되었다. 새문안교회는 현재 새문안로에 위치하고 있다.

서양 공사관 거리

아관파천으로 실익을 챙긴 러시아 1876년 강화도조약의 체결로 세계 자본주의 체제에 편입한 조선은 서양 열강들과도 수호조약을 체결하고 속속 문호를 개방하였다. 개화기의 시작과 함께 미국·영국·프랑스·러시아·독일 공사관이 정동길에 들어섰다.

그 가운데서도 러시아 공사관은 지금의 정동근린공원 언덕에 세워졌다. 러시아 출신의 건축가 사바틴이 설계한 러시아 공사관은

1890년 건립 당시 다른 서양 공사관과는 비교할 수 없을 정도로 압도적인 위용을 자랑하던 건물이었다.

탑옥만 남아있는 러시아 공사관

특히 이곳은 명성황후가 1895년 일본에 의해 살해당한 후 신변에 위험을 느낀 고종이 1896년 2월 왕세자를 데리고 피신했던, 아관파천(俄館播遷)의 현장이다. 고종은 1897년 2월 경운궁으로 이어(移御)하기까지 약 1년간 이곳에서 모든 국정을 처리하였다.

러시아는 고종에게 피신처를 제공하는 대가로 압록강 연안과 울릉도의 삼림채벌권을 비롯하여 광산채굴권, 경원전신선을 시베리아에 연결하는 권리 등 각종 주요 이권을 차지하였다. 그러나 1904년 러일전쟁에서 일본에게 패배하면서 공사관은 철수하게 되었고, 건물 관리는 프랑스 공사관에 맡겼다.

1917년 러시아 혁명 이후 러시아 공사관은 주인 없는 건물이 되었고 1925년부터 1950년까지 소련영사관으로 사용되었다. 그러나 한국전쟁 때 폭격으로 2층 본관 건물 등 주요 시설이 모두 파괴되었고 3층 높이의 탑옥(塔屋, 탑처럼 돌출한 부분)만이 남아 정동길 언덕의 역사를 말하고 있다.

정초석에 새긴 이름, 프랑스 공사관 2010년, 정동 창덕여중 신축 공사장에서 옛 프랑스 공사관 터가 발견되었다. 개화기 이

프랑스 공사관의 정초석

곳에 있었던 프랑스 공사관은 플랑시(V. Collin de Plancy) 공사가 한옥을 개조하여 지은 것으로 지하 1층, 지상 2층의 본체와 5층 옥탑으로 이뤄진 붉은색 벽돌 건물이었다.

프랑스 공사관은 건너편 언덕에 자리했던 러시아 공사관과 더불어 당시 정동의 스카이라인을 형성했던 아름다운 건물이었다. 그러나 1905년 을사늑약의 체결로 프랑스 공사관은 영사관으로 격하되었고, 1910년 경술국치 때 합정동으로 옮겨졌다.

공사관 건물은 1914년 세워진 서대문소학교 운동장에 갇힌 채 남아있다가, 1935년 조선총독부에 의해 헐리게 되었다. 지금은 창덕여중 운동장 한켠에 'RF1896'이라 새겨진 머릿돌만이 남아 이곳에 옛 프랑스 공사관이 자리했음을 말해주고 있다. 'RF'는 'Republique Francaise'의 약어로 '프랑스공화국'이라는 뜻이다.

그 밖에 정동길 서양 공사관 1883년 조영수호통상조약 체결로 서양인들의 도성 안 거주 및 통상행위가 사실상 허용되면서 서구 열강들은 앞다투어 정동길에 공사관을 마련하였다.

당시 공사관의 위치와 크기가 조선에 대한 영향력을 나타내기도 하였는데, 선두에 서 있던 러시아, 프랑스, 미국 공사관이 정동 안쪽에 자리를 잡았다.

미국 공사관은 1884년 정동길 안쪽에 있던 한옥을 매입하며 정동에 입성하였으며, 지금도 이곳은 한옥의 형태를 지키며 미국 대사관저(일명 하비브하우스)로 사용되고 있다. 영국은 경운궁 옆 언덕 위에 한옥을 당시 돈 100파운드(한화 17만 원)에 사들여 공관으로 사용하다가, 1890년 이곳에 서양식 건물 두 채를 세웠다.

1883년 대한제국과 수교를 맺은 독일은 1884년 낙동(駱洞, 현 충무로1가 서울중앙우체국 뒤편)에 처음 영사관을 개설하였다. 이후 박동(薄洞, 현 수송동)의 묄렌도르프 저택 등을 거쳐 1891년 현 서울시립미술관 자리에 있던 육영공원과 자리를 맞바꾸면서 정동길에 진입하였다. 그러나 대한제국이 경운궁 확장을 추진할 때 이 땅을 매각하고, 1902년 상동(尙洞, 회동會同, 현 남창동)에 새 영사관을 지어 옮겨가게 되었다.

1900년대 경성의 모습(사진 서울역사아카이브)

중명전

외교권 강탈당한 을사늑약 현장 1905년 11월 18일 새벽, 정동길 깊숙이 자리한 전각에서 일본 헌병과 군대의 삼엄한 경계와 압박 속에 대한제국의 외교권을 강탈당한 을사늑약이 체결되었다. 이 전각의 이름은 '중명전(重明殿)'.

중명전은 1899년경 건립된 황실도서관으로 '수옥헌(漱玉軒)'이라 불렸다. 서양식 1층 건물이었으나, 1901년 화재 이후 정면과 양측면 등 3면에 회랑이 있는 2층 건물로 재건되었다.

1904년 경운궁(덕수궁) 대화재 이후 한때 황제의 거처로 사용되었던 공간이기도 하다.

외부대신 박제순(朴齊純)과 일본의 특명전권공사 하야시 곤스케(林權助)의 이름으로 체결된 을사늑약에는 외국과의 조약권을 가진

을사늑약의 현장, 중명전

고종 황제의 위임장이 첨부되지 않았을 뿐만 아니라 사후 추인도 없었다. 게다가 한쪽이 일방적으로 작성하여 문서의 제목조차 없었으므로 당연히 무효인 조약이었다.

헤이그에 특사를 파견한 역사적인 장소 2년 뒤인 1907년 고종은 이 같은 사실을 근거로 을사늑약의 불법성과 무효화를 국제 사회에 호소하기 위해 이곳 중명전에서 제2차 만국평화회의가 열리는 네덜란드 헤이그로 3명의 특사를 은밀히 파견하였다.

그러나 어렵게 헤이그에 도착한 3명의 특사(이상설, 이위종, 이준)는 일제의 방해로 결국 뜻을 이루지 못하였고, 이를 빌미로 고종은 결국 강제 퇴위당했다.

1925년 또다시 화재로 소실되었던 중명전은 변형된 형태로 재건되었다가, 2007년 사적으로 지정되었다.

복원되기 전 변형된 모습의 중명전(사진 서울역사아카이브)

2009년 대한제국 시기의 모습으로 복원되었으며 현재는 대한제국 역사교육의 장으로 활용되고 있다.

돈의문·경교장

'나는 경성 서대문이올시다' 1915년 3월 4일자 <매일신보>에는 곧 경매로 사라질 위기에 놓인 서대문의 처지를 의인화한 기사가 실렸다. 기사의 제목은 '나는 경성 서대문이올시다'로, 곧 무너질 자신의 처지를 안타까워하는 내용이다.

…(전략)… 조국에 변란이 일어나면 무능한 나도 국가의 간성(干城) 노릇을 해서 성밑에 몰려드는 적군의 탄환과 화살을 온몸으로 견뎌내고 지엄하게 한성의 서편을 지켰는데 다만 경매 몇푼에…(하략)…

철거전 돈의문(사진 서울역사아카이브)

한양도성의 서쪽에 자리한 이 문의 원래 이름은 돈의문(敦義門). '돈의(敦義)' 즉, '의를 북돋운다'는 뜻을 지녔다. 1396년(태조5) 처음 세워졌을 당시에는 현재의 사직터널 부근이었으나, 1413년(태종13) 경복궁의 지맥을 해친다는 이유로 폐쇄하고 경희궁 서쪽 언덕(현 서울특별시교육청 부근)에 서전문(西箭門)을 세웠다.

1422년(세종4) 한양도성을 고쳐 쌓을 때 서전문을 헐고 경교 부근에 돈의문을 새로 세웠다. 그래서 사람들은 이 문을 새 문, 신문(新門)이라 불렀고, 그 흔적이 새문안길 또는 신문로라는 길이름으로 남았다.

1915년 조선총독부는 경성시구개수(京城市區改修) 공사의 일환으로 전차노선의 복선화를 추진한다는 명목하에 돈의문 철거를 결정하였다. 1915년 3월 7일자 <매일신보> 기사에 따르면 돈의문의 경

AR·VR 등 첨단기술이 도입된 돈의문 체험관

매 입찰 결과 염덕기라는 인물에게 205원 50전에 팔렸으며, 그해 6월 10일 완전히 철거되었다. 돈의문의 흔적은 서대문이라는 지명과 새문안길, 신문로라는 길이름, 그리고 국립고궁박물관에 소장된 현판 등으로 남아있다.

죽첨장, 경교장이 되다 현 강북삼성병원 본관 옆에는 2층 규모의 아담한 근대건축물이 생경하게 자리하고 있다. 이곳은 백범 김구 선생의 숙소이자 대한민국 임시정부 요인들의 주요 활동공간이었던 경교장(京橋莊).

1938년 일제강점기 금광으로 거부가 된 최창학(崔昌學)이 별장 용도로 지은 건물로 죽첨장(竹添莊)이라 하였다. 이는 당시 주변 거리의 명칭에서 온 것이었는데, '죽첨'은 1884년 갑신정변 당시 주조선 일본공사였던 다케조에 신이치로(竹添進一郎)의 이름에서 따온

마지막 임시정부, 경교장

것이었다. 1945년 해방 후 최창학이 임시정부에 헌납하였고, 김구 선생은 일본식 이름 대신 근처 경기감영 앞에 있던 다리(경교)의 이름을 따서 경교장이라 개명하였다.

1949년 6월 26일, 김구 선생이 육군 소위(少尉) 안두희의 총탄에 맞아 서거할 때까지 이곳은 김구 선생과 임시정부 요인들의 숙소이자, 대한민국 임시정부의 집무실로 국무회의가 열린 곳이다. 또 신탁통치반대운동과 남북협상 주도 등 주요 정치 활동의 중심지로서 큰 역할을 하였다.

김구 선생 서거 후 외국 대사관저, 한국전쟁 중 미군 시설, 병원시설 등으로 사용되는 과정에서 변형되었다. 그러나 2005년 사적으로 지정된 후 1, 2층과 지하를 원형대로 복원하였고, 2013년 전시관으로 개관하여 오늘에 이르고 있다.

홍난파 가옥·베델 집터·딜쿠샤

친일을 선택한 근대음악의 선구자 경교장과 돈의문박물관마을 사이 이면도로를 가면 대형 아파트 단지 뒤 언덕에 '월암동(月巖洞)'이라 새겨진 커다란 바위가 눈에 들어온다. 안내표지판에 '서대문 밖 1리쯤 되는 곳에 있는 바위산을 월암봉(月巖峯)이라 하였는데, 바위에 '월암동(月巖洞)'이라는 글자가 새겨져 있어 주변 마을의 지명으로도 사용되었다'고 기록되어 있다.

바위 위쪽에는 붉은 벽돌의 아담한 1930년대 근대식 가옥이 있다. '고향의 봄' '봉선화' '퐁당퐁당' 등 우리에게 익숙한 수많은 노래의 작곡자로 잘 알려진 난파 홍영우가 1935년부터 1941년 세상을 떠날 때까지 살았던 집이다.

우리나라 최초의 바이올리니스트, 최초의 실내악단 창시자, 최초

아파트단지 뒷편에 남아있는 월암동 각자

의 음악 평론가, 최초의 음악 잡지 발행인, 최초의 방송 관현악단 지휘자 홍난파에게 붙여진 수많은 수식어는 그가 명실상부한 우리나라 근대음악의 선구자였음을 의미한다.

그러나 1937년 일제가 흥사단 계열의 계몽단체였던 '수양동우회'와 관련된 지식인 180여 명을 검거한 사건에 연루되어 72일간의 옥고를 치른 후 그는 '전향 성명서'를 발표하였다. 이후 조선총독부의 대표적 친일단체인 국민총력조선연맹의 문화위원으로 활동하며, '태평양행진곡' '희망의 아침' '출정 병사를 보내는 노래' 등 친일가요를 발표하였다.

말년에 선택한 이러한 친일행적으로 인해 홍난파는 지난 2009년 민족문제연구소와 친일인명사전편찬위원회가 발간한 친일인명사전에 등재되었다.

홍난파 가옥

조선을 사랑한 벽안(碧眼)의 항일 언론인, 베델 홍난파 가옥 동쪽 언덕 위 한양도성이 흘러가는 월암근린공원 북동 편에는 대한제국 시절 벽안의 영국 언론인이 살았던 한옥이 있었다.

1872년 영국 브리스톨에서 태어난 그는 17세에 일본으로 건너와 고베에서 15년간 무역상으로 살았다. 1904년 러일전쟁을 계기로 영국 신문 '데일리 크로니클(Daily Chronicle)'의 특파원 자격으로 대한제국에 발을 디뎠다. 러일전쟁에서 승리한 일본이 노골적으로 한반도 침략의 야욕을 드러내기 시작한 시기, 그는 <대한매일신보>와 영자신문 <코리아 데일리 뉴스>를 창간한다.

지면을 통해 일본의 침략행위를 비판하고 을사늑약의 무효를 주장했으며, 국채보상운동을 홍보하며, 대한제국의 실상을 국내외로 알리는 항일 언론의 역할을 담당하였다.

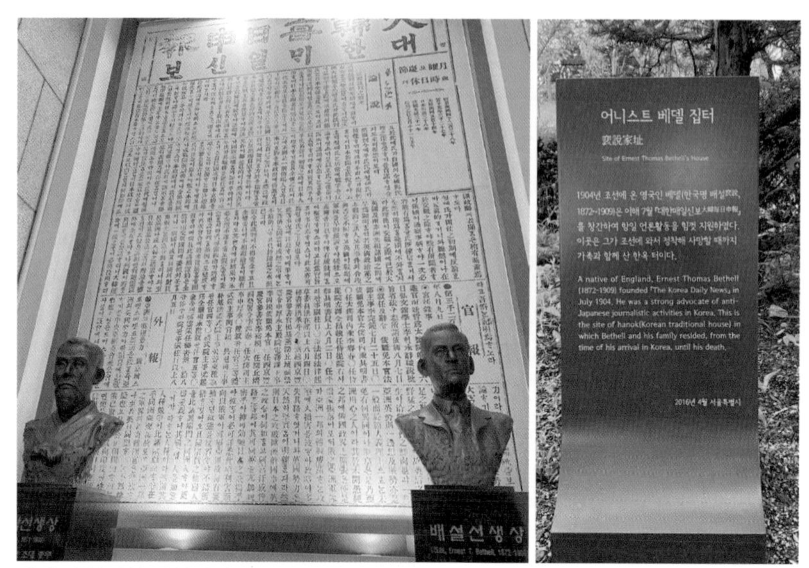

베델이 창간한 대한매일신보와 베델 집터 표지판

그가 눈엣가시 같았던 일본은 동맹국이었던 영국을 압박했고, 결국 1908년 열린 재판에서 그는 유죄판결을 받고 중국 상하이에서 3주간의 금고형을 치러야 했다. 타국이었던 내한제국을 위해 항일 언론 활동을 펼쳤던 그는 1909년 5월 1일 37세의 젊은 나이에 심장비대증으로 사망하였다.

죽는 순간까지도 "나는 죽을지라도 신보(대한매일신보)는 영생케 하여 한국동포를 구하라"라는 유언을 남겼던 그의 이름은 '어니스트 베델(Ernest Thomas Bethell)', 한국 이름 '배설(裵說)'이다.

1909년 양화진으로 향하는 장례행렬에는 수많은 검은 머리 조선인들이 그의 마지막 길을 함께했다.

기쁜 마음의 궁전, 딜쿠샤 사직터널 위, 옛 주소 행촌동 1-88번지에는 한때 '귀신 나오는 집'으로 불렸던 붉은 벽돌집이 있다. 2021년 3.1절을 기하여 말끔하게 복원을 마치고 일반인에게 공개된 이 집의 이름은 '딜쿠샤'. 산스크리트어로 '기쁜 마음의 궁전'을 뜻하는 이 집 외벽 아래에는 'DILKUSHA 1923'이라 새겨진 정초석이 선명하다.

이 집의 주인은 광산업에 종사했던 아버지를 돕기 위해 1897년 조선 땅을 밟은 미국인 앨버트 테일러(Albert W. Taylor)와 영국태생의 연극배우였던 그의 아내 메리 테일러(Mary L. Taylor)였다. 그들은 신혼여행지로 방문했던 인도 북부지방의 궁전 딜쿠샤의 이름을 딴 이 집을 짓고, 1923년부터 1942년 일제에 의해 추방될 때까지 이곳에서 살았다.

앨버트 테일러는 당시 금광과 '테일러 상회'라는 무역회사를 운영하던 사업가이자, 미국 AP통신의 해외통신원으로 활동하던 저널

딜쿠샤

딜쿠샤의 정초석

리스트이기도 했다. 1919년 3.1운동 당시 갓 태어난 아들을 보기 위해 찾았던 세브란스 병원에서 침대 밑에 숨겨진 독립선언문을 발견하고, 동생 윌리엄을 통해 일본으로 가져가 미국에 타전하게 함으로써 3.1운동을 전 세계에 알렸다. 또 수원 제암리 학살사건을 취재하여 알리고 조선총독부를 항의 방문하는 등 독립운동에 힘을 보태었다.

해방 후 앨버트 테일러는 다시 딜쿠샤로 돌아오길 희망했지만 뜻을 이루지 못한 채 1948년 심장마비로 세상을 떠났다.

그해 9월, 아내 메리 테일러가 한국에 와서 남편의 유해를 양화진외국인선교사묘원에 묻었다. 1992년 부부의 아들 브루스 테일러(Bruce T. Taylor)가 메리의 유고를 정리한 자서전 '호박 목걸이(Chain of Amber)'를 출간하였다.

테일러 부부가 떠난 희망의 궁전 딜쿠샤는 잠시 자유당 국회의원의 소유였다가, 1963년 국가에 귀속된 이후 장기간 관리되지 못한 채 방치되었다.

하지만 노숙인·장애인 등 어려운 이들이 하나둘 모여들면서, 한때 20여 가구가 함께 생활했던 '희망의 집'이 되었다.

2005년 팔순의 노인이 된 테일러 부부의 아들, 브루스 테일러가 샌프란시스코 총영사관을 통해 딜쿠샤를 찾아 달라는 요청을 해왔고, 당시 서일대학교 연극영화학과 김익상 교수의 노력으로 60여 년 만에 딜쿠샤의 존재가 세상에 알려졌다. 이듬해 가족들과 함께 딜쿠샤를 찾은 브루스 테일러는 어린시절 자신이 살았던 곳임을 확인하면서, 자신들의 옛집이 무주택자들의 안식처로 사용되고 있음에 감사했다고 한다. 2015년 브루스가 세상을 떠난 후 그의 딸 제니퍼(Jennifer Taylor)가 2년에 걸쳐 테일러 가문의 자료를 서울역사박물관에 기증하였다.

서울역사박물관은 복원 공사를 통해 3.1운동 100주년인 2019년 딜쿠샤 역사 전시관으로 개관할 예정이었으나, 거주민들의 이주절차가 지연되면서 2021년 3월에 일반에게 공개되었다.

선바위·범바위·치마바위

태조의 꿈, 선바위를 도성 밖으로 내치다 한양의 서쪽 산으로 우백호에 해당하는 인왕산(仁王山)의 이름은 이곳에 인왕사(仁王寺)라는 사찰이 있었기 때문에 붙여진 것이다.

1613년(광해군8)에 작성된 <광해군일기>에 따르면 인왕은 석가의 미칭(美稱, 아름답게 이르는 말)으로, 산에 예전에 인왕사가 있었으므로 그렇게 이름한 것이다. 부처를 아름답게 높여 부르는 말이 '인왕'이었다는 것이니, 옛사람들은 인왕산을 불교적인 산으로 인식했음을 이해할 수 있다.

인왕산은 산 전체가 화강암으로 되어있어 기묘한 바위들이 많고, 다양한 이름으로 불린다. 그중에서도 '선바위'는 마치 스님이 장삼을 입고 서 있는 것처럼 보인다 하여 이름에 '선 선(禪)'자를 붙였다. 이 바위에는 유명한 설화도 전해진다.

한양도성을 축조하기 전 이 바위를 도성 안으로 포함할 것인지를

장삼을 걸친 승려의 모습을 한 선바위

놓고 당대 최고의 권력자인 두 사람 즉, 무학대사와 정도전 사이에 논쟁이 붙었다. 선바위를 불교의 성지로 여겼던 무학대사는 당연히 포함할 것을 주장하였고, 불교를 배척하려 했던 정도전은 이를 결사 반대하였다. 두 사람 사이에서 고민하던 태조가 어느 날 꿈을 꾸게 되는데, 하얗게 눈이 내린 도성 자리에 선바위 안쪽으로만 눈이 녹아 있더라는 것. 태조는 이를 하늘의 뜻이라 여기고 정도전의 손을 들어주어 선바위를 제외하게 되었다는 것이다. 이를 두고 무학대사가 이제 중이 선비의 보따리나 짊어지고 다니게 되었다며 탄식했다는 이야기도 전해온다.

오늘날 선바위는 소원성취를 기원하는 이들의 발걸음이 끊이지 않는다. 선바위 아래에는 10여 개가 넘는 소규모 사찰과 일제강점기 목멱산에서 옮겨진 국사당을 포함한 여러 개의 신당(神堂)이 빼

인왕산 범바위와 곡성

곡히 자리하고 있다.

한양도성의 가장 큰 성돌, 범바위 '인왕산 모르는 호랑이 없다'는 속담이 있다. '한국의 호랑이라면 인왕산에 한번은 와 본다'는 이야기에서 유래된 것으로, 어떤 일을 세상에서 모르는 사람이 없음을 강조하는 말이다.

인왕산 호랑이와 관련된 이야기는 수없이 많다. 인왕산 서쪽 고개인 무악재를 넘을 때 행인들은 10여 명씩 모여 꽹과리를 치며, 화승총으로 무장한 군사들의 호위를 받아야 했다. 일제강점기인 1920~1930년대 신문기사에서도 인왕산자락에 호랑이가 나타났다는 기사가 자주 등장한다.

예부터 인왕산은 호랑이가 자주 출몰하는 곳으로 유명했고, 그래서인지 인왕산 중턱에 오르면 만나는 넓적한 바위의 이름도 '범바위'

인왕산에서 바라본 낙조

이다. 범바위는 자연지형을 그대로 이용하여 수축한 한양도성의 가장 큰 성돌이기도 하다.

애틋한 사랑 이야기를 품은 치마바위 인왕산 정상을 지나 한자락 내려왔다 싶을 때쯤 문득 뒤를 돌아보면 마치 주름치마를 펼쳐 놓은 형상의 거대한 바위가 눈에 들어온다. 사람들은 이 바위를 '병풍바위' 또는 '치마바위'라 부른다. 특히 치마바위라는 이름을 갖게 된 데는 애틋한 사랑 이야기가 전해온다.

500년 조선 왕실 역사상 가장 짧은 7일간 왕비였던 단경왕후(端敬王后) 신씨. 그녀의 중종에 대한 그리움을 표현한 곳이 치마바위였다는 것이다. 중종은 반정을 통해 연산군을 몰아내고 조선 제11대 왕위에 올랐다. 그러나 그 기쁨도 잠시 중종비 단경왕후는 좌의정 신수근(愼守勤)의 딸이었고, 연산군의 비 거창군부인(居昌郡夫人) 신씨는

일제가 새긴 각자의 흔적이 뚜렷한 치마바위

신수근의 여동생이었다. 반정에 반대했던 신수근은 결국 죽임을 당하고, 단경왕후는 왕비가 된 지 단 7일 만에 폐서인이 되어 인왕산 아래 사가로 쫓겨나는 비운의 왕비가 되고 말았다.

중종은 왕비를 그리워하며 경복궁 경회루에 올라 인왕산 기슭을 바라보곤 하였다. 이 소식을 전해 들은 단경왕후는 본인이 입던 붉은 치마를 경회루가 바라다보이는 인왕산 정상아래 바위에 걸쳐 놓고 중종에 대한 그리움을 전했다. 이후로 사람들은 이 바위를 치마바위로 부르게 되었다고 한다.

7일의 왕비에 얽힌 애틋한 사랑 이야기가 전해지던 치마바위는 400년 뒤인 일제강점기에 커다란 외상을 입게 된다. 1937년 중일전쟁을 일으킨 일제는 조선의 청년들을 전쟁터로 내몰기 위해 혈안이 된 나머지 1939년 가을 경성에서 '대일본청년단대회'를 개최했다.

그리고 이를 기념한다며 인왕산 치마바위에 '동아청년단결(東亞靑年團結)', '조선총독 미나미지로(朝鮮總督南次郎)', 그리고 기념각자를 남기는 이유를 잔뜩 새겨 놓았다.

해방 후 각자는 일일이 정으로 쪼아 지워버렸지만, 그 상처는 여전히 남아 아픈 역사를 되새기고 있다.

인왕산 정상

'서울의 로케이션은 아주 독특하다' 이 말은 1901년 대한제국을 방문했던 독일의 언론인 지크프리트 겐테(Siegfried Genthe)가 남긴 서울에 대한 인상이다. 그는 또한 '사방에 뾰족하고 힘찬 산들이 인가가 들어선 곳까지 빙 둘러싸고 있는 것이 서울의 모습이다. 이런 전망을 가진 서울을 이 세상에서 가장 아름답다고 꼽는 군주국

인왕산 정상에서 바라본 서울의 모습

조명을 밝힌 한양도성 인왕구간

도시명단에 들어가야 할 충분한 조건을 가지고 있다'고 표현했다. (<독일인 겐테가 본 신선한 나라 조선>, 2007, 책과함께)

인왕산 정상(338.2m)에 서면 독일 언론인이 말한 서울의 로케이션을 한 눈에 감상해볼 수 있다. 한양의 주산인 백악을 중심으로 낙산과 목멱으로 이어지는 내사산(內四山)과 그 안쪽에 조선왕조 권력의 중심 공간이었던 5대 궁궐 그리고 오늘날 행정부의 수반인 대통령의 공간 청와대에 이르기까지….

조선의 개국공신이자 한양을 설계했던 삼봉(三峰) 정도전은 내사산으로 둘러싸이고 개천(청계천)을 가운데에 품은 인구 10만을 위한 도시를 꿈꾸었다. 현재의 서울은 한강을 품고 외사산(外四山)으로 둘러싸인 인구 1천만을 위한 거대 도시로 변모하였다.

600년 한양의 서쪽을 지키고 있는 우백호(右白虎) 인왕산은 예나

인왕산 정상 부근에 놓여 있는 옥개석

지금이나 묵묵히 과거의 시간을 등진 채 미래를 바라보며 오늘을 버티고 서 있다.

윤동주 시인의 언덕

하늘을 우러러 한점 부끄럼이 없기를, 아! 동주… 인왕산 능선을 따라 자연스럽게 이어지던 한양도성의 성벽이 다시 백악으로 오르기 위해 잠시 쉬어가는 나지막한 언덕에 어느 날 시비가 세워지고, 그 아래에는 시인을 기리는 문학관이 자리 잡았다. 바로 '윤동주 시인의 언덕'이다.

1917년 만주 북간도 명동촌에서 태어난 윤동주(尹東柱)는 1941년 서울 연희전문학교를 졸업하고, 일본으로 건너가 도쿄(東京) 릿쿄(立敎)대학 영문과에 입학한다. 교토(京都) 도시샤(同志社)대학 영

도시샤대학에 설치되어 있는 윤동주 시비

문과로 옮긴 그는 항일운동에 가담했다는 혐의로 체포되어, 1945년 2월 조국의 광복을 보지 못한 채 후쿠오카(福岡) 형무소에서 스물아홉 짧은 생을 마감하였다.

연희전문학교에 다니던 시절 그는 종로구 누상동에 있는 소설가 김송의 집에서 후배 정병욱과 하숙을 했었다. 약 4개월간의 짧은 기간이었지만 깊은 속마음을 주고받을 수 있는 후배와 함께 차를 마시고 음악을 즐기고 문학 이야기를 나눌 수 있었던 그 시기가 시인 윤동주에게는 가장 행복한 시기로 여겨진다.

성악가였던 김송 부인의 아름다운 노래를 감상하기도 하고, 청운동과 누상동 일대를 산책하며 시상(詩想)을 가다듬었다고 한다. 지금도 많은 이들의 사랑을 받는 그의 작품 '별 헤는 밤' '자화상' '또 다른 고향' 등이 바로 이 시기에 탄생하였다.

윤동주 시인의 언덕

시인은 떠났지만, 그의 발자취와 세상을 향한 시선을 기억하고자 하는 움직임은 계속되었다. 그 일환으로 2012년 인왕산자락에 버려져 있던 '청운수도가압장'과 물탱크를 활용한 '윤동주 문학관'이 문을 열었다.

범바위에서 본 인왕산 정상

숫자로 풀어보는 한양도성

한양도성의 총 길이는 얼마나 될까? 언제 누가 왜 쌓았을까? 얼마나 걸렸을까? 꼬리에 꼬리를 무는 질문들…. 색다르게 풀어보는 건 어떨까? 600년 한양도성이 품고 있는 이야기를 숫자로 풀어본다.

2개의 물줄기, 한양과 서울을 관통하다

600년 전 나라를 세운 이성계는 한양 땅을 새 나라의 도읍으로 정했다. 자연부락 한양은 크고 작은 물길이 흐르는 물의 도시였다. 이들은 내사산 자락에서 발원하여 청계천에 모여들고, 다시 중랑천과 합수하여 한강으로 흘러간다.

도성 중앙을 흐른 큰 물줄기인 청계천의 조선시대 이름은 '개천'이었고, 오늘날은 도성 안을 흐른다 하여 내수(內水)라 표현하기도 한다. 내수가 있다면 외수(外水)는? 한양도성 밖을 흐르는 물줄기, 바로 한강을 의미한다. 삼봉 정도전은 개천을 품은 한양을 설계하며, 인구 10만을 위한 도읍을 꿈꾸었다. 600여년이 흐른 오늘의 서울은 한강을 품은 인구 1천만의 거대 도시가 되었다.

3 군문, 한양을 지켜라

조선시대 한양도성의 수비를 맡은 조직은 훈련도감, 어영청, 금위영으로 이루어진 삼군문이었다. 가장 먼저 생긴 훈련도감은 임진왜란 중에 창설되었는데 포수, 사수, 살수로 구성되었다. 어영청은 인조 즉위 직후 후금의 침략에 대비한 왕의 호위부대로 출발했다가, 이괄의 난(1624, 인조2)을 계기로 확대 개편되었다.

삼군문 중 가장 늦게 만들어진 금위영은 1682년(숙종8), 훈련도감의 하위 부대를 개편하여 창설한 부대였다.

그렇다면 이들이 맡았던 한양도성 내 관할구역은 어디였을까?

훈련도감이 돈의문에서 숙정문까지, 어영청은 숙정문에서 광희문까지, 그리고 광희문에서 돈의문까지는 금위영이 맡아 한양을 엄히 지켰다.

4 山 · 4王

한양의 거대한 울타리 한양도성은 내사산으로 불리는 4개 산의 능선과 평지를 연결하여 쌓아올린 조선의 거대한 울타리였다. 첫 법궁 경복궁의 북쪽 백악(북악)산에서 시작해 시계방향으로 낙(타락)산, 목멱(남)산, 인왕산을 거쳐 다시 백악까지 이어진다. 최대한 자연지형을 그대로 이용하여 만든 아름다운 성곽이었다. 그리고 그 배후에서 내사산을 감싸고 있는 외사산이 북쪽부터 시계방향으로 북한산, 아차산, 관악산, 덕양산이다. 오늘날 외사산이 경계 짓는 구역의 면적은 서울의 면적과 엇비슷하다.

한양도성을 만들고 고치다 태조는 한양천도를 마친 1395년

(태조4) 겨울 '도성조축도감(都城修築都監)'을 만들고 1396년(태조5) 한양도성을 완성하였다.

산지에는 석성을 평지에는 주로 토성을 쌓았다. 석성의 경우 주변에 있는 자연석을 그대로 이용하여 쌓았는데, 돌 사이에 생기는 틈은 작은 돌로 채웠다. 이를 막쌓기(허튼층쌓기)라 한다. 또한, 체성 바깥쪽에는 각자성석을 새겨 넣어 공사에 대한 책임소재를 명확히 하였는데, 말하자면 공사실명제가 시행되었던 것.

세종 대에 이르자 흙으로 쌓은 부분이 풍화를 이기지 못하고 무너져 내린 곳이 많아졌다. 개축을 주도한 이는 상왕(태종)이었는데, 이때 토성을 모두 석성으로 고쳐 쌓았다. 아래에 큰 돌을 네모형태로 다듬어 놓고 위로 갈수록 작은 모양의 모서리를 다듬은 돌을 얹어 놓았다. 이를 두고 옥수수알 또는 메주에 빗대어 표현하기도 한다.

숙종 대에는 양란 이후 무너진 곳을 고쳐 쌓았는데, 이때에는 삼군문이 주도하였다. 축조기술의 발달로 면석의 크기가 일정해졌는데, 1척 반(약 45cm) 크기의 정사각형 모양의 돌을 기울임 없이 거의 수직으로 쌓아 올렸다.

순조 대에도 삼군문이 개축의 중심이었고, 면석의 크기가 좀 더 커졌다. 2척(약 60cm) 내외의 정방형 돌을 쌓아 올렸고, 이전과는 달리 여장 안쪽에 각자성석을 새겨 넣었다.

8 문, 안팎으로 통하다

한양도성을 건설한 이후 성밖과 안을 연결하기 위한 문을 세웠다. 동서남북 각 방향으로 4개의 문을 세우고, 그 사이사이 문을 만들어 총 8개의 문을 완성하였다. 동서남북 각 방향에 세운 문에는 조선이 통치이념으로 삼았던 성리학의 상징이자 4덕인 '인(仁), 의(義), 예(禮), 지(知)'를 사용하여 문의 이름을 지었고, 후에 보신각에 '신(信)' 자를 넣어 인간이 갖추어야 할 다섯 가지 덕목을 완성하였다.

10리(里), 함부로 할 수 없는 땅

흔히 '한양(漢陽)'이라고 불린 조선왕조 도읍지의 행정구역 명칭은 '한성부(漢城府)'였다. 한성부는 오늘날 서울시청에 해당하는, 한양을 관할하던 부서의 명칭이기도 했다. 도성에서 시작하여 '10리(약 4km)' 에 이르는 지점까지를 '성저십리(城底十里)'라고 불렀다. 따라서 한성부의 관할구역은 도성과 성저십리까지로, 이 안에서는 벌목과 묘를 쓰지 못하게 하는 등 엄격히 관리하였다.

75개의 성랑, 한양을 지키는 초소

한양도성에는 군사들의 초소이자 숙소인 성랑(城廊)이 모두 75개가 있었다. 훈련도감 관할인 돈의문에서 숙정문 사이에 24개, 금위영 관할인 돈의문에서 광희문사이에 24개, 어영청 관할구역인 숙정문에서 광희문 사이에 27개가 있었다. 영조 대에는 도성 성벽에서 5보 떨어진 위치에 성랑을 세웠다. 그러나 오늘날 한양도성 내에서는 성랑의 흔적을 찾아볼 수 없다.

97구간, 하늘 천(天)에서 조상할 조(弔)까지

한양도성의 총 길이는 18.6km에 달한다. 당시의 단위로는 59,500

척. 1구간을 600척으로 하고, 천자문을 이용하여 97구간으로 구분하였다. 백악산 정상에서 출발(天)해 시계방향으로 내사산을 돌아 97(弔)구간으로 나누었다.

98일, 농한기를 이용하다

한양도성은 나라의 주도로 이루어진 대규모 토목공사였다. 당시의 기술력으로 18.6km에 이르는 성곽을 완성하는 데 과연 얼마만큼의 시간이 필요했을까? 놀랍게도 한양도성은 단 98일만에 완성되었다. 1396년(태조5) 1월과 8월의 농한기 49일씩을 이용하여 쌓은 것이다.

280여 개의 각자성석, 공사실명제의 흔적

한양도성을 쌓은 실무자들은 도성 곳곳마다 성돌 위에 도성을 축성한 기록을 새겨 넣었다. 글자가 새겨진 성돌이라는 뜻으로 각자성석(刻字城石)이라고 한다. 한양도성에 남아 있는 각자성석은 280여 개이다. 단순히 천자문으로 축성구간을 표시한 돌부터 축성을 담당한 지방, 공사구역, 담당자의 출신지, 책임자의 관직, 쌓은 날짜까지 꼼꼼히 새겨 넣은 성돌까지… 다양한 유형의 각자성석들이 도성의 지문(指紋)처럼 남아 있다. 오늘날의 공사실명제가 이미 시행되고 있었다는 증거라 할 수 있다.

197,470명, 전국에서 동원되다

한양도성 축성에 동원된 이들은 사대부와 노비를 제외하고 16세에서 60세에 이르는 양인이었다. 조선시대에 양인은 국가에 요역(徭役, 노동력) 제공의 의무를 지고 있었는데, 성을 쌓는 일도 여기에 포함되어 있었다.

1396년(태조5) 1~2월, 1차시기에 11만 8천 7십명이 징발되었고, 8~9월 2차시기에 7만 9천 4백명이 동원되었다. 조선초기 한양의 인구가 채 10만 명이 되지 않았으니, 동원된 백성의 규모를 짐작할 수 있다.

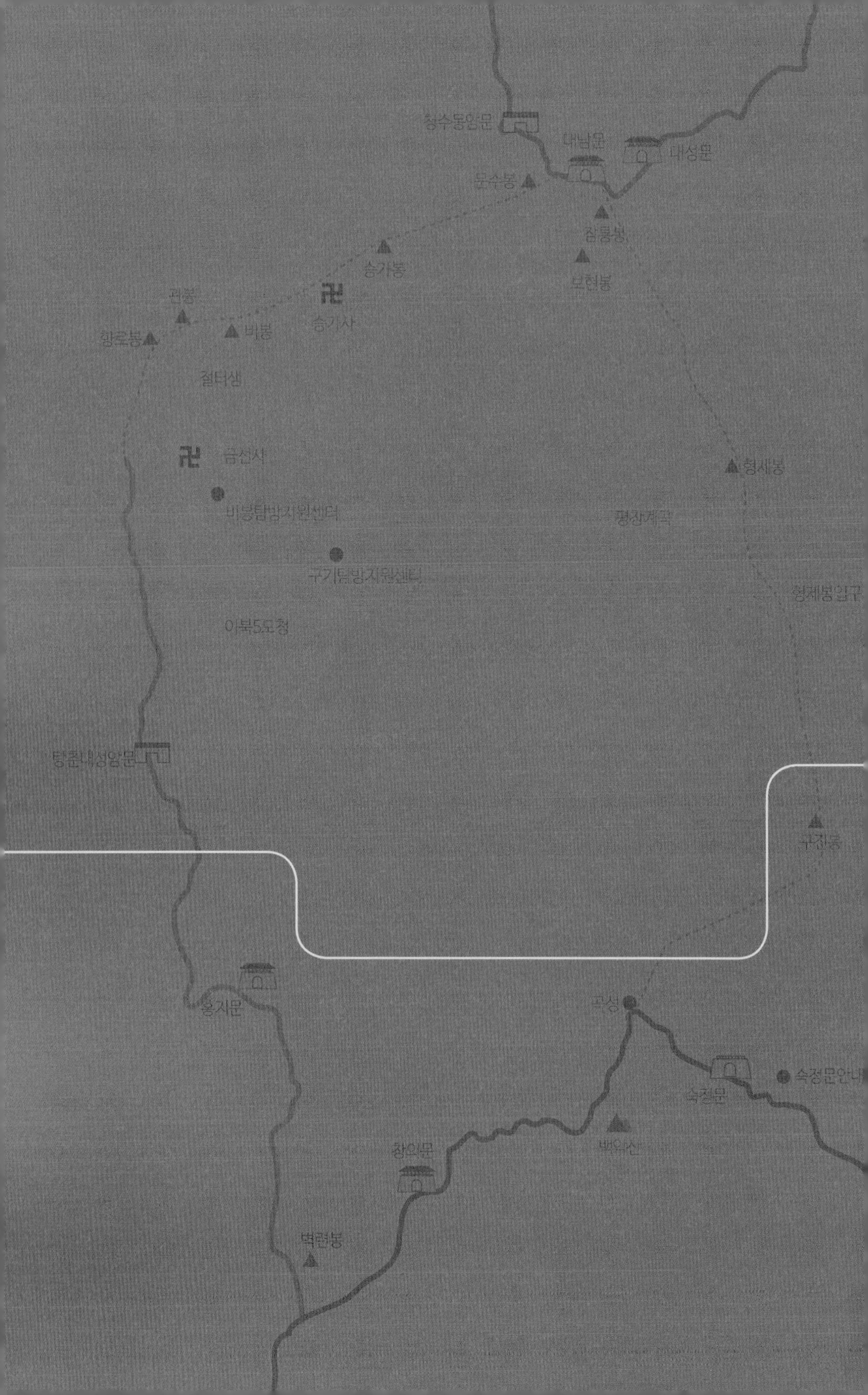

청수동암문
대남문
대성문
문수봉
잠룡봉
보현봉
승가봉
관봉
승가사
향로봉
비봉
절터샘
금선사
비봉탐방지원센터
구기탐방지원센터
이북5도청
형제봉
평창계곡
형제봉입구
탕춘대성암문
구진봉
홍지문
곡성
숙정문
숙정문안내
창의문
백악산
벽련봉

탕춘대성, 그리고 동성

북한산성의 특징 가운데 하나는 보조성곽을 가졌다는 점이다. 산성 내 중성문과 함께 쌓은 중성이 그 하나이고, 또 한양도성과 북한산성을 잇는 탕춘대성과 동성(東城)이 그것이다. 서쪽에 위치해 서성(西城)이라 불리기도 하는 탕춘대성과는 달리, 동성은 계획에만 그쳐 그 형태를 찾을 수 없으며 제대로 된 이름도 갖지 못했다.

도성과 산성을 연결한 탕춘대성(蕩春臺城)

탕춘대성은 북한산성을 쌓은 후 한양도성과 연결하기 위하여 쌓은 보조성곽이다. 한양도성의 인왕구간과 북한산의 향로봉을 이었으며, 북한산 비봉능선을 거쳐 문수봉까지 이어지는 자연성까지를 아우르는 이름이기도 하다. 북한산성의 문수봉에서 시작하여 승가봉과 비봉, 향로봉을 연결하는 자연성 구간과 향로봉에서 홍지문을 거쳐 한양도성과 인접한 벽련봉까지의 순서로 살펴보기로 한다.

도성과 산성 사이에 성을 쌓다 북한산성의 문수봉 옆 청수동 암문을 통해 산성 밖으로 나서면 비교적 가파른 경사면이다. 아래쪽으로 이어진 계단과 돌길을 내려서면 비봉능선이다. 바위가 만든 통천문과 승가봉을 지나 사모바위와 비봉, 그리고 관봉을 지나 향로봉으로 이어지는 비봉능선은 그 자체가 북한산성에서 남서쪽으로 뻗어내린 자연성(自然城)의 형태를 하고 있다.

향로봉에서 남쪽으로 잠시 산줄기를 타고 내려오면 허물어진 성벽을 만난다. 여기서부터 비교적 평탄한 성곽길을 따라 걸으면 암문을 지나 상명대가 나오고, 조금 더 나아가면 홍지문으로 이어진다.

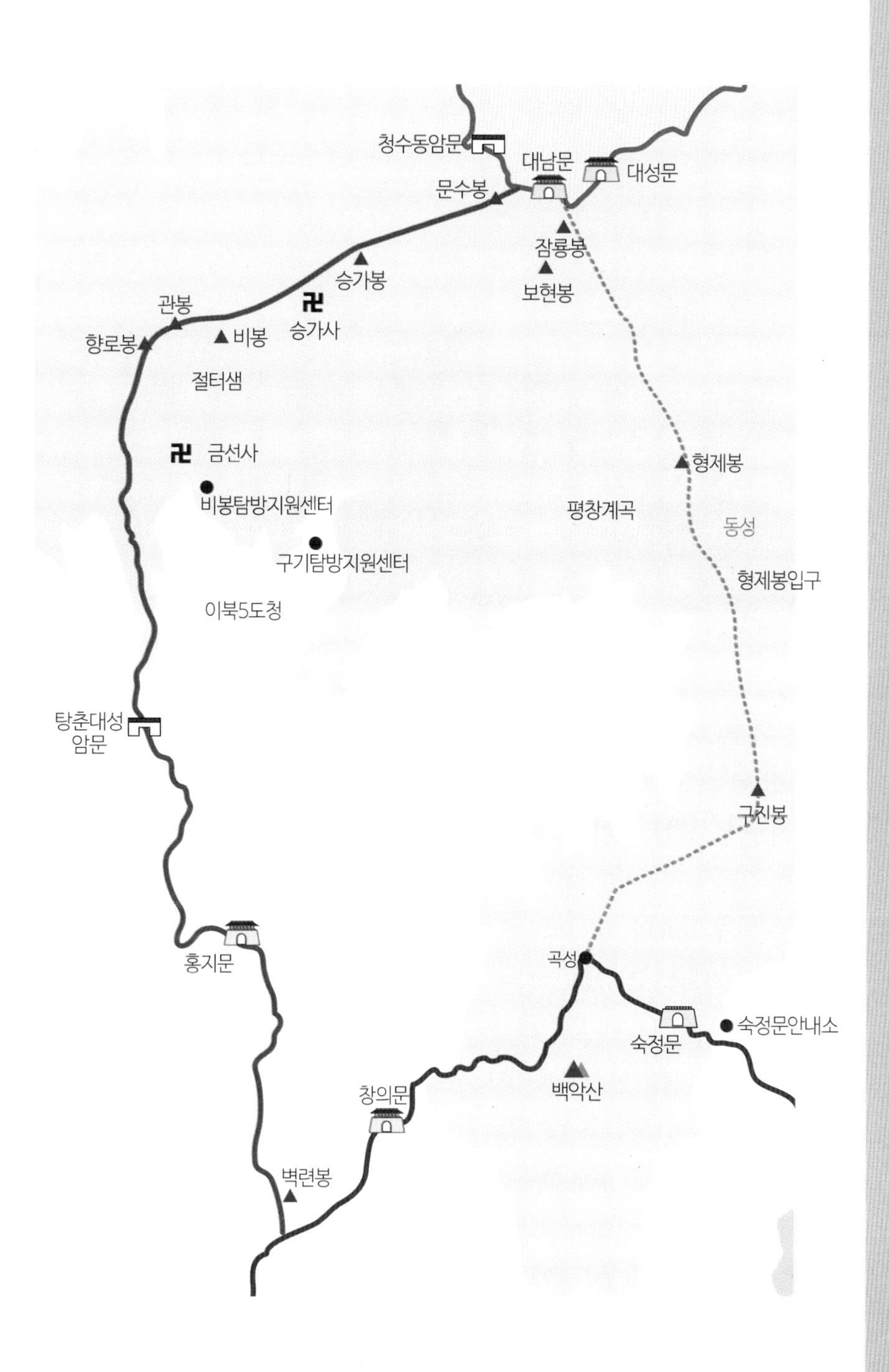
청수동암문
대남문
대성문
문수봉
잠룡봉
승가봉
보현봉
관봉
승가사
향로봉
비봉
절터샘
금선사
형제봉
비봉탐방지원센터
평창계곡
동성
구기탐방지원센터
형제봉입구
이북5도청
탕춘대성
암문
구진봉
홍지문
곡성
숙정문
숙정문안내소
백악산
창의문
벽련봉

문수봉에서 향로봉까지 자연성 구간인 비봉능선

숙종은 홍지문 인근 세검정 계곡에 있던 탕춘대를 중심으로 성을 쌓아, 이 성의 이름을 탕춘대성이라 하였다.

자연성·성첩 구간 혼재된 서성 국립공원관리공단에서 발간한 <북한산국립공원>에는 탕춘대성의 위치를 '향림봉(향로봉)에서 불암(부처바위, 현 세검정 계곡 옥천암 아래에 있는 보도각백불)까지'로 기록하고 있다. 이는 실제로 성첩(城堞)을 쌓은 구간만을 언급하고 있는 것으로 보인다.

그러나 북한산성과 한양도성을 연결한 탕춘대성은 북한산성 청수동암문에서 한양도성 인왕산자락의 벽련봉까지 길게 이어진다. 그래서 지리적 특성을 살린 자연성 구간과 인위적으로 만든 성가퀴 구간이 혼재되어 있다.

탕춘대성 전 구간을 다시 살펴보면, 북한산성 청수동암문에서 시작해 비봉능선을 거쳐 향로봉 남쪽 산줄기까지는 자연지형이 그대로 성의 역할을 하는 자연성(自然城) 구간이다. 이후부터는 상대적으로 지형이 낮아 성을 쌓은 구간으로, 지금도 그 흔적이 남아 있다. 홍제천이 지나는 오간수문과 탕춘대성의 정문인 홍지문을 지나 남쪽으로 다시 지대가 높아지며, 자연성 구간으로 이어진다. 성의 안팎으로 몹시 가파른 지형은 이곳이 천연의 성벽임을 확인시켜 준다. 남으로 이어진 자연성(自然城) 길을 따라 걸으면, 기차바위라 부르는 벽련봉과 남쪽으로 이어진 한양도성을 만난다.

공식 명칭은 연융대성(鍊戎臺城) 그런데 <영조실록>에는 우리가 알고 있는 탕춘대성이라는 명칭은 잘못된 것이고, 연융대성이 올바른 것이라고 기록되어 있다.

임금(영조)이 말하기를, 공자(孔子)가 '반드시 이름을 바룬다.' 하였는데, 탕춘대(蕩春臺)라는 이름은 올바르지 않다. 이미 경영(京營)을 설치하여 때때로 나아가기도 하는 곳이니, 바로잡지 않을 수 없다. 이름을 고쳐 연융대(鍊戎臺)로 하라.

上曰: 孔子曰, '必也正名,' 蕩春臺之名不正。既設京營, 時或臨焉, 不可不釐正。其更名曰鍊戎臺。

<영조실록> 82권, 영조 30년 9월 2일 무인 2번째기사 1754년

경기문화재단에서 발간한 <다시 읽는 북한지>에도 '이후 더러 탕춘대로 일컫기는 하였어도 공식적인 명칭은 연융대였다'고 쓰고 있다. 한편, <동국여도(東國輿圖)>에 실린 '연융대도(鍊戎臺圖)'나 '도성연융북한합도(都城鍊戎北漢合圖)' 등을 통해서도 공식 명칭이 연융대였음이 확인된다.

여기서는 일반적으로 알려진 탕춘대성과 정식 명칭인 연융대성을, 내용의 흐름과 상황에 따라 혼재해서 사용하기로 한다.

탕춘대성 계획과 축성 논란 조면구의 <북한산성>에 따르면, 숙종은 지리적 조건을 감안하여 북한산성 축성 뒤 장의사 터(현 세검정초교)에 연융대를 설치하는 한편, 선혜청 창고와 상하 평창(平倉)을 설치했다. 또 당초 축성 계획은 향로봉, 비봉, 문수봉, 보현봉, 백악산, 인왕산을 토성으로 연결하는 것이었다. 1713년(숙종39)에 탕춘대성의 축성 공사를 시작했으나, 2년 동안 홍지문과 오간수문, 그리고 그 양옆 일부에 성을 쌓았을 뿐이다.

이는 축성이 시작된 후 계속된 반대로 인해 공사가 중단되었기 때문이다. 하지만 탕춘대성이 군사적으로 중요하기에, 축성을 마무리해야 한다는 주장으로 인해 논란은 계속되었다.

이 같은 내용은 1715년(숙종41), 판중추부사(判中樞府事) 이유(李濡)가 왕에게 탕춘대의 중요성을 아뢴 내용에서 확인된다.

'탕춘대(蕩春臺)는 북한산성에 대해 진실로 순치지세(脣齒之勢, 입술과 이처럼 서로 돕는 형세)이니, 도성 백성들의 축적(蓄積)을 일체 이곳에 실어 들이는 것이 바로 만전(萬全)의 계책입니다. 만약 탕춘을 지키지 못하면, 북한의 형세도 홀로 지킬 수가 없습니다. 신이 전일(前日)에 올린 책자(冊子) 속에 탕춘에 토성(土城)을 쌓도록 청

통천문에서 본 의상능선

나한봉 715봉 문수봉

했던 것도 이 때문이었는데, 여러 사람들의 의논이 나뉘어져서 쉽사리 귀일(歸一)되지 않았습니다.'

判中樞李濡進奏言: "蕩春之於北漢, 實爲唇齒之勢。都城人民蓄積, 一併輸入于此, 乃萬全之策, 而蕩春若不守, 則北漢勢不可獨守。臣前日冊子中, 請築蕩春土城者此也, 而群議多端, 未易歸一。

<숙종실록> 56권, 숙종 41년 10월 30일 임진 2번째기사 1715년

반복된 논란과 공사 중단·재개 탕춘대성의 축성과 관련하여 계속되는 논란과 신하들의 반대로 인해, 탕춘대성의 축성 공사는 중단과 재개가 반복되었다.

1718년(숙종44), 이유가 중단된 탕춘대성의 공사재개를 건의하자, 왕이 이를 받아들였다.

이유가 말하기를, '북한산성(北漢山城)은 바로 국가의 대계(大計)를 보존하는 곳이고, 탕춘대(蕩春臺)가 그 밖에서 보호하는 격이 되니, 성을 쌓는 것은 형세로 보아서 그만둘 수 없습니다. 원컨대 성상께서 신충(宸衷)으로 결단하시어 다른 의논에 흔들리지 마시고, 빨리 대신(大臣)과 장신(將臣)에게 명하시어 가서 성지(城址)를 살펴보도록 한 뒤에 기한을 정하여 역사를 시작하게 하소서.' …(중략)…

통천문에서 본 비봉 승가봉 승가봉에서 본 비봉 관봉

임금이 그가 구획(區劃)한 것이 적합하다고 권장하고 모두 허락하였다.

濡曰: 北漢, 卽國家大計所存也。蕩春臺爲其外護, 則因而設築, 勢不可已。願上斷自宸衷, 毋撓異議, 亟命大臣與將臣, 往審城址後, 定期始役。…(중략)… 上奬其區畫得宜, 竝許之

<숙종실록> 62권, 숙종 44년 8월 23일 기해 1번째기사 1718년

예조판서 민진원이 또다시 탕춘대성 쌓는 일에 대해 임금에게 아뢰었다.

민진원(閔鎭遠)이 또 말하기를, '동편으로 1천여 보(步) 되는 지점이 바로 이른바 국도(國都)의 내려온 주맥(主脈)인데, 형세가 매우 높고 험준하여 성을 쌓지 않아도 웅거하여 지킬 수 있으며, 더러 단지 여장(女墻)과 암문(暗門)만 설치하거나 더러 나무를 많이 심어 목책(木柵)처럼 하여도 충분히 힘을 얻는 지역이 될 것이니, 지금 우선 서편 가장자리에서 시작하여 쌓는 것이 좋을 듯합니다.' …(중략)…

대체로 여기에다 성을 쌓자는 의논은 실제로 계미년(1703, 숙종 29) 무렵에 시작되었다. 그때 북자(北咨, 청나라에서 보낸 공문서)로 인하여 경계할 일이 있었는데, 영의정[首相] 신완(申琓)이 일이 갑자기 일어나게 되면 신지(信地)가 없어서는 안 되니, 탕춘대(蕩春臺)에 성을 쌓도록 청하자, 이미 역사를 시작하라고 명하였었다. …(중략)… 대체로 탕춘대(蕩春臺)는 북한산에 비록 성이 없더라도 견고하게 할 수 있는데, 다만 북한산에만 성을 쌓았으니 형세가 외롭게 떨어져서 온 국도(國都)의 사람들이 옮겨가서 피할 곳이 못되었다. 사람들이 모두 그곳의 지키기 어려움을 나무라자, 이유(李濡)가 어쩔 수 없어 처음으로 다시 탕춘대를 쌓으려 하였으나, 국력(國力)

자연성 구간인 비봉능선

을 북한산성을 쌓는 일에 다 써버렸으며, …(하략)…

鎭遠又曰: 則東邊千餘步, 卽所謂國都來脈, 而勢甚高峻, 不待築城, 可以據守。 或只設女墻與暗門, 或多種樹木, 如木柵, 亦足爲得力之地, 今姑始築於西邊似好矣。…(중략)… 蓋築斯之議, 實肇於癸未年間。其時因北咨有警, 首相申琓以爲, 事有倉卒, 不可無信地, 請築城於蕩春臺, 旣命始役, …(중략)… 蓋築蕩春臺, 則北漢雖無城, 可以爲固, 但築北漢, 則形勢孤絶, 非擧國移避之所。人皆咎其難守, 濡不得已始欲更築蕩春, 而國力盡於北漢之築, …(하략)…

<숙종실록> 62권, 숙종 44년 윤8월 23일 무진 2번째기사 1718년

논란 끝에 축성이 중지되다 1719년(숙종45) 2월 2일, 3품 이상의 신하들이 조정(朝廷)에 모여 탕춘대에 성을 쌓는 일에 대해 논의한 결과, 또다시 축성이 중지되었다.

탕춘대(蕩春臺)에 성(城)을 쌓는 일을 정신(廷臣)들에게 명하여 며칠에 걸쳐 헌의(獻議, 의견을 아룀)하도록 하였는데, 이날 3품의 여러 신하들이 모두 궐중(闕中)에 나아갔다. 대사성(大司成) 홍치중(洪致中)이 의논하기를,

'북한산성(北漢山城)을 이미 완축(完築)하였고 양식의 저장도 대략 갖추었으니, 하루아침에 폐기(廢棄)하기는 어려울 듯합니다. …(중략)… 그러나 탕춘대(蕩春臺)에 성을 쌓는 데 이르러서는 경리(經理)하는 관청을 계획하지 않을 수 없으니, 곧 정파(停罷)하여 국력(國力)을 쉬게 하고, 백성의 곤고(困苦)함을 풀어 주지 않을 수 없습니다.' …(중략)…

(그러나) 공조참의(工曹參議) 유숭(兪崇)과 전(前) 병사(兵使) 이한규(李漢珪) 등 4인은 말하기를,

'계속해서 탕춘대를 쌓는 일은 그만둘 수가 없습니다.'

병오(3일)에는 2품 이상의 관원이 회의(會議)하였는데, 사직(司直) 민진원(閔鎭遠)이 말하기를,

'도성(都城)과 탕춘대(蕩春臺) 두 곳은 결단코 아울러 지킬 수가 없습니다. 만약 탕춘대에 성을 쌓으려면 도성(都城)을 버려야 되고, 만약 도성(都城)을 지키려면 탕춘대에 성을 쌓을 필요가 없습니다.' …(중략)…

강화유수(江華留守) 심택현(沈宅賢)·호조참판(戶曹參判) 김덕기(金德基)·호군(護軍) 이홍조(李弘肇) 등도 모두 말하기를,

'북한산성은 버릴 수가 없으니 탕춘대는 쌓을 수 없습니다.' …(중략)…

임금이 하교(下敎)하기를,

'북한산성을 쌓은 것은 진실로 뜻한 바가 있어서 대계(大計)가 이

미 정해졌는데 곧 또 이를 버리는 것은 아이들 장난과 같으니, 어찌 이러할 수 있겠는가?’

탕춘대의 역사에 이르러서는 여러 신하들이 헌의하면서 대부분 그것이 불편(不便)하여 정지하는 것이 마땅하다고 말하였으므로, 이에 성 쌓는 역사(役事)가 마침내 정지되었으나, 대개 형편(形便)이 나은 것은 탕춘대가 제일이었다.

以蕩春臺築城事, 命廷臣, 分日獻議。是日, 三品諸臣, 皆詣闕中。大司成洪致中議以爲: 北漢旣已完築, 糧儲略備, 似難一朝廢棄。…(중략)… 而至於蕩春之築, 經理之廳, 不可不劃卽停罷, 以紓國力, 以解民困。…(중략)… 工曹參議兪崇、前兵使李漢珪等四人以爲: “繼築蕩春, 有不可已。丙午二品以上會議。司直閔鎭遠以爲: 都城、蕩春兩處, 決不可竝守。若城蕩春, 則都城可棄, 若守都城, 則蕩春不必築。 …(중략)… 江華留守沈宅賢、戶曹參判金德基、護軍李弘肇皆言: 北漢不可棄, 蕩春不可築。…(중략)… 上下敎曰: 北漢之築, 意固有在。大計旣定, 旋又棄之, 有同兒戱, 寧有是哉? 至於蕩春之役, 諸臣獻議, 多言其不便, 停止爲宜。於是, 城事遂寢。蓋形便之勝, 蕩春爲最。

<숙종실록> 63권, 숙종 45년 2월 2일 을사 3번째기사 1719년

<북한산성>에는 이와 관련된 내용을 ‘숙종44년(1718) 8월 축성이 재개되어 서변부터 공역을 착수하였으나 2,200여 보의 성지를 축성하던 중 채 완성을 보지 못하고 다시 중단되었다’고 정리하고 있다.

비봉능선의 자연성 구간 북한산성의 남서쪽 산봉인 문수봉에서 시작되는 탕춘대성은 비봉능선을 따라 향로봉까지는 자연지형 그대로 성의 역할을 한다. 문수봉 자락의 바윗길이 험하여, 통행을

위해 청수동암문을 만들었다.

문수봉에서 이어지는 능선이 험하다는 사실은 선조 대 병조판서 이덕형이 중흥동 산성을 둘러보고 왕에게 아뢴 내용에서도 확인된다.

'문수봉으로부터 세 봉우리가 서쪽으로 뻗어내려 동구의 외성에 일어난 곳, 즉 앞에 이른바 서남쪽의 최고봉과 서로 접하게 되는데 형세가 극히 험악합니다.'

自文殊而三峯西走連亘, 與洞口外城所起, 向所謂西南最高峯者相接, 勢極險惡。

<선조실록> 73권, 선조29년 3월 3일 경오 3번째 기사 1596년

북한산성에서 출발해 탕춘대성으로 가는 길에 안전을 생각한다면, 험한 문수봉 바윗길을 피해 청수동암문을 이용해야 한다. 청수동암문을 나서면 문수봉의 산세만큼이나 깊게 바윗길을 내려와야 능선을 만난다. 능선길을 걷다 첫 번째 만나는 바윗길을 오르면 통천문을 만난다.

통천문에 오르면 경치가 일품이다. 북서쪽으로 의상능선이 이어지다가 나월봉과 문수봉이 높이 서있고, 동쪽으로는 보현봉에서 이

사모바위 비봉

어지는 능선이 시야에 들어온다. 서쪽으로는 한강을 비롯한 도심이 보이고, 시야가 좋은 날이면 멀리 서해바다를 볼 수도 있다.

승가봉에서는 보다 멋진 경치를 감상할 수 있다. 승가봉(僧伽峰)은 산봉 서남쪽에 자리한 승가사로 인해 이름 붙었다.

비봉능선도 자연성이다 <다시 읽는 북한지>의 '사실(事實)'에 따르면, 승가봉은 문수봉의 한 지맥이다. 1710년(숙종36) 10월, 훈련대장 이기하가 왕에게 아뢰기를 '(문수봉에서) …(중략)… 한 지맥이 서쪽으로 달려가면서 승가봉(僧迦峯)과 향림사(香林寺) 뒤 봉우리가 되었습니다 而自文殊峯, …(중략)… 一枝西走, 爲僧迦峯、香林寺後峯。'고 하였다.

비봉으로 가는 도중에 만나는 커다란 바위의 이름은 사모바위이다. 조선시대 문무백관이 관복을 입을 때 갖추어 쓰던 검은 모자인 '사모(紗帽)'를 닮았다 하여 붙은 이름이다.

바위 아래쪽 헬기장을 지나 앞쪽에 보이는 바위봉우리가 비봉이다. 추사 김정희가 1816년(순조16)과 1817년(순조17), 두 차례 북한산에 올라 비문을 조사하여 '진흥왕순수비(眞興王巡狩碑)'임을 밝혀낸 비(碑)가 있어서 비봉(碑峰)이라 불린다.

향로봉 관봉

향로봉

자연성 구간이 남쪽으로 방향을 바꾸는 지점

향로봉에서 벽련봉까지(오른쪽 능선이 탕춘대성)

탕춘대성의 흔적

능선을 따라 걸으면 사람들이 휴식을 취하며 경치를 감상하는 커다란 바위봉우리는 '관봉'이다. 그러나 명칭에 관련된 기록은 찾을 수가 없다.

가까이에 향로봉이 있다. 숙종 대 훈련대장 이기하가 '향림사 뒤 봉

향로봉에서 남으로 뻗은 자연성 구간

우리'라고 표현했던 봉우리가 바로 향로봉이다. 봉우리 남쪽에 향림사(香林寺)가 있어, 향림봉이라고도 불렸다. 향로봉에서 불광사 방향으로 하산하면, 향림사 터를 만날 수 있다.

향로봉은 멀리서 보면 능선처럼 보인다. 맑은 날 오후, 동쪽 능선에서 바라보면, 향로봉 위를 걷는 산객들의 실루엣은 마치 광고의 한 장면과 같다. 그러나 실제 향로봉은 날카롭고 가파르게 선 바위봉우리로, 사고가 많이 발생하는 구간이다.

버려진 듯 남은 탕춘대성 흔적 위험구간을 우회하여 향로봉 지킴터에 이르면, 산길은 두 갈래로 나뉜다. 서쪽으로 진행하면 구기불광능선을 따라 족두리봉으로 향하고, 남쪽 길을 택해야 탕춘대성으로 이어진다.

향로봉에서 남쪽으로 향하면 굵은 모래로 인해 미끄러운 경사면을 지나 서쪽으로 인위적인 성의 흔적을 만난다. 잠시 후 비봉능선에서 이어지는 산길과 만나고, 곧이어 탕춘대지킴터를 만난다. 여기서부터는 성첩은 없고, 버려진 듯 남아있는 성벽이 길게 늘어서 있어 탕춘대성임을 알 수 있다.

구기터널 위를 지나 탕춘대성암문을 만나고, 성 안팎을 드나들며

구기동과 홍지문으로 갈라지는 성곽길 탕춘대성암문

벽련봉능선에서 본 홍제천 구간

길을 따라 걷다보면 어느덧 성벽이 뒷담 역할을 하고 있는 상명대 안으로 들어서게 된다. 학교 정문을 나와서 만나는 물길 아래쪽에 홍지문과 오간수문이 있다.

홍지문(弘智門)은 1715년(숙종41) 물길 위에 만들어진 오간수문

탕춘대성

벽련봉능선에서 본 한양도성 백악구간

(五間水門)과 함께 건립되었다. 1921년 대홍수 때 모두 훼손되었던 것을 1977년 지금의 모습으로 복원하였다.

깎아지른 벽련봉능선 홍지문 옆 세검정로 건너편에 산으로 향하는 계단을 따라 오르면 엉성하게 복원된 성가퀴가 보이고, 오래

학교 뒷담 역할을 하는 성벽

벽련봉능선에 남은 성의 흔적

자연성 구간인 벽련봉

지않아 시야가 탁 트이는 곳에 다다른다. 동쪽으로 부암동과 북한산이, 서쪽으로는 내부순환로와 아파트 숲이 펼쳐진다.

깎아지른 듯 가파른 능선을 따라 걸으면 군부대가 머물렀던 흔적들을 지나, 벽련봉(碧蓮峰)을 향한다. 일명 '기차바위'로 불리는 벽련

벽련봉능선에 남은 군시설

기차바위라 불리는 벽련봉 구간

봉을 만나면, 탕춘대성의 끝에 다다랐음을 알 수 있다. 이어지는 한양도성은 여장이 없이 성이 열려있다.

서성, 즉 탕춘대성은 북한산성 문수봉에서 자연성 구간으로 시작해 사람의 손을 빌려 성을 쌓은 구간, 다시 자연성 구간으로 마무리되는 제법 긴 성곽이다. 비봉능선과 탕춘대성 길, 그리고 벽련봉능선을 걸으며 산세를 확인하면, 자연지형을 활용하는 선조들의 지혜에 감탄하지 않을 수 없다.

한양도성과 연결된 탕춘대성 자연성구간인 벽련봉

못다 이룬 숙종의 꿈, 동성(東城)

동성은 실체가 없는 성(城)이다. 한양도성을 개축하고,
북한산성을 쌓은 숙종은 한양도성과 북한산성을 잇기 위해
서쪽과 동쪽에 각각 성을 쌓고자 계획했다.
북한산성의 문수봉과 한양도성의 벽련봉을 연결하는
서성, 즉 탕춘대성은 찬반 논란 속에 축성의 중단·재개를
반복하다가 중단하고야 말았다. 그러나 북한산성의
보현봉에서 한양도성의 백악구간 곡성을 연결하는 동성은
공사를 시작하지도 못했다. 결국 계획에 그치고 만 동성은 옛
지도에서만 확인이 가능할 뿐, 실체를 확인할 어떠한 흔적도
남아있지 않다.

옛 지도에 선명하게 남은 동성 북한산성 남쪽 대남문과 대성문 사이의 산봉인 보현봉(普賢峰)에서 출발해 남쪽 형제봉능선과 보토현을 지나 구진봉(俱盡峰. 도읍 터의 지형을 모두 갖췄다는 뜻)을 거쳐, 한양도성 백악구간의 곡성을 이어 쌓으려 했던 것이 동성이다. 구진봉은 구준봉(狗蹲峰, 개가 쭈그려 앉은 모양이라는 뜻)이라고 불리기도 했다. 계획에만 그친 동성이지만, 18세기 중반에 제작된 <해동지도> 가운데 '경도'에는 동성이 분명하게 표기되어 있다.

실체가 없는 동성을 따라가는 것은 쉬운 일이 아니다. 또 한양도성

청수동암문
대남문
대성문
문수봉
잠룡봉
승가봉
보현봉
비봉
형제봉
평창계곡
형제봉입구
구진봉
곡성
숙정문안내소
숙정문
창의문
백악산
와룡공원

백악구간의 곡성 밖과 구진봉 정상부근은 군부대가 있어, 일반인들의 접근이 불가한 지역이다. 이런 이유로 동성은 산행이 가능한 코스를 따라 기술하기로 한다.

동성 코스는 성균관대학교 후문 위쪽의 와룡공원에서 출발한다. 와룡공원에서 도성을 끊어놓은 곳을 통해 성 밖으로 나가 숙정문안내소를 향한다. 흙길과 데크길을 걸어 숙정문안내소를 지나면, 북악팔각정까지 계단길을 올라야 한다. 팔각정이 눈앞에 나타날 즈음에 만나는 전망대에서는 백악구간의 성벽라인은 물론 서울의 경치를 조망할 수 있다.

머릿속에 동성을 그리며 걷다 북악산로를 따라 이어진 산책길을 걷다가 내부순환로 터널 위를 지나면, 여래사를 만난다. 여기서부터는 오랫동안 출입이 제한되던 산길을 걷는다. 옛 절터였음직한 터를 지나 좀 더 가면 커다란 바위 안쪽에 불상이 그려진 석굴암을 만난다. 북악터널 위쪽에 자리한 바위에는 군부대가 관할했음을 짐작케 하는 흔적이 남아있다.

형제봉입구에서 본격적으로 시작되는 산길은 평탄하다가도 때때로 긴장을 해야 하지만, 작은형제봉 너른 암반 위에 서면 시원한 바

능선길(동성)을 알려주는 이정표　　사찰의 흔적

북악팔각정 전망대에서 본 숙정문과 목멱산

람과 함께 평창동이 한눈에 들어온다. 조금 더 진행하면 앞쪽에 큰형제봉이 버티고 있다. 형제봉 정상으로 향하는 길과 우회길이 있어, 산길 선택이 가능하다. 이후 안만한 오름길을 따라 걸으면, 평창동에서 오르는 산길을 만나고 잠시 후 일선사 삼거리에 도착한다.

석굴암 흔적

석굴 안에 그려진 불화

군부대 흔적

일선사 서쪽 바위 산봉이 보현봉이지만, 출입을 금하고 있다. 일선사 삼거리에서 등산로를 따라 오르면 대성문이고, 서쪽으로 산성을 따라 걸으면 성 밖에 자리한 잠룡봉 남쪽으로 보현봉 정상이 보인다. 대남문 문루에서 보는 보현봉은 서울시내에서 보는 것과는 또 다른 모습이다.

'형제봉 분맥이 중요하옵니다' <조선왕조실록>에 동성 지역의 지형에 관한 내용이 처음 등장한 때는 1710년(숙종36)이다. 사직 이광적이 '이 지역이 군사적으로 중요하다'고 올린 상소문의 내용이 바로 그것이다.

사직(司直) 이광적(李光迪)이 상소(上疏)하여 수만 마디의 말로 도성(都城)을 굳게 지키는 계책(計策)을 극론(極論)하고, 이어 내수(內守)하는 일곱 가지 방책과 외어(外禦)하는 여섯 가지 방책을 진

동성이 계획되었던 형제봉능선

계하였다. 내수(內守)하는 일곱 조목에 이르기를,

'1. 축성(築城)의 형세를 살펴보건대, 혹 구준봉(狗蹲峰)이 압박하여 부림(俯臨, 머리를 숙여 곡하다)히는 것이 염려스러워 수성(守城)하는 데 불편(不便)하게 여기고, 안현(鞍峴)은 외따로 떨어져 있어서 돈대(墩臺)를 설치하기에 마땅하지 못하다고 합니다. 대개 그 형제봉(兄弟峰)에서 분맥(分脈)이 뻗어 나와, 구준봉(狗蹲峰)이 되고 백악(白岳)이 되고 인왕산(仁王山)이 되어, 뒤의 봉우리는 깎아지른 듯한 절벽이어서 아래로 내려다볼 땅이 없으니, 만약 제일 높은 봉우리에 돈대를 열치(列置, 줄지어 놓음)하여 기치(旗幟, 군대에서 쓰는 깃발, 어떤 목적을 위해 내세우는 사상이나 강령)를 베풀고 총포(銃砲)를 울리면, 또한 적(賊)을 막을 수 있을 것입니다. …(하략)…'

司直李光迪上疏累萬言, 極論固守都城之計, 仍陳內守七策, 外禦六

보현봉으로 이어지는 형제봉능선

策。其內守之策七條: 一曰築城之審勢也。或慮拘蹲之壓臨, 爲守城之不便, 鞍峴之孤絶, 爲置墩之不當。概其兄弟峰, 分脈横亘, 爲狗蹲, 爲白岳, 爲仁王, 而後峰壁立, 下臨無地, 若於最高之峰, 列置墩臺, 張旗幟嚮砲銃, 亦可禦賊, …(하략)…

<숙종실록> 49권, 숙종 36년 10월 3일 갑자 1번째기사 1710년

보토에 그친 동성 계획 <다시 읽는 북한지>의 '사실(事實)'에도 북한산에서 한양도성으로 이어지는 산줄기가 기록되어 있다. 1710년(숙종36) 10월 13일, 훈련대장 이기하는 왕에게 '문수봉이 날개를 펼치면서 형제봉(兄弟峯)의 두 봉우리가 되었고, 또 남쪽은 구준봉(狗蹲峰)과 백악산(白岳山)이 되었다 文殊展翼, 爲兄弟兩峯, 又南爲狗蹲峯、白岳山,'고 아뢰었다.

이 산줄기가 바로 동성이 계획된 곳이다.

구진봉 지나 백악곡성으로 이어지는 형제봉능선

<북한산성>에는 동성 관련 내용을 이렇게 정리하고 있다.

'숙종44년(1718) 8월 축성이 재개되어 서변부터 공역을 착수하였으나 2,200여 보의 성지를 축성하던 중 채 완성을 보지 못하고 다시 중단되었다. 그리고 보현봉, 형제봉, 백악산을 잇는 능선은 내룡지맥(來龍地脈, 종산宗山에서 내려온 산줄기)으로 축성치 못하고, 다만 동쪽 능선 가운데 홍수로 패인 부분을 보토(補土, 흙으로 메워서 채움)하고 사초(莎草, 여러해살이풀)를 덮는 데 그쳤다.'

보토한 곳을 보토고개 또는 보토현이라고 부르는데, 구진봉 북쪽 고개로 오늘날 북악터널 위쪽 지역이다.

<서울지명사전>에는, <동국여지비고> 권2에 '보현봉 곁가지 산줄기가 곧 도성의 주맥이므로 총융청에서 보토소(補土所)를 설치하고 주관해서 보축하였다'고 정리되어 있다.

북한산성

14세 어린 나이에 즉위하여 46년간 수차례의 환국 정치를 통해 강력한 왕권을 향유한 중흥 군주 숙종. 그는 재위 원년부터 양란(兩亂)의 교훈을 바탕으로, 도성 백성과 함께 나라를 지킬 든든한 안보 울타리를 갈망하였다. 북한산성은 그가 도모하고자 했던 18세기 도성 방위체계의 시작이었다. 36년간의 지난(持難)한 축성 논쟁을 끝낸 1711년(숙종37), 12.7km에 이르는 조선의 새로운 안보 울타리인 북한산성이 축성되었다.

北漢圖三

①염초봉(廉峭峯)영취봉 ②북문(北門) ③상운사(祥雲寺)
④하창(下倉) ⑤서문(西門)대서문 ⑥서암사(西巖寺)
⑦원효암(元曉庵) ⑧암문(暗門)서암문

①곡성(曲城) ②용암사(龍巖寺)
⑤도봉산(道峯山) ⑥암문(暗門)용암문
⑨만경대(萬景臺) ⑩중흥사(重興寺)
⑬인수봉(仁壽峯) ⑭암문(暗門)백운봉
⑰암문(暗門)부왕동 ⑱백운봉(白雲峯)
㉑국녕사(國寧寺) ㉒암문(暗門)가사당

北漢圖二

北漢圖一

부왕사(扶旺寺) ④ 나한봉(羅漢峯)
태고사(太古寺) ⑧ 나월봉(羅月峯)
항해루(沆瀣樓) ⑫ 진국사(鎭國寺)노적사
노적봉(露積峯) ⑯ 원각사(圓覺寺)
훈국(訓局) ⑳ 중성문(中城門)
장대(將臺)북장대

① 대성문(大成門) ② 보광사(普光寺) ③ 동문(東門)대동문
④ 보국사(輔國寺) ⑤ 보현봉(普賢峯) ⑥ 사정(射亭)
⑦ 금영(禁營) ⑧ 암문(暗門)대남문 ⑨ 어영(御營)
⑩ 암문(暗門)청수동 ⑪ 상창(上倉) ⑫ 남장대(南將臺)
⑬ 행궁(行宮) ⑭ 동장대(東將臺) ⑮ 호조창(戶曹倉)
⑯ 봉성암(奉聖庵)

논쟁 36년, 축성 6개월

숙종 즉위년부터 청과 주변 국가들의 무력 대결에 따른 전쟁에 대한 불안으로 인해 새로운 보장처(保障處) 조성을 위한 기나긴 논쟁이 시작된다. 36년간 이어진 축성 논쟁 끝, 숙종의 강한 의지로 완성된 새로운 보장지는 바로 북한산성이다. 기나긴 논쟁의 역사와는 달리 북한산성의 축성은 불과 6개월만에 마무리된다.

양성지, 세조에게 북한산성의 중요성을 아뢰다

북한산에 성을 쌓았던 기록은 삼국시대로 거슬러 올라간다. 백제 개로왕이 이곳에 성을 쌓았고, 신라 진흥왕 때는 진흥왕순수비가 세워졌으며, 고려시대에는 최영 장군이 중흥성을 축조했다는 등의 기록을 통해 북한산 일대가 군사적으로 중요시되었음을 알 수 있다.

조선 초에도 북한산성의 중요성과 축성에 대한 건의가 있었다. 1456년(세조2) 집현전 직제학 양성지의 상소가 바로 그것이었지만 받아들여지지 않았고, 이후 한동안 북한산성에 대한 언급은 없었다.

경도(京都)의 사보(四輔)입니다. 대개 경도는 곧 이른바 '북한산성(北漢山城)'입니다. 삼국시대(三國時代)에 있어서는 3국이 교전(交戰)하던 땅이며, 고려(前朝)가 3국을 통합하고 본조(本朝)가 도읍을 정한 뒤로는 이곳을 가지고 사방(四方)을 공제(控制)하니, 예전에는 사방으로부터 중앙(中央)을 서로 다투었으나, 이제는 중앙에 있으면서 그 형세를 알만합니다. 삼산(三山)은 북을 진압하고, 한강(大江)은 남을 에워싸고 서(西)에는 임진(臨津)을 두고 동(東)에는 용진(龍津)을 두었으며…(하략)…
京都四輔。蓋京都, 卽所謂北漢山城也。在三國之時, 則三國交戰之地, 及前朝統三、本朝定都之後, 則以之控制四方, 昔自四方而爭中央, 今在中央而制四方, 其形勢可知也。三山鎭北, 大江繞南, 西有臨津, 東有龍津…(하략)…

<세조실록> 3권, 세조 2년 3월 28일 정유 3번째기사 1456년

임진왜란이 한창이던 1596년(선조29) 3월 3일, 병조판서 이덕형(李德馨, 1561~1613)이 중흥동 산성을 둘러본 후 중요성을 건의하지만, 산성의 수축으로 이어지지는 않는다.

병조판서 이덕형이 아뢰기를, '…(전략)… 도성(都城) 근처에 이와 같이 유리한 지세를 두고도 방치하였으니 애석한 일입니다. 흠이라면 도로가 매우 험하여 출입할 일이 있을 때 인력이 배나 수고롭다는 것입니다. 그러나 성 안의 약간 평평한 곳에는 사람들도 머물러 있기에 해롭지 않다고 여길 것입니다.'
兵曹判書李德馨啓曰: …(전략)… 都城近處, 有如此形勢, 而棄置可惜。所欠者, 道路極險, 出入有事, 倍勞人力。城內小平衍之處, 人情亦不害住着。

<선조실록> 73권, 선조 29년 3월 3일 경오 3번째기사 1596년

숙종 즉위년, 본격적인 축성 논의 시작

북한산성 축성 논의는 숙종이 즉위하자마자 본격적으로 시작되었다. 그 배경에는 1673년(현종14) 중국 청대초 오삼계·상지신·경정충의 세 번왕이 일으킨 '삼번(三藩)의 난'이 있었다. 중국에서 일어난 삼번의 난은 조선에도 영향을 미쳤고, 이는 북한산성 수축 주장에 무게를 실었다.

1674년(숙종 즉위년) 11월 13일, 숙종이 '청의 청병과 해구 방어 및 성지 수축' 등에 관해 논하는 자리에서, 지사 유혁연은 북한산성의 중요성을 강조했다.

지사(知事) 유혁연이 아뢰기를, '만일 사변(事變)이 있으면 주필(駐蹕, 임금이 임시로 머뭄)할 만한 곳이 없습니다. 북한산은 산세(山勢)가 험하고 견고하며 사면(四面)이 막혀 있는데, 유독 동구(洞口)의 한 길만 있어서 쌓는 역사도 많을 것이 없습니다. 또 이는 도성(都城)과 지척(咫尺) 사이라서 비록 창졸간의 변이 있더라도 군병(軍兵)과 기계(器械), 그리고 인민(人民)과 축적(蓄積) 등은 남김없이 모두 피하여 들어갈 수 있기 때문에 형세(形勢)의 편리함이 이와 같은 곳이 없사오니, 속히 수축할 계책을 강구하여 결정짓는 것이 합당하겠습니다.'

(知事)柳赫然曰: 脫有事變, 無可駐蹕之所。北漢山勢險固, 四面阻塞, 獨有洞口一路, 築役無多。且是都城咫尺之地, 雖有倉卒之變, 軍兵器械、人民蓄積, 可以避入無遺。形勢之便, 莫如此處, 宜速講定修築之策矣。

<숙종실록> 1권, 숙종 즉위년 11월 13일 임신 1번째기사 1674년

그러나 숙종 대 축성에 대한 논의가 있을 때마다 정축약조(丁丑約條)에 막혀 중단되곤 했다. 정축약조는 삼전도 항복 이틀 전에 청이 제시한 것으로, 그 가운데 '신구(新舊) 성의 축성을 불허한다'는 내용은 오랫동안 조선을 괴롭혔다. 그럼에도 불구하고 도성 개축과 산성 축성에 대한 논의는 끊임없이 이어졌다.

1694년(숙종20), 송시열은 북한산성 축성에 관해 효종이 유고(諭告, 나라에서 실행할 일을 여러 사람에게 알림)했던 내용을 기록해 올렸다.

성조(효종)께서 일찍이 탄식하시기를, '…(전략)… 일찍이 북한성(北漢城)을 수축하고 또 조지서 동구(造紙署洞口)를 막아서 병난을 당했을 때에 이어(移御)할 곳으로 삼아 공사 인물(公私人物)이 모두 무사히 보전될 수 있도록 해야 했다. 그렇게 되면 적군이 침공을 해왔을 때 그것은 저들의 죽음을 자초하는 결과가 될 것이다. 그러나 이때에는 백성을 사역하기가 어려웠으므로 감히 뜻을 내지 못했다.'

聖祖嘗歎曰: …(전략)… 嘗欲修築北漢城, 又塞造紙署洞口, 以爲臨亂移御之所, 公私人物, 皆保無事, 而敵人必欲來爭, 是敵人送死之地, 然此時役民爲難, 故不敢生意耳。

<숙종실록> 26권, 숙종 20년 윤5월 11일 정축 3번째기사 1694년

1701년(숙종27)경부터는 황당선(荒唐船, 연해에 출몰하던 다른 나라의 배)의 출몰로 조선 연안의 불법어로와 약탈문제가 자주 언급되기 시작하면서, 또다시 북한산성 축성문제가 제기된다.

1702년(숙종28) 10월 5일, 우의정 신완(申琓)은 창의문(彰義門) 외성(外城)의 기지도(基址圖)를 올리며 산성을 쌓을 것을 주청하였고, 병조판서 이유도 이를 지지하였다. 그러나 행부호군(行副護軍) 이인엽(李寅燁)과 호조판서(戶曹判書) 김창집(金昌集)은 청과의 약조와 풍수설 등을 내세우며, 이에 반대했다.

숙종, 강한 의지를 보이다

1703년(숙종29) 4월 3일, 경연(經筵) 자리에서 특진관(特進官) 민진후(閔鎭厚)와 지경연(知經筵) 김창집(金昌集), 참찬관(參贊官) 김진규(金鎭圭) 등이 청의 눈치를 보는 한편 굶주린 백성의 구제가 우선이라 하며, 북한산성의 역사(役事, 규모가 큰 공사)에 대해 반대했다. 이에 숙종은 몹시 노여워하며, 북한산성 축성에 대한 강한 의지를 내보인다.

임금이 진노(震怒)하여 말하기를, '…(전략)… 예로부터 전쟁의 경고는 풍년·흉년을 구분하지 않고 있는 것이니, 반드시 굶주린 백성이 없는 뒤에 바야흐로 수비할 계책을 하려고 한다면 이것이 말이 되는가? 바다의 도적은 육지의 도적과 달라서 수로(水路)가 서로 연하였으니, 어느 날에 어떤 변고가 있을지 알지 못한다. 강도(江都)는 갈 만한 땅이 못되고 남한산성은 외롭게 떨어져서 또한 오래 머물 수 없으니, 장차 어느 곳으로 가야 하겠는가? …(중략)… 큰 계책을 이미 정하였으니, 천만 사람이 다투더라도 결단코 움직이기 어렵다. 저 사람들이 만일 물어온다면 내가 스스로 떠맡겠다.' …(중략)…

임금이 말하기를, '내가 스스로 떠맡겠다. 나는 두렵지 아니하다. 나는 두렵지 아니하다' 하며, 말소리와 얼굴빛이 모두 엄하였다.

上震怒曰: …(전략)… 自古兵革之警, 不分豊歉而有之。必欲無飢民而後, 方爲守備之策, 此成說乎? 海寇異於陸賊, 水路相連, 不知何日, 有何變。江都非可往之地, 南漢孤絶, 亦不可以久留, 其將稅駕於何所耶? …(중략)… 大計旣定, 千萬人爭之, 決難撓動。彼人如有問, 吾自當之。…(중략)… 上曰: 吾自當之。吾不怕也, 吾不怕也。聲色俱厲。

<숙종실록> 38권, 숙종 29년 4월 3일 무인 1번째기사 1703년

4월 5일, 행사직 이인엽이 산성 축성 시 지맥이 손상될 우려가 있다는 상소로 시작된 논의 끝에 성역이 중지되었다.

'북성(北城)의 동쪽 기슭은 바로 서울 내룡(來龍)의 산맥인데 술가(術家)의 말은 비록 깊이 믿을 것이 못되지만, 성조(聖祖) 께서 처음으로 나라를 세우고 도읍을 설치하여 3백년 동안 아끼고 보호하던 땅을 마땅히 쉽사리 파서 깨뜨릴 수는 없습니다. 성터를 닦고 쌓을 즈음에 산을 파고 돌을 깨뜨려서 지맥(地脈)을 파손하지 아니할 수 없으니, 만약 뒷날에 작은 불길함이 있으면 근거없는 의론이 떼지어 일어나서 반드시 허물을 이에 돌릴 것인데, 장차 무슨 말로 그 의혹을 풀겠습니까?' …(중략)… 두서너 달이 지나서 여러 지사(地師)들이 비로소 모여 의논하였는데, 모두 말하기를, '내룡(來龍)의 맥을 파서 깨뜨리는 것은 해가 있다'고 하였으나, 유독 동지(同知) 신경윤(愼景尹)은 해가 없다고 하였는데, 마침 성역(城役)이 중지되었다.
北城東麓, 卽京都來龍之脈也, 術家之說, 雖不足深信, 而聖祖肇創, 建邦設都, 三百年慳護之地。不宜容易鑿破, 而城基開築之際, 不得不鑿山破石, 侵傷地脈。倘於異日, 有些休咎, 則浮議朋興, 必歸咎於此, 將何辭而解此惑乎? …(중략)… 居數月, 諸地師始會議, 皆以爲, 鑿破來脈, 有害, 獨同知愼景尹以爲無害, 會城役中寢。

<숙종실록> 38권, 숙종 29년 4월 5일 경진 1번째기사 1703년

1704년(숙종30)부터 약 6년에 걸친 한양도성 개축공사가 마무리되었다. 1709년(숙종35), 종묘직장(宗廟直長) 이상휴(李相休)가 북한산성 축성문제를 제기하나 논의가 이어지지는 못한다.

청의 상황을 이용, 전기(轉機)를 마련하다

1710년(숙종36) 9월 28일, 청으로부터 '배를 타고 도주한 해적이 조선으로 향할지 모르니, 연안 방어에 유의하라 餘賊俱乘船敗走。恐朝鮮不知, …(중략)… 曉諭相近沿海地方, 用心防守, 作速馳驛送去'

는 내용의 자문(咨文, 조선시대 중국과 왕래하던 문서)이 도착하면서, 또다시 유사시에 대비한 논의가 시작되었다.

10월 11일에는 무인(武人) 신석백(辛錫百)이 '도성(都城)을 증수(增修)해서 완급(緩急)할 때 굳게 지키는 계책을 삼고, 이어 북한산성(北漢山城)을 쌓아 안팎으로 서로 응하는 형세를 삼도록 武人辛錫百上疏, 請增修都城, 以爲緩急固守之計, 仍築北漢, 以爲表裏相應之勢' 청하는 내용을 상소(上疏)하였다.

10월 13일, 훈련대장 이기하는 홍복산과 북한산의 성지(城址)를 둘러보고, 다시 북한산의 중요성과 축성의 합당함을 아뢰었다.

'북한산(北漢山)에 이르러서는 인수봉(仁壽峰)·백운대(白雲臺)·만경대(萬景臺) 등의 여러 봉우리가 깎아지른 듯이 우뚝 솟아 있으니, 진실로 이른바 한 사람이 관문(關門)을 지키면, 만 사람이 열지 못하는 지형(地形)입니다. 그리고 이미 돌로 쌓은 구지(舊址)가 있고, 또 산 아래에는 석재(石材)가 많으며, 산골짜기 곳곳에 물이 있는 데다가 수목(樹木) 또한 크게 자란 곳이 많습니다. 도성(都城)과 멀지 않은 곳에 이러한 천험(天險)이 있었는데, 오히려 지금까지 버려두었으니, 매우 애석하게 여길 만합니다.'

至於北漢則仁壽、白雲、萬景等諸峰, 屹立如削, 眞所謂一夫當關, 萬夫莫開之地。旣有石築舊址, 山下且多石材, 山谷間處處有水, 樹木亦多有長養處。都城不遠之地, 有此天險, 而尙今棄置, 殊可惜也。

<숙종실록> 49권, 숙종 36년 10월 13일 갑술 1번째기사 1710년

10월 16일, 도성의 수비와 북한산성 축성에 대해 논한다.

임금이 말하기를, '성(城)을 지키는 기구는 반드시 곡성(曲城)·돈대(墩臺)·해자(垓子)가 있은 후에야 적(敵)을 방어(防禦)할 수 있는 것인데, …(중략)… 도성은 바로 정정(定鼎)한 곳이지 적(敵)을 방어하는 곳이 아니므로, 당초에 쌓은 모양이 과일을 포개놓은 것과 같아서, 적이 만약 대포(大砲)를 쏜다면 곧 훼파(毁破)될 것이니, 백성이 비록 많고 군량(軍粮)이 비록 축적(蓄積)되어 있다 하더라도, 어떻게 보수(保守)하겠는가?'

上曰: 守城之具, 必有曲城、墩臺、垓子, 然後可以禦敵 …(중략)… 且都城乃定鼎之所, 非禦敵之處, 故當初所築狀如累果。敵若放大砲, 則立見毁破, 民衆雖多, 兵糧雖積, 何以保守乎?

병조판서 민진후는 북한산이 천연의 요새임을 강조하며, 문수봉과 연계를 언급한다.

'북한(北漢)은 과연 천연적으로 만들어진 험한 것이 이와 같은데, 서울의 지척(咫尺)에 있는 데도 오히려 지금까지 버려두었던 것은, 다름 아니라 지세가 절험(絶險)하여 사방에 평평한 땅이 없어서 사람이 들어가 살기 어렵기 때문입니다. 전일에 척량한 것으로써 말하건대, 35리는 되지마는 과연 용접(容接)할 만한 평지가 없었습니다. 바위에 가설(架設)하고 골짜기를 뚫는다면, 또한 집을 만들 수는 있겠으나, 단시 싱상쎄서 옮겨 늘어가신 우에 멀고 가까운 곳의 백성들이 와서 모인다면, 진실로 용접(容接)할 형세가 없었습니다. 신이 돌아오는 길에 문수봉(文殊峯)을 두루 살펴보니, 그 봉우리가 북한산(北漢山)의 남쪽에 있는데, 봉우리 아래 골짜기의 길이가 10리이고, 좌우(左右)가 깎아지른 듯하여 발붙일 곳이 없었습니다. 그런데 두 석봉(石峰)이 구불구불 아래로 내려오다가 두 끝이 합해져서 끝나는데, 이곳에 문(門)을 설치하고 기민(畿民)으로 하여금 골짜기 안에 들어가 살게 하면 아울러 용납할 수가 있을 것입니다. 대개 북한산에 성을 쌓는 계책(計策)은 드는 비용이 비록 많다 하더라도, 행궁(行宮)과 창고(倉庫)를 반드시 아울러 설치한 후, 한결같이 분사(分司)

의 예(例)에 의거하여 눈앞의 수용(需用) 외에 각 관사(官司)의 쓰고 남은 물품을 나누어 적치(積置)한다면 힘을 얻을 수 있을 것입니다.'
北漢則果是天作之地。險阻如此, 而在京都咫尺, 尙今棄置者, 無他, 以其地勢絶險, 四無坦地, 人難入居故也。以前日尺量言之, 可爲三十五里, 而平地則果無容接處。架巖鑿谷, 亦足以作室, 第自上移入後, 遠近之民來聚, 則實無相容之勢。臣來路, 歷見文殊, 其峰在北漢之南, 峰下長谷十里, 左右削立, 無着足處。兩石峰逶迤下來, 兩端合而止之。置門於此, 令畿民入居谷內, 則可以竝容。蓋北漢之計, 靡費雖多, 行宮、倉庫, 必竝爲設置, 然後一依分司例, 目前所需外, 分置各司, 用餘則可以得力。

<숙종실록> 49권, 숙종 36년 10월 16일 정축 3번째기사 1710년

이날 이조판서 최석항은 산성 쌓는 것을 반대하였으나, 금부도사 이언위는 북한산성을 축성할 것을 청하였다.

축성논의, 급물살을 타다

10월 26일, 판부사 이유는 북한산성을 쌓아 도성을 수비할 것을 청하는 차자(箚子, 간단한 서식의 상소문)를 올렸다.

판부사(判府事) 이유(李濡)가 차자(箚子)를 올리기를, '옛날 우리 효종 대왕(孝宗大王)께서는 도성(都城)이 완고(完固)하지 못하여, 변란(變亂)이 있으면 반드시 먼저 무너질 것을 깊이 염려하시고, 일찍이 북한 산성(北漢山城)을 수축(修築)하여 험조(險阻)에 의거하여, 근본을 굳게 하고 나라를 보전하며 백성을 보호하는 계책을 삼았습니다. 지금 만약 북한(北漢)에 성을 쌓아 내성(內城)을 만들어 종사(宗社)를 이안(移安)하고, 또 조지서(造紙署)의 동구(洞口)를 막아 강창(江倉)을 옮겨 설치하면, 공사(公私)의 축적(蓄積)을 모두 옮겨 들여올 수 있습니다. 이미 북산(北山)의 험조에 의거하여 미리 옮겨 주필(駐蹕)할 곳으로 삼은 후에, 혹 군사를 나누거나 혹은 의병(疑兵)을 설치하여 도성을 지키면, 형세가 저절로 장성(壯盛)해지고 근본이 더욱 견고해질 것이니, 반드시 먼저 허물어질 근심은 없을 것입니다.'

判府事李濡上箚曰: 昔我孝宗大王, 深以都城不能完固, 有亂則必至先潰爲慮, 嘗欲修築北漢城, 以爲據險阻固根本, 保國保民之計。今若築北漢, 作爲內城, 移安宗社, 又塞造紙署洞口, 移置江倉, 公私蓄積, 擧皆移入, 旣據北山之險, 預爲移蹕之所, 然後或分兵或設疑, 以守都城, 則形勢自壯, 根本益固, 必無先潰之憂矣。

<숙종실록> 49권, 숙종 36년 10월 26일 정해 1번째기사 1710년

12월 1일, 훈련대장 이기하와 어영대장 김석연 역시 북한산에 성을 쌓을 것을 주장했다.

이기하가 말하기를, '북한은 사면(四面)의 봉우리가 깎아지른 듯하여 비록 나는 새라도 오를 수가 없으니, 진실로 천험(天險)이 됩니다. 또 수목(樹木)과 샘[水泉]이 모두 남한(南漢)보다 나은데, 부족한 것은 협애(狹隘)한 것이므로, 민진후(閔鎭厚)는 문수동(文殊洞)을 포함하여 쌓자고 하였습니다.' 하고,

서종태·김창집이 모두 말하기를, '이 문수동은 형세가 포함해서 쌓기 어렵습니다.' 하니,

김석연이 말하기를, '신의 뜻은 본래 결단코 버릴 수 없다고 여겼습니다. 마침 고(故) 상신(相臣) 이덕형(李德馨)의 말을 보니, '도성(都城)의 가까운 곳에 이러한 천험(天險)이 있는데, 버려두는 것이 애석하다'라고 하였는데, 이덕형은 바로 선조조(宣祖朝) 때의 명신(名臣)으로 몸소 환난(患難)을 겪었으니, 그 말이 더욱 믿을 만합니다.'

基夏曰: 北漢, 四面諸峰壁立, 雖飛鳥不能上, 實爲天險。且其樹木、水泉, 皆勝於南漢, 而所欠者狹隘也。閔鎭厚則欲竝包文殊洞而築之矣。宗泰、昌集皆曰: 此洞, 勢難包築矣。錫衍曰: 臣意, 本以爲決不可棄之, 而適又見故相臣李德馨言, 以爲: 都城咫尺, 有此天險, 棄置可惜。德馨, 是宣廟朝名臣, 身經患難, 其言尤可信矣。

<숙종실록> 49권, 숙종 36년 12월 1일 신유 1번째기사 1710년

대신들의 북한산 방문과 축성 관련 논의는 계속된다. 12월 18일, 판부사 이이명 등이 북한산을 살펴보고 돌아와 축성을 논의한 것에 이어, 12월 28일에도 북한산에 축성하는 일을 의논했다.

좌의정(左議政)·서종태(徐宗泰)·우의정(右議政)·김창집(金昌集)·판부사(判府事) 이유(李濡)가 함께 들어왔는데, 대개 북한(北漢)을 가서 살펴보고 돌아왔기 때문이었다.

이유가 말하기를, '북한(北漢)은 사면이 절험(絶險)하고 수구(水口)가 조금 평탄하나, 좌우에 큰 산봉우리가 있어서 단지 한 길로만 통해야 하니, 적이 어떻게 감히 들어올 수 있겠습니까? …(중략)… 효종(孝宗)께서 평소 북한성(北漢城)을 쌓고 조지서(造紙署)의 입구를 막아, 양향(粮餉)을 실어 들이고자 하신 당시의 예산(睿算)은 우연한 것이 아닌 듯합니다. 지금은 오로지 신충(宸衷)을 결단하셔서 시기에 맞게 계책을 정하는 데 달려 있습니다.' 하고,

서종태는 말하기를, '수구(水口)가 낮고 평탄한 것이 진실로 큰 흠이 되지만, 단지 이 성(城)은 마땅히 쌓아야 할 곳이 많지 않으므로, 만약 힘을 기울여 수구를 별양(別樣)으로 높이 쌓는다면, 또한 족히 견고해질 수 있습니다.' …(중략)… 하고,

김창집은 말하기를, …(중략)… '장차 창고에 곡식을 많이 쌓아 두려면 옮겨 운반하기가 진실로 어려워서 조적(糶糴)이 불편할 것이

니, 조지서(造紙署) 동구(洞口) 안에 또한 창고를 지어서 곡식을 쌓아 두어야 마땅합니다. 또 도성(都城)을 전부 버리기가 어려우니, 이러한 일들은 반드시 미리 상량(商量)한 후에야 대계(大計)를 정할 수 있습니다.'

左議政徐宗泰、右議政金昌集、判府事李濡同入。蓋往審北漢而還也。濡曰: 北漢, 四面絶險, 水口雖稍平, 左右有大峰, 只通一條路, 賊何敢入乎? …(중략)… 孝廟常欲築北漢城, 塞紙署口, 輸入糧餉, 當時睿算, 似不偶然。今則惟在斷自宸衷, 及時定計矣。宗泰曰: 水口低平, 固爲大疵, 而但此城當築處不多, 若專力水口, 別樣高築, 則亦足爲固。…(중략)… 昌集曰: …(중략)… 將欲廣儲倉穀, 則轉運實難, 糶糴不便。造紙署洞中, 亦當築倉儲穀。都城又難全棄, 此等事, 必須預爲商量, 然後大計可定矣。

<숙종실록> 49권, 숙종 36년 12월 28일 무자 1번째기사 1710년

숙종, 축성을 결정하다

1711년(숙종37) 2월 5일, 총융사(摠戎使) 김중기(金重器)·사직(司直) 이우항(李宇恒)이 새로 북한산의 성터를 살펴보고 와 북한산에 축성하는 것이 합당하다고 강조한다.

이에 좌의정 서종태가 여러 재상들의 의견을 들어 정할 것을 청하자, 임금은 북한산에 축성을 결정했다.

임금이 이르기를, '모계(謀計)는 비록 많더라도 결정은 혼자 하려고 한다. 여러 대신(大臣)과 비국제재(備局諸宰)가 장신(將臣)과 더불어 모두 벌써 가서 보았는데, 다시 무엇을 심문(審問)하겠다는 것인가? 북한산(北漢山)은 곧 온조(溫祚)의 옛 도읍이며, 또 도성과 지극히 가깝다. 염려되는 것은 단지 수천(水泉)이 부족한 것인데, 지금

들으니 수천도 또한 넉넉하다고 하니, 축성(築城)을 결의(決意)하는 것이 옳다. 큰 계획은 이미 정해졌으면 재력(財力)의 다소는 족히 말할 게 없으니, 그 돌을 이용해 쌓으면 또한 어찌 많은 비용(費用)이 들겠느냐? …(중략)… 도성(都城)은 넓고 커서 수비(守備)하기가 어렵고, 남한산(南漢山)은 나루를 건너기가 어려우며, 강도(江都)는 해구(海寇) 및 얼음이 녹아버리면 그 험한 것이 믿을 만한 것이 못된다. 오직 북한산(北漢山)만은 지극히 가까운 까닭으로 백성과 들어가 수비하려고 하니, 군량(軍糧)을 조치(措置)하는 등의 일은 이들먼 지역과는 달리 어렵지 않을 듯하다. 만약 중의[僉議]가 같아지기만 기다린다면 어찌 이룰 수 있는 날이 있겠느냐?' 하였다.

당시에 임금이 이미 축성(築城)할 뜻을 굳힌지라, 비록 이의(異議)가 있어도 모두 살피지 않았다.

上曰: 謀之雖多, 決之欲獨。諸大臣及備局諸宰, 與將臣, 皆已往見, 更何審問乎? 北漢卽溫祚舊都, 且與都城至近。所慮者只水泉之不足, 而卽聞水泉亦饒, 決意築城可也。大計已定, 則財力多少, 不足言, 而因其石而築之, 亦何至多費耶? …(중략)… 都城闊大難守, 南漢則涉津爲難, 江都則海寇及氷澌時, 非可恃之地。惟北漢至近, 故欲與民入守。軍餉措置等事, 此與遠地有異, 似不難矣。若待僉議之同, 則豈有可成之日乎? 時, 上已決意築城, 雖有異議, 皆不省。

<숙종실록> 50권, 숙종 37년 2월 5일 갑자 2번째기사 1711년

2월 10일, 숙종은 민진후를 북한산성 축성의 책임자로 임명했다.

좌의정(左議政) 서종태(徐宗泰)가 청하기를, '민진후(閔鎭厚)를 북한산(北漢山)의 구관당상(勾管堂上)으로 차정(差定)하소서' 하니, 임금이 한참 있다가 비로소 윤허(允許)하였다. 또 청하기를, '무신(武臣) 가운데서는 김중기(金重器)로 하여금 일을 같이하도록 하소서' 하니, 임금이 윤허하였다.

左議政徐宗泰, 請以閔鎭厚差北漢句管堂上, 上良久始許之。又請以武臣中金重器使之同事, 上許之。

<숙종실록> 50권, 숙종 37년 2월 10일 기사 3번째기사 1711년

3월 20일, 병조판서 최석항(崔錫恒)이 북한산성 축성을 반대하는 상소를 하자, 임금은 산성 축성에 대한 의지를 다시 확인한다.

임금이 비답하기를, '도성을 지킬 수 없음을 익히 헤아린 것이다. 북한산(北漢山)의 축성(築城)은 백성과 더불어 함께 지키자는 계책에서 나온 것이니 결단코 그만둘 수 없다.'

上批以都城之不可守, 料之熟矣。北漢築城, 出於與民共守之計, 斷不可已也。

<숙종실록> 50권, 숙종 37년 3월 20일 기유 3번째기사 1711년

3월 21일, 북한산성의 축성공사는 삼군문에서 분담하여 관장하도록 결정한다.

제조(提調) 민진후(閔鎭厚)가 아뢰기를, '북한산(北漢山)의 일은 대계(臺啓, 사헌부 사간원에서 임금에게 올리는 글)가 이제는 이미 정지되었으니, 의당 즉시 사역(使役)하여야 합니다. 이제 별도로 도감(都監)을 설치할 필요는 없고 삼군문(三軍門)을 분배(分排)하여 축조하는 일을 감독해야 할 것인데, 도성(都城)의 백성은 농민(農民)과는 달라서 적당하게 헤아려 사역(使役)해도 아마 불가할 것이 없을 것입니다' 하니, 임금이 윤허하였다.

提調閔鎭厚曰: 北漢事, 臺啓今已停止, 宜卽始役。今不必別設都監, 分排三軍門, 使之監築, 而都民異於農民, 量宜使役, 未知其不可。上許之。

<숙종실록> 50권, 숙종 37년 3월 21일 경술 1번째기사 1711년

1711년(숙종37) 4월, 축성을 시작한 북한산성은 불과 6개월만인 10월에 마무리된다.

북한성(北漢城) 역사(役事)를 4월 초3일부터 시작하여 이때에 이르러 마쳤다. 비변사에서 쌓은 성의 주위(周圍) 보수(步數)와 비용에 들어간 재력(財力)을 별단(別單)에 써서 들였는데, 고축(高築)이 2천 7백 46보(步)요, 반축(半築)이 2천 9백 6보요, 반반축(半半築)이 5백 11보요, 단지 여장(女墻)만 쌓은 것이 1천 4백 57보로, 이상의 보수(步數)는 7천 6백 20보인데, 이수(里數)로는 21리(里) 60보(步)이며, 3군문(三軍門)에서 쓴 재력(財力)은 쌀이 합계 1만 6천 3백 81석(石)이요, 무명베가 7백 67동(同) 12필 남짓, 전(錢)이 3만 4천 7백 99냥(兩) 남짓, 정철(正鐵)이 2천 7백 85근(斤), 신철(薪鐵)이 22만 9천 1백 80근, 석회(石灰)가 9천 6백 38석(石), 숯[炭]이 1만 4천 8백 59석, 생칡(生葛)이 2천 2동(同), 4승포(四升布)가 4동, 소모자(小帽子)가 9백 입(立)이었다. 임금이 주관 당상(主管堂上) 및 도청(都廳) 이하를 서계(書啓)하여 가자(加資)와 상(賞)을 차등 있게 주라 명하였다.

北漢城役, 始自四月初三日, 至是訖。備邊司以所築周圍步數及用下財力, 別單書入。高築二千七百四十六步, 半築二千九百六步, 半半築五百十一步, 只築女墻一千四百五十七步, 已上步數七千六百二十步, 作里二十一里六十步。三軍門所用財力, 合米一萬六千三百八十一石, 木七百六十七同十二疋零, 錢三萬四千七百九十九兩零, 正鐵二千七百八十五斤, 薪鐵二十二萬九千一百八十斤, 石灰九千六百三十八石, 炭一萬四千八百'五十九石, 生葛二千二同, 四升布四同, 小帽子九百立。上命主管堂上及都廳以下書啓, 加資賞賚有差。

<숙종실록> 50권, 숙종 37년 10월 19일 갑술 1번째기사 1711년

양란 후 지속적인 논의 끝에 축성이 결정된 북한산성이 6개월이라는 짧은 기간에 완공을 볼 수 있었던 이유는 도성 축성공사의 경험과 기술을 바탕으로 삼군문 병사들과 승려를 동원했기 때문이다.

12.7km의 산성에 대서문·북문 등 13개의 성문(후에 16성문)과 동장대·북장대·남장대 등이 만들어졌고, 13개의 승영사찰을 두었다. 북한산성은 고종 대까지 형태와 군사시설의 기능이 유지되었으나, 갑오개혁 이후 승군제가 폐지되고 군대가 해산되면서 방치되었다. 또 일제에 의한 파괴 및 우리의 관리 소홀 등으로 산성 시설물이 깨어지고 유실되는 상태에까지 이르게 된다.

행궁과 삼군문 시설

1711년(숙종37) 2월, 숙종 원년부터 긴 세월 논란의 대상이었던 북한산성의 축성이 최종 결정되었다. 18세기 초 조선은 양란(兩亂)과 세 번에 걸친 환국(換局)의 혼돈 시기를 이겨내고 새로운 성장과 부흥의 시대로 가고자 하였고, 그 열망의 한 자락에 북한산성 축조가 있었었다. 숙종은 12.7km에 달하는 대규모 산성을 단 6개월여 만에 완성하는 저력을 보이며 새로운 사회의 출발점에 선 군주로서 자존심과 긍지를 굳건히 세우고자 하였다. 그리고 그 저력의 밑바탕에는 당대의 사회 경제력이라는 토대 위에 군영(軍營)을 중심으로 조직된 견고한 축성인력이 한몫을 담당하였다. 이에 북한산성의 축성과 관리를 책임졌던 삼군문(훈련도감, 어영청, 금위영)의 시설과 전란 등 유사시 왕의 임시 거처로 건설되었던 행궁의 자취를 찾아 떠나보자.

창고(하창, 중창, 호조창, 경리청상창, 훈창, 금창, 어창)

과거 임진왜란과 병자호란 시기에 도성 안의 식량을 지키지 못하고 고스란히 적에게 넘겨준 굴욕을 겪었던 터라, 북한산성에 마련할 창고의 위치 선정을 두고 조선 조정(朝廷)은 깊은 고민에 빠졌다.

우선 산성 내에 창고를 짓자는 쪽과 산성 외부에 창고를 두자는 쪽

서암문
북문
백운봉암문
수문
대서문
북장대
훈련도감 유영
하창
수문
용암문
암문
중성문
가사당암문
산영루
중창
동장대
호조창
경리청 상창
대동문
부왕동암문
북한산성 행궁
금위영 유영
금위영 각자
금위영
이건기비
보국문
어영청 유영
남장대
청수동암문
대성문
대남문
훈국 관할 구역
어영 관할 구역
금영 관할 구역

으로 의견이 엇갈렸다. 결국, 숙종의 최종 결정에 따라 모두 성(城)안에 설치하는 것으로 결론을 내렸다.

이는 전란 등 유사시 외부에서 산성으로 곡식을 급하게 옮기는 것이 용이하지 않다는 이유에서였다.

창고 공사는 1712년(숙종38) 4월에 착수하여 이듬해 가을에 완공을 보았다. 당시 경리청 상창(經理廳上倉)·중창(中倉)·하창(下倉), 그리고 호조창(戶曹倉) 등 4개의 창고가 280여 칸 규모로 건립되었으며, 북한산성을 총괄하는 경리청 산하의 관성소(管城所)가 관리를 담당했다. 이들 관성소 산하 창고에는 주로 식량을 보관했지만, 일부에는 군수품도 저장하였다.

또 삼군문 유영(三軍門留營)에도 훈창(訓倉)·금창(禁倉)·어창(御倉)을 마련하고, 각 유영이 관리하였다. 이들 성안 창고에는 약 5만

하창 자리에 들어선 북한동역사관

석 규모의 곡식을 비축하였다. 이 가운데 일정량은 매년 봄 인근 백성에게 빌려주었다가 가을에 햇곡식으로 환수하였고, 이를 통해 4~5년마다 전체 양곡을 새 양곡으로 바꿈으로써 변질을 방지하였다.

중흥사 앞쪽 중창 터

북한산성 창고에 보관된 곡식은 흉년이나 전염병 등으로 인한 어려운 시기에 백성을 살리는 구호미(救護米)의 역할을 하기도 했다. 반면에 빌려주고 돌려받는 과정에서 관리들의 수탈과 비리도 종종 발생하였다.

또 백성들은 빌린 곡식을 갚기 위해 햇곡식을 등에 지고 험한 산길을 며칠씩 헤매야 했으며, 제날짜에 갚지 못할 때는 배실을 당하거나 옥살이를 하는 등 곤욕을 치르기도 하였다.

지금은 7개 창고 모두 그 원형을 찾아볼 순 없지만, 산행 중 풀숲 사이사이에 발견되는 주춧돌과 무심히 발에 걸리는 무수한 기와 조각들이 옛 창고 터였음을 어렴풋이 짐작케 한다.

하창(下倉), 중창(中倉) 성능의 <북한지> 기록에 따르면, 하창은 대서문(大西門) 안에 있었다. 북한산성 입구에서 출발해 대서문을 지나 잘 닦여진 길을 따라가면 옛 북한동 상가 지역에 이르게 되는데, 이곳이 바로 하창이 있던 공간이다. 그래서인지 이곳의 옛 이름도 '하창마을'이었다.

2006~2009년 철거 및 이주사업을 통해 거주민은 모두 떠났고, 현재 이곳에는 북한동역사관이 자리하고 있다. 역사관 뒤쪽에서는 하창 터의 일부로 추정되는 돌의 흔적들을 확인해 볼 수 있다.

한편, 중흥사(重興寺) 앞에 있던 중창은 대청 6칸, 양곡 창고 78칸, 고직가(庫直家) 5칸, 대문 2칸으로 구성된 제법 큰 규모였다. 중성문을 지나 중흥사 터 앞쪽 물길 너머로 소규모 석축과 산영루 쪽으로 길게 늘어선 건물 터를 확인할 수 있다.

호조창(戶曹倉), 경리청상창(經理廳上倉) 행궁으로 오르는 길 오른쪽으로 호조창 터가 있다. 호조창에는 전란 등 유사시 왕과 왕실에서 사용할 어공미(御供米)를 보관했다.

호조창 위쪽, 행궁 가는 길 왼쪽에는 경리청상창 터가 있다. 경리청상창은 북한산성 내 창고 가운데서 가장 규모가 크고 중심이 되었

경리청상창 터

행궁 입구의 호조창 터

던 곳이다. 상창은 63칸의 양곡 창고 외에도 내아(內衙) 12칸, 집사청(執事廳) 3칸, 군관청(軍官廳) 4칸, 서원청(書員廳) 4칸 등 성 안 사무를 총괄하는 관성소(管城所)가 설치되어, 행궁을 수호 관리하는 관성장(管城將, 북한산성을 관리하고 지키는 정삼품 무관)이 근무하였다. 성능의 <북한지> 기록에 따르면, 관성소에는 관성장이었던 전(前) 통제사(統制使) 이우(李玗)가 지은 '팔비헌(八非軒)'이라는 편액(扁額)이 걸려 있었다.

약 400여 평 규모의 경리청상창 터에는 지금도 높이 1.1m, 길이 40m가량의 화강암 석축이 남아 있으며, 그 위로 올라서면 무성한 잡목 사이로 주춧돌이 발에 걸린다. 상창 터 한쪽 커다란 바위에는 '괘궁암(掛弓岩)'이라 새겨져 있다. 글자 그대로 풀이하자면 '활을 걸어 놓은 바위'이므로, 이 근처에서 활을 쏘며 기술을 연마했던 것으로 추정된다. 경리청상장 터는 2020년 문화재청의 '국비 지원 긴급발굴조사 공모사업'에 선정되어 발굴조사가 진행되었다.

훈창(訓倉), 어창(御倉), 금창(禁倉) 삼군문 즉, 훈련도감·어영청·금위영 유영(留營)에도 제각각 창고시설이 마련되었다. 각 식량 창고에는 주로 쌀·잡곡·소금·장(醬) 등을 보관하였으며, 군수품 창고에는 총(銃)·포(砲)·화약·활·창·검 등을 비축하고 관리하였다.

<북한지>에 따르면 훈련도감이 관리하는 훈창은 향미고(餉米庫) 60칸, 군기고(軍器庫) 16칸 등 총 130칸 규모였다. 어영청의 어창은 향미고 48칸, 군기고 10칸 등 총 101칸이었고, 금위영의 금창은 향미고 54칸, 군기고 13칸을 포함하여 총 108칸 규모였다.

장대(동장대, 남장대, 북장대)

국립국어원의 표준국어대사전에 따르면, 장대(將臺)란 '장수가 올라서서 명령·지휘하던 대'를 말한다.

1711년(숙종37) 10월, 북한산성의 공사가 마무리될 즈음 산성의 군사시설과 부대시설 설치에 관한 논의가 본격적으로 이루어졌다. 논의된 주요 군사시설 가운데 하나가 장수의 지휘소로 사용될 장대였다. 북한산성 안, 각 군문별 관할구역 내에 지형이 높고 관측이 용이한 장소를 선정하여 3개의 장대를 마련하였다.

동장대(東將臺) 북한산의 최고봉인 백운대(836m)를 지나 대동문(大東門) 방향으로 능선을 오르내리다 보면 용암문(龍巖門)에서 멀지 않은 시단봉 정상에 정방형(正方形)의 이중구조를 갖춘 중층 누각, 동장대와 만나게 된다.

동장대는 금위영 관할 지역에 위치하며 북한산성 장대 가운데서도 가장 높은 곳에 자리해, 행궁을 비롯한 성의 안팎을 모두 조망할

유일하게 복원된 동장대

수 있는 최적의 입지조건을 갖추고 있었다. 따라서 북한산성의 최고 지휘본부 역할도 겸하였는데, 아래층은 벽 없이 사방이 열려 있는 형태로 장수가 지휘하기에 편리하도록 했으며, 위층은 창으로 막아 방을 만들어 사용했다.

1915년 한여름에 내렸던 집중 호우로 유실되었던 것을, 1996년 복원하여 지금의 모습을 갖추었다. 북한산성 내 세 곳의 장대 가운데 유일하게 복원되어, 장대의 모습을 확인할 수 있는 곳이다.

남장대(南將臺) 남장대는 삼군문 가운데 어영청의 관할 지역에 있었으며, <북한지>에는 나한봉(羅漢峯) 동북쪽에 있다고 기록되어 있다. 이는 행궁을 사이에 두고 동장대와 대칭을 이루는 위치로, 대남문과 부왕동암문, 그리고 동장대와 대동문이 손에 잡힐 듯 보이는 최적의 장소였다.

청수동암문에서 상원봉(일명 715봉)쪽으로 가파른 길을 오르면 손글씨로 적은 희미한 715봉 표지판이 보인다. 여기서 행궁지 방향으로 상원 능선을 따라가다 보면 남장대지 터를 만난다. 잡풀이 무성하고 지반도 변형되어 있어 주춧돌조차 확인하기 어렵지만, 사면에 남아있는 기단석 등을 통해 어렴풋이나마 이곳에 장대가 있었음을 가늠해볼 수 있다.

북장대(北將臺) 북장대는 훈련도감 관할지역에 위치했다. <북한지>는 중성문(中城門)의 서북쪽에 있다고 기록하고 있으나, 실제로 확인해보면 중성문의 동북쪽, 노적봉 서쪽에 위치해 있다. 북장대는 백운대(白雲臺, 836m)를 중심으로 한 산성의 북쪽 높은 지역의 관측을 맡은 동시에, 방어가 취약한 서북쪽을 경계하기 위해 설치한 군사시설이었다.

원효봉에서 바라본 북장대지

노적사에서 왼쪽 능선을 타고 오르다 보면 훈련도감 유영 터 뒤쪽 기린봉 정상부에 유구로 보이는 주춧돌 몇 개가 장방형 형태로 놓여 있다. 옆에는 북장대지 터였음을 알리는 안내판이 노적봉을 배경으로 자리하고 있다.

그러나 안타깝게도 현재 북장대지를 직접 오를 방법은 없다. 노적사에서 훈련도감 유영지를 거쳐 가는 길은 물론 북한동역사관에서 보리사 방향으로 길을 잡아 대동사를 거쳐 오르는 등산로 역시 출입이 통제되어 있기 때문이다. 혹시나 방법이 있을까 하여 북한산 관리소에 확인해본 결과 해당 구간은 산행위험지역으로 분류되어 있어 모든 탐방로가 폐쇄되어 있다는 답변을 받았다.

삼군문 유영지(훈국, 어영, 금영)

<조선왕조실록>은 1712년(숙종38) 10월 8일, '어영청(御營廳)과 금위영(禁衛營)이 주관하는 북한산성(北漢山城)의 성랑(城廊)·창고·문루(門樓)와 못을 파고 우물을 만드는 역사가 완료되었다'고 기록하고 있다. 또 숙종은 산성의 관리를 위해 신설한 부서의 명칭을 '경리청(經理廳)'이라 정하고, 영의정이 도제조(都提調)를 겸하고, 당상은 제조(提調)라 하여 삼군문의 대장을 겸임하도록 명했다.

御營廳、禁衛營所管北漢城城廊、倉庫、門樓及鑿池作井之役, 告完,

<숙종실록> 38년 10월 8일 무오 2번째기사 1712년

경리청은 도성 내 한성부 향교동(鄕校洞, 현재 종로구 경운동·익선동 일대)에 본영이 위치하였기에, 북한산성 내에는 경리청의 산하기관인 관성소와 삼군문의 지휘소인 유영을 설치하였다.

국왕 수호와 수도 방어의 핵심 군영이었던 삼군문은 산성이 완성된 이후에도 축성한 지역의 방어와 관리의 책임을 부여받았다. 관할

구역은 훈련도감이 산영루 북쪽 노적봉에서 백운대 서쪽까지, 금위영은 대성문 북쪽에서 용암사 부근의 곡성 서쪽까지였으며, 어영청은 대성문 남쪽에서 대서문 동쪽까지를 맡았다.

이들 유영지는 감관이 집무를 보던 중심건물 대청과 거주 생활공간인 내아(內衙)를 비롯하여 군량창고인 향미고(餉米庫)와 무기창고인 군기고(軍器庫), 관원이 머무르던 공간인 중군소(中軍所), 낭청소(郎廳所), 서원청(書員廳)과 죄인을 가두어두는 구류간(拘留間) 등으로 구성되어 있었다. 각 건물의 규모 면에서는 당연히 군량창고인 향미고가 가장 큰 비중을 차지하였다. 유영지에는 본영에서 파견된 10여 명의 지휘관을 포함하여, 수첩군관 파하군 등 1,000여 명의 군사가 상시 주둔하였다.

<조선왕조실록>과 경기문화재단이 발간한 <북한산성의 역사와

출입이 제한된 훈련도감 유영지와 뒤쪽에 보이는 북장대지

문화유적-북한산성 문화유적 학술조사>에 따르면 숙종 대 경리청에서 총괄하던 북한산성의 관리는 영조 이후 총융청으로 이관되었다가, 이후 총위영-총융청-무위소-친군영-경리청 등으로 조선후기 군영제도의 시대적 흐름과 함께 여러 번 바뀌었다. 이러한 변화 속에서도 고종 연간까지 선왕대의 유지를 이어받아, 북한산성은 도성 수비의 배후기지로서 지속적으로 관리되었다.

훈련도감 유영(訓鍊都監留營) 노적봉을 배경으로 자리한 승영사찰 노적사 보임루(保任樓) 바로 앞에서 왼쪽으로 빠져 급한 경사면을 오르면 개인 사유지임을 알리는 철책이 보인다. 철책 안쪽으로 보이는 봉분은 어느 집안의 묘지인 듯하다.

묘지 바로 위쪽에는 북한산국립공원 관리초소가 있어, 전문적인 장비 없이 노적봉을 오르는 이들을 통제하고 있다. 또한 훈련도감 유

훈련도감 유영지였음을 알려주는 각자

영지 방향으로 가기 위해서는 국립공원관리공단으로부터 허가를 받아야만 한다.

북한산성을 알리는 책자 집필과 사진 촬영을 목적으로 어렵사리 허가를 받고 들어선 훈련도감 유영지 영역은 장마철이 막 지난 탓에 수풀로 길을 찾기조차 힘들다. 무성한 수풀을 헤집어 뚫고 지나면 잡풀이 우거진 너른 터를 만난다. 제멋대로 자란 풀숲 사이를 지나니 훈련도감 유영지 안내표지판이 보이고, 바로 뒤 에 우뚝 선 바위에는 동그라미 안에 강한 필체로 새겨진 '무(戊)'자가 선명하다. 이 지역이 훈련도감 유영지였음을 확인시켜주는 확실한 표식이다.

각자바위 오른쪽 좁은 물길 건너편의 커다란 바위에는 '부법대(戊法臺)'라는 암각글씨와 창과 활을 형상화한 듯 보이는 문양이 새겨져 있다. 이 또한 훈련도감 유영터임을 알려주는 표징(標徵)인가 싶

한때 무속인들의 기도처로 사용되었음을 알려주는 다양한 각자와 문양

어 이곳저곳 자료를 찾아보았으나 확인할 수 없었다. 다만, 무속인들의 전국 기도처 리스트에 '북한산성 무법대 기도처'가 종종 확인되는 것으로 보아, 1900년대 이후 이곳이 무속인들의 기도처 중 하나로 사용되었던 것으로 보인다.

관리되지 않은 풀숲을 뚫고 조금 더 살펴보니 곳곳에서 옛사람들의 흔적을 만난다. 어지러이 자란 풀숲도 차마 감추지 못할 정도로 견고하게 만들어진 인공 연못과 물길 옆에 자리잡은 4단의 석축, 듬성듬성 보이는 주춧돌, 깨어진 기와더미… 등이 그것이다.

잔해만 남은 유영지는 주위를 감싸고 있는 울창한 수목들과 한데 어우러져 원시적인 느낌마저 감돈다. 한쪽이 무너져 내리긴 하였으나 견고한 석축으로 만들어진 장방형 못은 지금도 1m이상의 물을 품고 있으며, 한쪽에는 수구(水口)로 보이는 공간도 확인된다. 한여

훈련도감 유영지 인공 못

름 제멋대로 자란 수목과 잡풀들로 뒤엉켜 있어 유영지의 전체 규모를 파악하기가 쉽지 않으나, 약 500여 평 남짓 되어 보인다.

훈련도감 유영지 안내표지판에서 우측으로 좀 떨어진 곳에서도 어느 정도 규모를 갖춘 석축의 빈터를 만난다. 여러 단의 석축 가운데 제일 아랫단 구석에 자리한 바위에는 달과 별을 비롯해 뜻을 알기 어려운 여러 문양이 가득 새겨져 있다.

또 '后天符(후천부)', '戊鼎 金龜淵(무정 김구연)' 등의 각자 글씨도 보인다. 앞서 보았던 '법무대'암각바위와 더불어 무속신앙인이 머물렀던 기도처임을 짐작케 한다.

<북한지>에 따르면 훈련도감 유영지는 중심건물인 대청 18칸을 비롯하여 내아(內衙) 6칸, 향미고 60칸 등 총 130칸 규모로 삼군문 중 가장 컸다. 특히 30일 미만의 구금형을 받은 죄인을 가두는 구류간(拘留間) 3칸은 삼군문 유영지 중 유일하게 이곳에만 있었다.

여름 산모기와 싸우며 조금 더 주변을 돌아보지만, 귀화식물인 단풍잎돼지풀로 뒤덮인 훈련도감 유영지는 그 이상을 허락하지 않는다. 발길을 돌리며 아쉬운 마음에 뒤돌아보니 골짜기 어디선가 군사들의 우렁찬 훈련 구령이 이명(耳鳴)처럼 들려오는 듯 하다.

어영청 유영(御營廳留營) 북한산성 대성문 안쪽으로 비교적 멀지 않은 곳에 대성암(大成庵)이 자리잡고 있다. 대성암 일대를 가만히 돌아보면 가건물 형태의 암자와는 대조적으로 주변에 오래된 석축과 주춧돌, 돌담 등이 제법 많이 눈에 띈다. 바로 이곳이 어영청 유영터였음을 알려주는 유구들이다.

어영청 유영은 대성문에서 시작되는 개울 옆 산기슭에 둥근 막돌을 이용하여 1~3m 높이로 석축을 쌓아 조성된 지반 위에 대청 18칸, 내아 7칸, 향미고 48칸 등 총 101칸 규모의 건물이 마련되어 있었다.

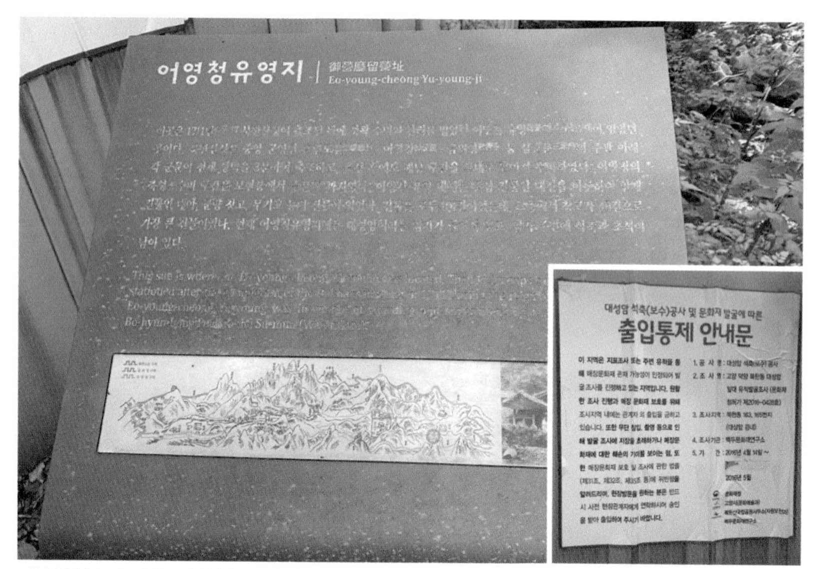

대성암이 자리한 어영청 유영지

지금은 '대성암 석축(보수)공사 및 문화재 발굴에 따른 출입통제'라는 안내문과 함께 높은 가림막으로 막혀있어, 당분간 그 흔적을 직접 확인하기는 어려워 보인다.

금위영 유영(禁衛營留營) <북한지>에 따르면, 보광사(普光寺) 아래에 있었던 금위영 유영지는 행궁지 입구를 지나 오르막을 오르면 거대한 석축과 함께 나타난다.

금위영 유영지는 북한산성이 축조될 당시에는 소동문(현 대동문) 안쪽에 있었으나, 1715년(숙종41)에 지세가 높고 바람이 심하여 무너질 위험이 있어 이곳으로 옮겨 지었다. 쇠난간 안쪽에 여름 이끼를 뒤집어 쓴 채 서 있는 '금위영이건기비(禁衛營移建記碑, 경기도 유형문화재)'가 이같은 내용을 담고 있다.

금위영이건기비는 일반적인 석비와는 달리 비신(碑身)이 누워있는 와비(臥俾)의 형태를 하고 있다. 비문의 마모가 심한 상태여서 자세한 내용을 확인하기는 쉽지 않다.

<다시 읽는 북한지>에 실린 도제조 이이명(李頤命)이 작성한 <북한산성금위영이건기(北漢山城禁衛營移建記)> 내용 일부를 인용하여 살펴본다.

성상(聖上, 여기서는 숙종을 일컬음)께서 즉위하신 지 37년째인 신묘년(1711) 4월에 훈국(訓局), 어영청(御營廳) 및 본영(금위영)에 나누어 명하여 백제(百濟)의 고성(古城) 고쳐 쌓고 각각 신지(信地)에 군영을 설치하여 군량과 무기를 비축해두었다가 나라에 훗날 어려움이 있으면 도성 백성과 함께 이 천혜의 요충지를 함께 지키겠다고 하셨다. …(중략)… 금위영 건물과 창고 90여 칸을 처음에는 소동문(小東門, 현재의 대동문) 안에 설치하였는데, 그 지세가 높아

독특한 형태의 금위영이건기비

서 비바람이 몰아치고 창고 모퉁이가 물길을 마주하고 있어 기울고 무너졌으므로 을미년(1715, 숙종41) 3월에 보국사 아래로 옮겨지었다. …(하략)…

〈北漢山城禁衛營移建記〉

聖上三十七年辛卯四月, 分命訓局、御營及本營。 改築百濟古城, 各置軍營於信地, 庾粮備械, 國家異日緩急, 將與都民共守此天險也。…(중략)… 營舍、倉庫, 九十餘間, 初設于小東門內, 以其地勢高。風雨萃。倉隅當水道易傾壞, 乙未三月, 移建于保國寺下。…(하략)…

乙未, 卽大明崇禎甲申後七十二年也。都提調李頤命識。

금위영 유영은 대청 18칸·내아 6칸·향미고 54칸 등 총 108칸 규모로 지어졌으나, 역시나 지금은 모두 사라지고 기단과 9개의 주춧돌 등의 유구가 여기저기 흩어져 있을 뿐이다.

계곡 건너편 바위에 새겨진 금위영 각자

2014년 경기도가 시행한 '북한산성 정밀지표조사'에서 '금위영'이라는 각자(刻字)가 발견됨으로써 금위영 유영지의 위치를 특정할 수 있게 되었다. 금위영 각자는 유영지 옆 계곡 건너편 바위에서 어렵게 찾을 수 있었다. 가로

금위영 유영지 석축에 설치된 대형 누조

약 41cm, 세로 약 50cm 크기의 해서체 글자로, 부드러우면서도 획이 굵고 강건하여 북한산성 수비의 한 축을 담당했던 금위영의 기강과 위세를 느끼게 해준다.

한편, 계곡과 접한 유영지 석축 한켠에 묵직하게 얼굴을 내민 누조가 보인다. 가까이 다가가 보니 성곽에서 만나는 여느 누조와는 비교가 되지 않을 만큼 제법 크고 견고하다.

행궁지(行宮地)

국립국어원 표준국어대사전에 따르면, 행궁(行宮)은 '임금이 나들이 때에 머물던 별궁(別宮)'이다. 즉, 왕이 주 거처인 도성의 법궁을 벗어나 행차할 때 임시로 머무르는 궁궐로, 전란이 있어났을 때 피난처로 삼거나 왕릉에 참배하러 갈 때 머물던 공간을 이른다.

장주형 초석이 남아있는 행궁지

그렇기에 북한산성 내에 행궁을 마련하는 일은 성내의 어떤 다른 시설보다 신중해야 했다. 하지만 북한산성 내의 산세가 워낙 험하고 계곡이 깊어, 몇 번의 현장답사에서도 마땅한 곳을 찾기가 쉽지 않았고 의견도 엇갈렸다.

상원봉 동쪽 지역을 행궁 터로 낙점 대신들 사이에 논의가 거듭되면서 행궁 터는 두 곳의 후보지로 압축되었는데, 그중 한곳이 고려시대 창건된 중흥사 터였다.

중흥사 터는 산성 한가운데에 위치하고 평평한 지역이 비교적 넓어 처음부터 행궁 터 후보지에 올랐던 곳이다. 그러나 뒷산이 가파르고 산사태가 일어날 우려가 있었다. 그래서 조금 더 남쪽에 위치한 상원봉 지역이 행궁 터로 최종 낙점되었다.

하지만 이곳에도 문제는 있었다. 개울과 인접해 있는 데다가, 터

자체가 그리 넓지 않고 다소 경사져 있었다. 궁궐로서 마땅히 지녀야 하는 건축 예법을 갖출 수 있을지, 풍수지리적인 문제는 없는지에 대한 확인도 필요했다. 이에 호조·예조·공조 판서 등 관련 대신들을 필두로 행궁 터의 길흉을 살필 지사(地師)까지 현장답사에 참여하였고, 수차례 심사숙고를 거듭한 끝에 1711년(숙종37) 7월 지금의 위치로 최종 결정되었다.

조정에서는 암석을 파내고 지반을 다지는 데에도 많은 어려움이 따르는 난공사임을 감안하여 별도로 행궁영건청(行宮營建廳)을 설치했다. 이어 호조판서 김우항(金宇杭, 1649~1723)과 공조판서 이언강(李彦綱, 1648~1716)을 북한행궁영건 당상(堂上)으로 삼아 행궁 건립을 책임지도록 했다.

풍수지리에 따라 행궁을 배치하다 행궁 공사는 1711년(숙종

행궁지 발굴 현황 표지판

37) 8월에 시작되었다. 행궁이 자리잡을 방위(方位)인 좌향(坐向)은 풍수지리에 따라 결정되었다. 이에 대한 논의는 1711년(숙종37) 9월 3일 <승정원일기>에 기록되어 있다.

오늘 입시하였을 때 지사(知事) 김우항이 아뢴 내용은, '북한산성 행궁의 좌향(坐向)은 경좌갑향(庚坐甲向, 집터나 묏자리 따위가 남서쪽인 경방을 등지고 북동쪽인 갑방을 향하고 있는 것)과 신좌인향(申坐寅向, 집터나 묏자리가 신방申方을 등지고 인방寅方을 바라보고 있는 방향)이 모두 길하다고 하는데, 경좌로 재가해 내리셨습니다. 그러나 다시 자세히 살펴보니 경좌는 안대(案對, 두사람이 마주 대함)가 다소 빗나가고 신좌는 국세가 반듯한 데 연운(年運)은 피차 다 좋으니 신좌로 고치자는 뜻으로 감히 진달(進達)하옵니다.' 하니, 임금이 아뢴 대로 하라고 하였다.

今日入侍時, 知事金宇杭所啓: 北漢行宮坐向, 庚坐甲向、申坐寅向皆吉, 而以庚坐啓下矣。更爲詳審, 則庚坐案背稍斜, 申坐局勢平正, 而年運則彼此皆吉, 以申坐改定之意, 敢達。上曰 : 依爲之。

<승정원일기> 462책 (탈초본 25책) 숙종 37년 9월 3일 기축 18/20기사 1711년

즉, 지형 여건상 남향은 어려워 처음에는 행궁의 좌향을 동향으로 잡았다가 동북향으로 살짝 틀었는데, 이는 행궁 앞쪽의 산세를 반듯하게 바라보려는 의도가 담긴 선택이었다는 것이다. 이렇게 앉을 방향을 잡은 행궁은 상원봉 아래 4,130평 규모의 경사면을 3단으로 구분하여 대지를 조성하고, 아래로부터 크게 진입부에 해당하는 외조(外朝)·외전(外殿)·내전(內殿) 영역이 배치되었다.

행각과 담장 사이 외대문을 들어서면 마당이 있고, 뒤쪽 축대 가운데에 외전으로 들어가는 대문이 설치되었다. 좌우 부속건물인 행각(行閣)에 둘러싸인 외전을 지나 내대문으로 들어서면, 조금 더 높은 지대에 내전이 자리를 잡았다. 내전은 외전에 비해 조금 더 왼쪽(남서쪽)으로 치우친 곳에 자리했다.

1711년(숙종37) 10월 3일 <승정원일기> 기록에 따르면, 이날 입시한 총융사(摠戎使) 김중기(金重器, ?~1735)로부터 행궁의 배치 변경에 대한 건의가 있었다.

'내전(內殿)은 주초를 이미 놓고 기둥을 세워 들보를 얹었는데 좌향이 동북향이어서 전면에 바람이 많고 내전의 전삼간(前三間) 밖에 다시 외전(外殿)을 지으려 하고 있는데, 그 사이가 너무 좁고 외전 앞에는 지세가 가팔라 뜰이 없을 듯하니 잘 짓는다고는 할 수 없겠습니다.

그 서남쪽 모퉁이에 옛 절터가 있는데 양지를 향하여 바람도 받지 않고 극히 안온하며 지금 궁전을 짓고 있는 곳과는 17~18칸밖에 되지 않으니, 신의 생각으로는 지금의 내전을 외전으로 삼고 옛 절터에 남향으로 내전을 짓는 것이 마땅할 것 같았는데 이 일을 다른 대신에게 말하니 다른 대신도 그렇게 여겼습니다.'

內殿砌礎已排, 柱樑已竪, 而其向東北, 前面多風雨。內殿之前三間外, 又欲營外殿, 其間太窄, 外殿之前, 地勢陂陀, 似無庭際, 恐非善營。其西南隅古寺基, 向陽不受風, 極爲安穩, 與今營殿處, 相去其間, 不過十七八間。臣意, 以今建內殿, 變爲外殿, 古寺之基, 南向作內殿, 恐爲得宜。以此言于他大臣, 則亦以爲然矣。

<승정원일기> 463책 (탈초본 25책) 숙종 37년 10월 3일 무오 8/10기사 1711년

즉, 내전 앞으로 외전을 지으려니 장소가 너무 비좁고 지세가 험해 뜰을 만들 공간을 확보할 수 없으니 현재 공사 중인 내전을 외전으로 삼고, 그 서남쪽 모퉁이에 있는 옛 절터에 내전을 남향으로 다시 짓겠다는 것이다. 그래서 외전보다 내전이 왼쪽으로 치우쳐 세워

북한산성 행궁도(그림 왕혜정)

지게 된 것이다.

북한산성 행궁도 왕실이 머무르는 궁궐이었기에, 당시 궁궐건축의 배치 원칙인 전조후침(前朝後寢)의 원리가 그대로 적용되었다.

국권 상실 이후 방치, 소실되다 행궁 공사를 시작한 지 9개월여 만인 1712년(숙종38) 5월, 완성된 행궁의 전체 규모는 총 115칸에 달했다. 행궁의 규모는 문헌마다 조금씩 편차가 있으나, 성능의 <북한지>에 따르면 왕실의 생활공간인 내전(內殿)이 28칸이었고, 부속건물로 행각방(行閣房)·수라소(水剌所) 등 26칸이 마련되었다.

또 왕이 정사를 처리하는 집무공간인 외전(外殿)이 28칸, 여기에 딸린 부속건물로 행각방(行閣房)·누각(樓)·청(廳) 등 33칸이 설치되었다. 이들 전각 주위로는 이중 담장을 설치하여 풍수 피해로부터 행궁을 보호하도록 하였으며, 전방에는 북한산성의 총 지휘소인 동장대를 후방에는 남장대를 두어 유사시 행궁을 호위하고 주변을 경계하도록 하였다.

행궁의 관리는 북한산성을 총괄하는 경리청에서 담당하였는데, 실질적인 관리업무는 행궁 앞쪽에 설치된 경리청의 산하의 관성소가 맡아 처리하였다.

완공 이후의 행궁은 영조 대에 큰 수리가 있었고, 1877년에는 홍수로 인해 훼손이 심각하다는 총융사 조의복(趙義復)의 보고에 따라 고쳐지었으며, 1891년에도 경리청에서 행궁과 성첩(城堞, 성 위에 낮게 쌓은 담), 공해(公廨, 관가의 건물)를 중수(重修)하고 보축(補築)하였다는 내용이 <조선왕조실록>을 통해 확인되는 등 300년 동안 꾸준히 관리·보존되었다.

그러나 대한제국이 주권을 상실한 일제강점기로 접어들면서 행궁은 한동안 영국 성공회의 여름 피서지로 대여되는 등 제대로 관리되지 못한 채 방치되었다. 그마저도 1915년 7월의 집중호우와 산사태로 밀려든 토사와 바위에 매몰되면서 허물어졌다.

이후 100여 년간 온갖 수목과 잡풀에 덮여있던 행궁지는 2012년 조사 발굴이 시작되면서, 주춧돌 및 기단석 등이 그 모습을 드러냈다. 5차에 걸친 조사 발굴 과정에서 상당수의 건축 석재, 용·봉황·수(壽)·거미·꽃무늬 등의 막새기와, 치미·용두·잡상 등의 기와편, 여러 건축 부자재로 사용된 철물이 다량 출토되었다. 또 1915년 산사태로 매몰되기 전까지 실제로 사용된 것으로 보이는 서양식 램프(프랑스 고다르램프사 제작)와 그 부속품도 발견되었다.

고양시와 경기문화재단은 그동안의 조사 발굴과 정비공사를 토대로 행궁지의 원형을 고증하며, 중장기 보존·관리·활용 방안, 복원 정비 계획 등 효과적인 정비방안을 제시하고자 2017년부터 2019년까지 '북한산성 행궁지 종합정비계획'을 수립하였다. 이에 따라 단기(2020~2024), 중기(2025~2029), 장기(2030년 이후) 세 단계로 구분하여, 북한산성 행궁지 종합정비사업을 진행하고 있다.

서서히 모습을 드러내기 시작한 북한산성 행궁은 조선왕조가 두 차례의 전란 이후 도피가 아닌 도성민과 함께 한양을 방어하겠다는 굳은 의지를 보여준 돋보이는 군사유산이다.

성랑·산영루·북한산성선정비군

성랑지(城廊地) 북한산성 성벽을 따라가다 보면 성곽 안쪽으로 군데군데 작은 건물이 자리했던 흔적과 깨어져 흩어진 기왓장 조각들을 어렵지 않게 발견할 수 있다. 이곳이 북한산성의 초계와 관리 임무를 수행하던 병사들의 숙소인 성랑이 있던 자리이다.

성랑이란 병사들이 숙소로 사용하기 위해 지은 건물로써 그 자체

초소이자 숙소가 있던 성랑지

가 산성의 방어시설이기도 했기에, 성곽 축조가 끝나갈 무렵 성랑의 조성이 시급한 문제로 떠올랐다. 성랑 공사는 행궁이나 창고시설의 건립보다 먼저 시작되었으며, 산성의 축조를 담당했던 삼군문별로 자체 수비 지역에 조성하였다. 훈련도감 구역에 42개소, 금위영 구역에 60개소, 어영청 구역에 41개소 등 모두 143개소의 성랑이 1712년(숙종38) 여름 무렵에 완공되었다.

성랑은 대체로 성문 주변이나 높은 능선, 성벽이 돌출된 곳 등 성곽 경계에 유리한 지점에 일정한 간격을 두고 배치하였으며, 행궁·유영·창고 등 산성 내 주요 시설물 주위에도 집중적으로 설치하였다. 성랑은 단일 건물로 지어졌는데 작은 것은 3평에서 10평 정도로 성벽 주변에 주로 위치했으며, 규모가 큰 것은 20평에 이르기도 했다.

산영루(山映樓) 성능의 <북한지> '누관(樓觀)'에는 북한산성 내에 항해루(沆瀣樓)·산영루(山映樓)·세심루(洗心樓) 등 3개의 누각이 있었던 것으로 기록하고 있다.

항해루는 중흥사 동구 개울에 걸친 언룡교(偃龍橋) 위에 2층 누각을 세운 것인데 승(僧) 성능이 창건하였다. 대제학(大提學) 이덕수(李德壽)가 지은 상량문(上樑文)이 있다. 산영루는 중흥사(重興寺) 앞에 옛적에는 작은 다리를 덮은 누각이 있었으니, 바로 이 누각이었다. 지금은 없어졌다. 세심루는 서암사 앞 개울가에 있었다. 沆瀣樓 在重興寺洞口。跨溪有偃龍橋上建二層樓。僧聖能所刱。有大提學李德壽所撰上樑文。山暎樓 重興寺前, 舊有小橋覆以閣, 卽此樓。今廢。洗心樓 在西巖寺前溪上。

지금은 3개의 누각 모두 원형은 남아 있지 않다. 다만, 산영루는 조선후기 학자 이의숙(李義肅, ?~1807)의 시문집인 <이재집(頤齋集)> 권4에 수록된 북한산 유람기 〈화악일기(華嶽日記)〉에 따르면, 언룡교 위에 있던 항해루를 <북한지> 편찬 이후인 1758년에 옮겨지었다.

그러나 이 또한 1925년 북한산 일대를 휩쓸었던 을축년(乙丑年) 대홍수로 유실되고, 중흥사 근처 계곡에 10개의 장주(長柱, 긴 기둥)형 초석만 남아있던 것을 2014년에 복원하였다. 산영루는 '아름다운 북한산의 모습이 물가에 비친다'는 이름처럼 다산 정약용(茶山 丁若

복원된 산영루

鏞)과 추사 김정희(秋史 金正喜) 등 당대 명사들이 찾아와 아름다운 시문을 남기기도 하였다. 지금도 북한산을 오르는 이들은 산영루 그늘이 드리운 계곡에서 유유히 탁족(濯足)을 즐기며 산행의 고단함을 달래곤 한다.

북한산성선정비군(北漢山城善政碑群) 북한산 깊은 계곡에 날아갈 듯 서 있는 산영루 앞 오솔길 주변에는 바위 위쪽으로 높이 2m 안팎의 다양한 비석들이 모여 있는 모습을 볼 수 있다. 이것은 북한산성 관리를 담당했던 최고 책임자의 재임 당시 선정(善政)과 공덕(功德)을 기리기 위해 세운 선정비로, 예전에는 헤아릴 수 없이 많았다 하나 현재는 26기 정도가 남아 있다.

선정비 대다수는 1800년대에 세워진 것으로, 비문에는 당시 북한산성의 관리를 맡았던 총융청(摠戎廳)과 무위소(武衛所) 관리 책임

산영루 주변에 흩어져 있는 북한산성선정비군

자의 선정을 기리는 내용을 담고 있다. 하지만 대부분은 오랫동안 관리되지 못한 듯 옥개석이 땅에 떨어져 있거나 비석이 동강난 채 서 있는 경우도 보인다.

그래도 제법 비석의 모습을 갖춘 것들을 살펴보니 '총융사 조의복 영세불망비(摠戎使 趙公義復 永世不忘碑)', '총융사 김기후 애민청덕선정비(摠戎使 金公基厚 愛民清德善政碑)', '총융사 박주수 인덕애민선정비(摠戎使 朴公周壽 人德愛民善政碑) 등의 비문이 확인된다. 비석에 새겨진 이름 중에는 명성황후의 일족인 민영준과 민겸호, 세도정치의 중심인물인 김병기와 김문근 등 역사책에서 한번쯤 보았던 인물들도 보인다.

그런데 왜 하필 산영루 앞길에 이토록 많은 선정비를 세웠던 것일까 하는 의문이 든다. 이에 대하여 조윤민은 자신의 저서, <성(城)과 왕국>(2013, 주류성)에서 '북한산성 축성 당시에 이곳이 중성문을 지나 대남문으로 가는 주요 길목이자 왕이 머무는 행궁이 근처에 있어 사람들의 왕래가 가장 빈번한 곳이었기 때문'인 것으로 해석하였다. 그래서일까? 지금도 주말이나 휴일이면 이곳은 북한산을 찾는 탐방객들로 늘 북적인다.

16성문을 걷다

13개의 성문에 더해진 3개의 성문

1711년(숙종37) 북한산성을 축성하면서, 성 둘레에 13개의 성문을 만들었다. 숙종은 산성을 쌓은 이듬해인 1712년(숙종38)에 직접 성문을 둘러보고는, 북서쪽이 낮아 취약하니 겹성을 쌓도록 지시하였다. 이에 따라 중성을 쌓은 후 1714년(숙종40)에 중성문과 시구문, 수문이 완성되면서, 북한산성은 모두 16개의 성문을 갖추게 되었다.

성곽을 축성할 때와 마찬가지로 성문도 삼군문에서 분담하여 관리하였다. 북문, 서암문, 수문은 훈련도감이, 대서문에서 시작하여 의상능선을 따라 가사당암문, 부왕동암문, 청수동암문, 대남문까지 이어지는 성문은 어영청이 관리하였다. 한편 대성문과 보국문, 대동문, 용암문은 금위영 관할이었다.

네 방향에 성문 조성 후 8개의 암문 설치

북한산성의 축성 시 한양도성의 축조 경험과 기술을 반영하였기에, 두 성의 축성 방식에서 유사점이 느껴진다. 동서남북 각 방향의 문 사이에 소문을 만든 한양도성처럼, 북한산성도 각 방향의 문 사이에 암문을 만들었다.

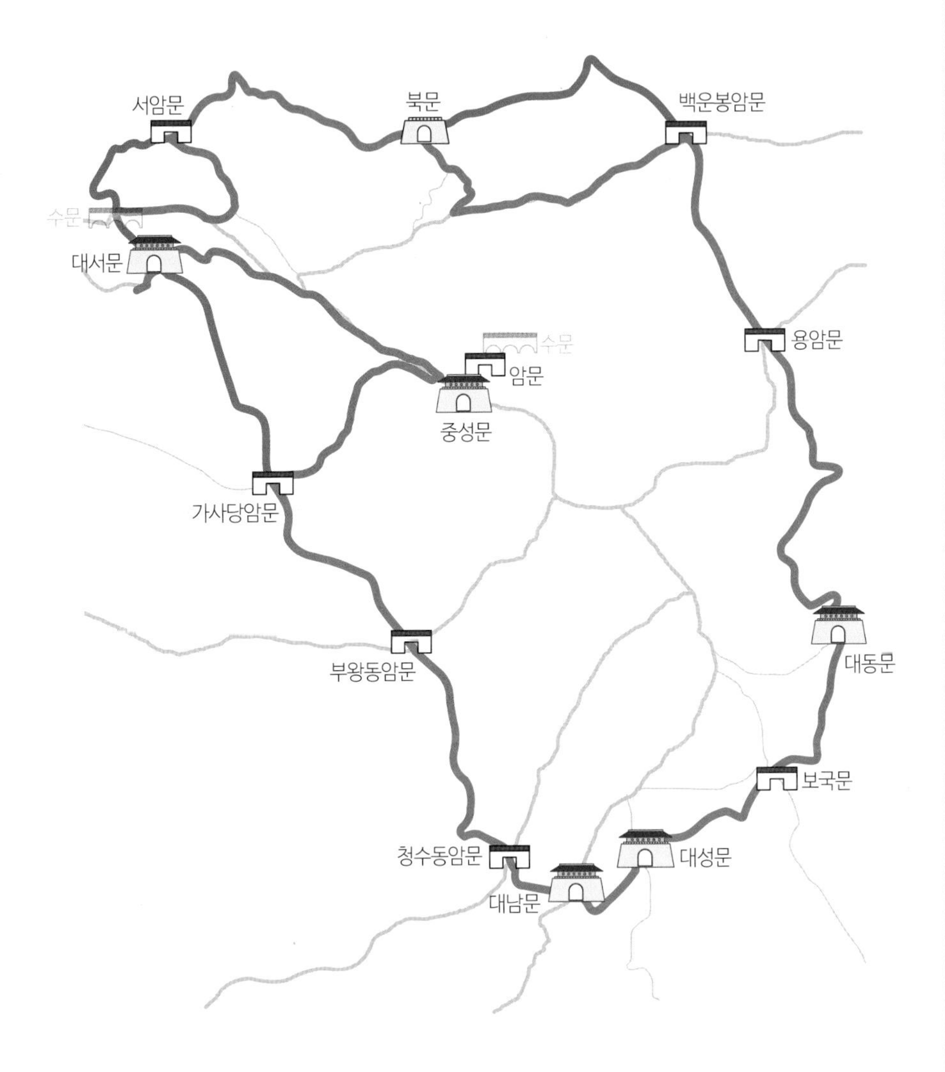
서암문
북문
백운봉암문
수문
대서문
수문
암문
중성문
용암문
가사당암문
부왕동암문
대동문
보국문
청수동암문
대성문
대남문

북한산성에는 총 8개의 암문이 만들어졌다. 암문은 비상시 병기나 식량을 반입하는 통로이자 구원병의 출입로가 되기도 했고, 산성 내부의 주민들이 지름길로 이용하던 문이다.
주로 능선의 고갯마루나 계곡길이 성벽과 교차하는 지점에 세워졌다.

2개의 시구문, 2개의 수문

산성 내에서 사망자가 발생할 시 상여가 나가는 문은 별도로 정해두었다. 겹성으로 이루어진 북한산성에는 시구문도 두 개였다. 중성문 옆에 작은 시구문을 만들고, 외성(外城)에는 서암문이 시구문 역할을 하였다.
또한 북한산성 계곡에 2개의 수문을 만들었다. 현재는 수문은 모두 사라지고 대서문과 중성문 옆에 수문 터만 남아있다.
수문(水門)은 말 그대로 수구(水口)이다. 북한산의 물이 빠져나가는 문이자 구멍이다.
북한산성 입구에서 대서문으로 올라, 이곳을 시작으로 중성문을 둘러본 후 시계 반대 방향으로 북한산성 성문을 차례로 둘러본다. 등산객들은 이를 '16성문 종주'라 한다.
하루에 16개의 성문을 모두 돌아볼 수 있으나, 꼼꼼히 성문을 둘러보는 답사를 원한다면 몇 차례에 나누어 답사하는 것도 좋다.

북한산성민들의 정문, 대서문

북한산국립공원 입구에 들어서서 잘 닦여진 길을 따라서 걸으면 대서문에 도착한다.

대서문은 성 안의 주민들이 한양으로 드나들며 이용하던 문으로, 1950년대까지 땔감을 달구지에 싣고 이 문을 통과하여 서대문 영천 시장에 내다 팔았다고 한다. 주민들은 이 문을 '서문'이라 불렀고, 19세기 전반에 제작된 것으로 추정되는 <동국여도(東國輿圖)> 가운데 <북한성도>에도 서문(西門)으로 표기되어 있다.

1710년(숙종36) 10월, 숙종이 훈련대장 이기하와 어영대장 김석연에게 흥복산과 북한산에 성을 쌓을 수 있는지 살펴보라고 명하였고, 이에 이기하가 돌아와서 아뢰었다.

'신이 중흥사로 들어간 것을 말씀드리자면, 길이 수구(水口)를 지

북한산성의 정문, 대서문

나가면 석문(石門)의 옛터가 나오는데, 바로 서문(西門)이라고 일컫는 것이었습니다. 성돌은 무너졌어도 아직 석축의 토대가 남아있었고, 내성(內城)으로 들어가니 또 성문이 있었는데 이곳은 절과의 거리가 겨우 수백 보 남짓이었습니다.'

臣之入重興寺也, 路由水口, 有石門舊址, 卽所謂西門也。城磚崩圮, 尙有石築基址, 而進入內城, 又有城門, 此則距寺僅數百步許。

<다시 읽는 북한지>, 북한산성 사료총서 제2권

훈련대장의 보고에 따르면 북한산에는 이미 옛 성터가 있었고, 주민들이 왕래하고 있으며, 대서문과 중성문 자리로 추정되는 곳에 석문이 있었다.

대서문 문루는 일제강점기에 파손된 채 방치되어 오다가, 1958년 최헌길 경기도지사가 698만 환을 들여 문루를 복원하고 오솔길을 확장

대서문 문루의 여장과 용머리 모양의 누조

대서문 중수기 편액

하였다. 현재 문루에는 최헌길 지사가 당시의 사정을 기록한 북한산성 대서문중수기 편액과 이승만 대통령이 쓴 대서문 현판이 걸려 있다.

문루 아래 육축에는 배수시설로 용머리 모양의 누혈(漏穴, 누조 漏槽라고도 함, 물이 흘러내리도록 구멍을 뚫은 돌)을 성 안팎으로 두었는데, 성문 안쪽에 있는 용은 입을 다물고 있어 장식용으로 설치했음을 알 수 있다. 문루의 여장은 모두 10개인데 각각 한 덩어리의 돌로 되어있는 것이 특징이며, 하나의 여장에 하나의 총안을 두었다.

겹성을 쌓고 만든 문, 중성문

대서문에서 무량사를 지나고 북한동역사관을 거쳐 한동안 오르면 중성문이 나온다. 북한산성 입구에서 한참을 걸어서 도착한 곳이지만, 중성문 직전의 가파른 언덕을 제외하면 비교적 평탄한 경사면이다.

겹성의 문, 중성문

숙종은 북한산성을 쌓은 이듬해인 1712년(숙종38) 이곳을 방문하여 '산성의 북서쪽이 평탄한 지형이라 적이 침략하기 쉬우니 중성을 하나 더 쌓으라'고 지시했다. 그래서 중성문(中城門)은 한자로 '가운데 위치한 성문'이라는 뜻이지만, 이중의 성(重城)에 만든 문이라는 의미의 중성문(重城門)으로도 썼다.

영·정조 대의 문신인 이엽의 문집 <농은집>에 실린 <북한도봉산유기(北漢道峯山遊記)>에도 '중성문(重城門)'이라고 기록되어 있음을 확인할 수 있다.

대성문(大城門)에 들어가니, 돌길이 험하여 말을 타고 가도 자꾸 비틀거려 떨어지려고 했다. 안장에 엎드려 3~4리를 가서, 중성문(重城門)을 지나갔다. 대체로 외성은 넓고 커서 지키기가 어려워서 내성을 더 쌓고 굳건히 지킨다. 성 안에는 여염집이 이어졌다.

중성문 직전의 언덕길

入大城門, 石路犖确, 馬驅頻隤, 俯鞍而行三四里, 過重城門。蓋外城濶大難守, 更築內城以堅之。城內閭閻絡屬。

이엽 <북한도봉산유기>

중성문은 적의 공격을 방어하기 위해 노적봉과 증취봉 사이 겹성(重城)을 쌓아 만들었다. 북한산성의 핵심 시설인 행궁과 중흥사, 상창 등이 위치한 내성(內城)으로 향하는 중요한 문이다. 중성문의 수비는 대서문, 대남문과 함께 어영청이 맡았다.

문루는 1998년에 복원하였다. 여장은 커다란 돌 하나에 총안 하나씩 둔 것이 대서문과 동일하다.

죽은 자의 문, 시구문

중성문 옆으로 작고 낮은 암문을 만들어 놓은 것을 볼 수 있다. 특이

중성문 옆의 시구문

하게 큰 문 옆에 작은 암문이 있는데, 이는 북한산성 안에서 사람이 죽으면, 시신이 통과하는 문이라 '시구문'이라고 불렀다.

상여꾼들이 몸을 낮춰야만 겨우 빠져나갈 수 있을 정도로 작은 데다가, 주변에 수풀이 우거져 있어서 그냥 지나치기 쉬우니 유심히 살펴야 만날 수 있다.

산성의 물을 흘려보내는 곳, 수문

시구문 옆 계곡이 중성에 있던 수문(水門) 자리다. 시구문 옆 계곡으로 이어지는 커다란 바위에는 계곡으로 내려가기 위해 홈을 파서 만든 계단의 흔적이 남아있다. 계곡 건너편 숲속에 성돌이 이어져 있는 것으로 보아, 수문의 위치를 짐작하는 것은 그리 어렵지 않다.

1925년 을축년 대홍수 때 중성의 수문이 터졌다고 하니, 물난리의

중성과 수문 터

규모가 짐작된다. 당시 수문이 쓸려나가 허물어진 이후 다시 수문을 달지 않은 채 오늘에 이르렀다.

국녕사가 지키던 가사당암문

가사당암문은 의상능선의 의상봉과 용출봉 사이에 위치한다. 중성문을 보고 나서 가사당암문으로 가려면 중성문에서 되돌아 내려와, 국녕사를 거쳐 의상능선으로 올라가야 한다. 가파른 길을 치고 올라가야 하기에 쉽지만은 않은 산행길이다.

국녕사의 초대형 불상을 지나 의상능선과 합류하는 고갯마루까지 오르면 암문이 나온다. 1711년(숙종37) 북한산성 성곽을 축조하면서 만든 8개의 암문 중 하나로, 백화사가 위치한 의상봉길에서 북한산성으로 오르는 길목을 통제하기 위해 만든 문이다. 아래쪽에 있던 승영사찰 국녕사에서 암문의 수축과 방어를 담당하였기에 국녕문이라고도 불렸다.

암문은 비상출입구 역할을 하던 곳이어서 문루는 설치하지 않았다. 암문은 아치 모양의 홍예식으로 쌓거나 천장에 여러 개의 장대석을 거치하여 평이하게 만들었다. 가사당암문의 경우에도 장대석을 걸치는 방식으로 만들었는데, 이를 '평거식(平据式)'이라 한다. 원래 문짝이 있었으나 지금은 없어지고, 문짝을 달았던 원형의 지도릿돌과 일반문의 빗장에 해당되는 장군목을 걸었던 방형 구멍이 남아있다.

의상능선을 타면 의상봉과 용출봉 사이에 가사당암문이 있고, 용출봉·용혈봉·증취봉을 넘으면 부왕동암문이 나오며, 이후 나월봉과 나한봉을 넘으면 청수동암문이 있다. 그런데 문 이름과 관련하여, 문제가 하나 있다. 옛 기록과 오늘날 우리가 알고 있는 문의 이름이 다

지금의 가사당암문(성 안쪽)

른 것이 바로 그것이다.

현재의 가사당암문과 청수동암문의 위치와 이름이 다르다. 우리가 알고 있고, 부르고 있는 두 문의 이름이 서로 바뀌어 있는 것이다. 즉, 지금 가사당암문이라 불리는 것은 청수동암문이 맞고, 청수동암문은 가사당암문으로 불러야 한다는 것이다.

<정조실록>에는 북한산 안찰어사 신기(申耆)가 북한산성을 돌아보고 정조에게 올린 서계(書啓, 일종의 보고서)에 암문의 명칭을 다음과 같이 기록하고 있다.

'수구(水口)에서 대서문(大西門)으로 돌아 솟아올라 의상봉(義相峰)이 되었고, 의상봉에서 용출봉(龍出峰)·용혈봉(龍穴峰)·시루봉[甑峰]·나한봉(羅漢峰)·가사봉(袈裟峰)을 거쳐 문수봉(文殊峰)의 높고 깎아지른 곳에 이르러 성이 끊겼으며, 협곡(峽谷)을 지나간 곳에

지금의 가사당암문(성 바깥쪽)

성을 쌓았습니다. 의상봉과 용출봉사이는 국령사(國靈寺)의 암문(暗門)이요, 시루봉과 나한봉사이는 원각사(圓覺寺)의 암문(暗門)이며, 가사봉과 문수봉사이는 가사암문(袈裟暗門)이요, 문수봉 오른쪽에 문수봉의 암문이 있는데, 지금은 대남문(大南門)이 되었으며, 문선(門扇, 문짝)의 대접철(大楪鐵, 가로로 엮어놓은 큰 쇠붙이)은 탈락(脫落)된 지가 오래되었습니다.'

自水口轉大西門, 而上爲義相峰, 自義相, 歷龍出峰、龍穴峰、甑峰、羅漢峰、袈裟峰, 至文殊峰高絶處, 絶城, 過峽處築。義相、龍出之間, 爲國靈寺暗門, 甑峰、羅漢之間, 爲圓覺寺暗門。袈裟、文殊之間, 爲袈裟暗門, 文殊之右, 有文殊暗門, 而今爲大南門, 門扇大楪鐵, 脫落已久。

<정조실록> 정조 9년 6월17일 갑오 2번째 기사 1785년

<정조실록>에 언급되는 가사봉과 문수봉 사이는 지금의 청수동암문 자리인데, 그 자리가 가사당암문이라 기록되어 있는 것이다.

산악인 심산은 <산과 역사가 만나는 인문산행>에서 이에 대해 아래와 같이 정리했다.

'<비변사등록>의 제63책인 <북한산성별단>에서도 의상능선 상의 성문들을 '대서문 -청수동암문-부왕동암문–가사당암문' 순으로 표기하고 있다. 성능이 작성한 <북한지>를 후학들이 오독한 결과 가사당암문이 청수동암문이 되고 청수동암문이 가사당암문이 되었다는 것이다.'

원각사암문이라 불린 부왕동암문

가사당암문에서 다시 능선을 타면서 용출, 용혈, 증취 세 개의 봉우리를 넘으면 부왕동암문을 만난다. 암문 앞 표지판에는 '부왕동여장

부왕동암문

이 북한산성의 여장 중에서 그 원형이 가장 잘 남아 있다'는 설명이 있다. 가사당암문과 비교해볼 때 부왕동암문의 위치는 고갯마루이기는 하지만, 주변 지대가 평평한 곳이 많다. 그럼에도 불구하고 꼭꼭 잘 숨겨져 있다는 느낌을 받는다.

2021년 현재 부왕동암문 주변의 성랑지와 나한봉 치성 성곽은 경기문화재단에서 발굴조사 및 복원작업 중이다. 조사 과정에서 고려시대의 중흥산성으로 추정되는 성벽도 발견되었다. 성돌을 다듬는 방법이나, 크기, 축조법과 유물로 미루어 추정한 것인데, 숙종 대에 성곽을 쌓으면서 중흥산성의 윗부분에 덮어씌운 것으로 보인다.

부왕동암문을 통해 성 밖으로 이어진 길을 따라 하산하면 삼천사가 있는 곳이다. 삼천사 쪽에서 반대로 부왕동암문을 통과하면 부왕사지와 북한산성 내부의 중흥사로 이어지는 길목이다. 따라서 부왕동암문은 요충지로 향하는 길목을 차단하기 위해 만들어졌다.

부왕동암문의 안쪽은 장대석을 올려놓은 사각 형태이다. 그러나 바깥쪽은 무지개 모양의 홍예 형태를 띠고 있으며, 위쪽으로 여장이 복원되어 있다.

부왕동암문은 여러 이름으로 불렸다. 암문의 성(城)안 아래쪽에 승영사찰인 원각사가 있었기에, 부왕동암문은 원각문 또는 원각사 암문이라고도 불렸다. 또 다른 이름은 '소남문'이었는데, 암문 홍예 성돌에 새겨진 글씨가 아직 남아있다.

청수동암문을 통과하면 탕춘대성으로

부왕동암문에서 다시 나월봉과 나한봉을 넘어 마주치는 문이 청수 동암문이다. 탕춘대성과 비봉을 거쳐 북한산성으로 이어지는 길목

청수동암문

에 세워진 암문으로, 나월봉·나한봉과 문수봉 사이에 만들어졌다.

가사당암문처럼 평거식으로 장대석을 걸쳐 장방형으로 만든 암문이다. 가사당암문은 위쪽에 여장을 복원해 놓았지만, 청수동암문 위에는 여장이 없다.

청수동암문 앞에 <북한도>가 그려진 표지판이 세워져 있다. <북한도> 상에서 행궁과 남장대가 가장 가까운 곳에 있는 암문이 바로 청수동암문이다.

청수동암문에서 어떤 이유로든 빨리 하산하고 싶다면, 청수동암문을 통과하지 않는 게 좋다. 성 밖으로 나가면 너덜길을 내려가서 문수봉에서 암벽을 타고 내려오는 길과 만난 뒤, 승가봉과 비봉으로 이어지는 긴 능선이 기다리고 있기 때문이다.

또한 청수동암문에서 성안 쪽으로 내려가면 행궁 터를 지나 북한산성 입구까지 5.2km에 달하는 긴 길을 걸어야 한다.

따라서 400m 옆에 있는 대남문에서 구기동으로 하산하는 코스를 선택하는 게 가장 좋다.

앞서 말했듯이, 가사당암문과 이름이 뒤바뀌었기에 청수동암문의 원래 이름은 가사당암문이 맞다. 표지판과 지도가 바뀌고, 암문에 달아놓은 현판이 바뀌지 않는 한 지금처럼 계속 잘못된 이름을 불러야 하는 상황이다.

암문, 대남문이 되다

청수동암문을 지나서 상원봉에 오른다.

능선을 따라 남쪽으로 내려가면 대남문이고, 북쪽으로 뻗은 능선길을 선택하면 행궁으로 향한다.

문수봉과 보현봉 사이 고갯마루에 설치된 대남문은 원래 문루가

대남문

없던 암문 형태였다. 그러나 1760년(영조36) 문루를 올리면서 북한산성 대문의 하나가 되었고, 이후 대남문으로 이름이 바뀌었다. 지금의 문루는 1991년에 복원한 것이다.

대남문이 원래 암문이었다는 흔적도 쉽게 찾을 수 있다. 문 아래에서 위쪽을 보면, 원래 암문으로 만들어졌기에 천장에 장대석이 걸쳐져 있음을 확인할 수 있다. 또 <북한도>에 보현봉 옆 지금의 대남문 위치에 '암문'이라고 기록되어 있음에서도 확인된다.

왕이 드나든 대성문

대남문에서 불과 400m 동쪽으로 떨어진 곳 해발 626m에 또 하나의 늠름한 문이 서 있다. 우진각 지붕의 멋진 단층 문루가 세워져 있는 대성문이다.

문루는 1992년에 복원한 것으로, 복원 전에는 홍예 형태의 성문만 남겨져 있었다. 대성문은 북한산성의 다섯 대문 가운데 가장 규모가 크다. 이 문을 통해 왕이 드나들었기 때문이다.

성문의 바깥쪽 육축 오른쪽 성돌에는 각자가 새겨져 있다. 오랜 시간이 지났음에도 불구하고 오늘날에도 뚜렷한 글자를 읽을 수 있다.

'禁營 監造牌將 張泰興(금영 감조패장 장태흥)'

'石手邊首 金善云(석수편수 김선운)'

금위영이 쌓았고, 감조패장 장태흥과 석수편수 김선운이 책임지고 공사했다는 말이다. 패장은 기능별 책임감독자를 가리키며, 패장 밑에는 공사 실무자들의 수장격인 편수를 두었다. 공사담당구역에 문제가 발생했을 경우 책임지는 조직의 감독관들이었다.

재미있는 사실은 금위영의 감조패장 장태흥은 무관이었음이 분

대성문

대성문에 새겨진 각자. 금영 감조패장 장태흥 석수편수 김선운

명한데, 1713년 이후 화원으로 활동했다는 점이다. 화원 장태흥은 <기사계첩(耆社契帖)>을 그린 화원 가운데 한 명이다. <기사계첩>은 1719년(숙종45) 숙종이 '기로소(耆老所, 70세 넘은 정이품 이상의 신하들을 예우하기 위해 설치한 기구)'에 들어간 것을 기리기 위해 그린 그림이다.

동(東)암문이라 불린 보국문

대남문에서 대성문을 지나 동쪽으로 1km를 이동하면, 해발 567m 지점에 언뜻 봐도 암문인 보국문이 등장한다. 행궁 터와 금위영유영지, 보국사 터에서 멀지 않은 곳이며, 성 밖으로 나서면 정릉동으로 하산길이 이어진다.

성문은 홍예 형태가 아닌 방형으로 장대석을 올린 평거식으로 지

보국문

어졌으며, 다른 암문처럼 상부에 문루가 없다. 1993년에 보국문을 부분적으로 수리하면서, 상부의 여장을 복원하였다.

북한산성의 동남쪽에 있는 암문이라 동암문이라고도 불렸다. 보국문 앞 표지판에는 '소동문'이라고도 불렸다고 표기되어 있다. 그러나 심산은 <산과 역사가 만나는 인문산행>에서 '대성문이 소동문'이라 하였고, 조면구는 <북한산성>(1994, 대원사)에서 금위영이건기비의 내용을 유추해 '대동문=소동문'으로 추정하고 있다.

소동문이라 불린 대동문

보국문을 지나 산성을 따라서 0.6km 북쪽으로 이동하면 널찍한 장소가 나오고 대남문 대성문처럼 웅장한 문이 또 하나 서 있다. 축성 초기에는 소동문이라 불렸던 대동문이다.

대동문을 통해 성 밖으로 나가면 우이동 진달래 능선과 연결된다. 성문 내부에는 금위영이 축성을 담당한 구간임을 알 수 있는 각자가 새겨져 있다. 각자는 '禁衛營自龍岩至普賢峰 二千八百二十步(금위영 자용암지보현봉 이천팔백이십보)'라 새겨져 있어, 용암봉에서 보현봉까지 2천8백2십보 거리를 금위영에서 쌓았음을 알리고 있다.

금위영이건기비에 '당초 금위영을 소동문 안에 세웠으나 지세가 높고 비바람이 세어 무너질 위험이 있으므로 숙종41년 보국사 아래로 옮겨 지었다'는 내용이 있다.

영·정조 대의 문신 이엽은 <농은집>에서 대동문 주변 능선의 아름다움을 다음과 같이 표현했다.

동장대에서 남쪽으로 수백 걸음 거리에 대동문이 있다. 북한산 한 맥이 한양 동쪽 산기슭으로 내달려, 날아오르고 흩어지면서 깃

대동문

발 같기도 하고, 헝클어진 머리 같기도 하고, 바람맞은 버드나무 같기도 하여, 역시 장관이었다.

自東將臺, 南距數百武, 卽大東門。漢山一脈, 馳入漢都東邊山麓, 飛揚散落, 如旗脚, 如亂髮, 如風柳, 亦壯觀也。

이엽 <북한도봉산유기>

사라진 절 이름으로 남은 용암문

용암문은 용암봉암문이라고도 불린다. 성 밖의 도선사와 북한산장, 노적봉을 연결하며 중흥사, 태고사로 통하는 길목이기도 하다. 용암문 바로 인근에 위치했던 용암사가 이 일대 수비를 담당하였다. 폐사된 용암사 터에는 무너진 탑의 잔해와 석축의 흔적만이 남아있는데, 오늘날 북한산장이 바로 그 위치다.

용암문

어렵사리 제 이름 찾은 백운봉암문

용암문에서 백운대 방향으로 온 등산객들은 그나마 쉬운 길이지만, 상운사에서 길고 긴 돌계단을 올라온 사람들이나 성 밖 하루재 쪽에서 올라온 사람들은 백운봉암문이 지옥문처럼 보일지도 모를 일이다.

백운봉암문은 백운대로 오르기 전 숨을 고르는 곳이기에 항상 사람들로 북적인다. 북한산의 최고봉인 백운대(836m)와 만경대(800m) 사이에 위치하여, 북한산성의 16개 성문 가운데 가장 높은 곳에 있는 문이다.

백운봉 밑에 있어 원래의 명칭은 백운봉암문이지만, 일제강점기에 위문이라고 했던 것이 굳어져 지금도 위문이라고 하는 등산객들이 많다. '위문(衛門)'은 '지킨다'는 뜻이니 백운봉을 지키는 문이라고 생각하기 쉽지만, 일제 무관의 관공서를 일컫는 명칭이었다. 실제로 중흥사지

백운봉암문

에 헌병배치소를 설치한 일제가 백운봉을 산악훈련이나 행군지로 삼으면서 자신들의 방식대로 이름을 바꾼 것이 그대로 이어진 것이다.

얼마 전까지만 해도 암문 바깥쪽에 '衛門'이라 쓰인 나무판이 달려있었으나, 어렵사리 제 이름을 찾았다. 암문이기에 애초부터 문루는 없었고, 문짝을 달았던 흔적이 남아있다. 성문은 네모난 형태를 띠고 있다.

폐허의 정취, 북문

북문은 원효봉과 영취봉(염초봉)을 잇는 능선사이 고갯마루에 위치한다. 홍예 형태의 출구를 갖춘 큰 문으로 축조되었으며, 훈련도감과 상운사에서 수비와 관리를 담당하였다.

원효봉 쪽에서 올라오는 등산객들은 서암문을 거쳐 원효암과 원효

북문

봉을 지나고 나서야 북문을 만날 수 있다. 북문의 동쪽으로 영취봉이 버티고 있고, 그 뒤쪽으로 북한산의 최고봉 백운봉이 자리하고 있다.

북문 앞 표지판에 따르면, 북한산성에서 북문은 다른 대문에 비해 상대적으로 중요도가 덜했음을 알 수 있다.

'북한산성에는 대서문·대남문·대동문·대성문·중성문·북문 등의 6개의 대문이 있으며, 큰길은 대서문-중성문-대남문·대성문을 연결하는 간선도로였다. 대문 중 북문과 대동문은 간선도로에서 벗어나 있는데, 이는 한양도성과 상대적으로 멀리 떨어진 지점에 위치했기 때문인 것으로 보인다. 대문으로서 북문이 차지하는 비중이 낮았던 것은 북문만이 대(大)자를 붙이지 않은 사실로도 알 수 있다. 실제로 <북한지>를 보면 북문에만 도로망이 연결돼 있지 않다.'

북한산성 지도를 보면 실제로 북한산성의 거의 모든 문이 간선도

폐허처럼 남은 북문의 홍예

로와 연결이 되어 있는데, 북문과 대동문만이 벗어나 있는 것을 확인할 수 있다. 북한산성의 북문은 대(大)자도 붙이지 못했을 뿐 아니라, 인적이 드문 곳에 자리해 큰문으로써의 역할을 하지 못했다. 마치 한양도성의 북문인 숙정문과 흡사한 운명으로 보인다.

북문은 문루와 문짝이 없는 상태로 육축부와 드나드는 개구부만이 남아있어, 폐허를 연상시킨다. 천정 부분도 없어 햇빛이 그대로 투과하는 북문의 내부는 아이러니하게 신비한 느낌을 자아낸다.

문루 자리에 초석이 남아있으며, 개구부에는 문짝을 달았던 원형의 지도릿돌과 장군목을 질렀던 방형의 구멍이 남아있다.

효율적인 방어를 위해 꺾은 성벽, 서암문

서암문은 원효봉 서쪽 아래 산기슭에 있다. 산성 안에서 죽은 이들의

서암문

ㄱ자로 꺽인 성곽과 연결된 서암문

시신이 이곳을 통해 성 밖으로 나갔기에, 시구문이라 불리기도 했다.

다른 암문들과 달리 장대석을 둥글게 다듬어서 올려놓은 홍예문의 형식이 특징이다. 또한 문과 연결된 성곽이 ㄱ자로 꺾여있는 점도 독특하다. 이는 서암문이 비교적 낮은 지역에 위치해 있어 방어에 취약한 점을 극복하기 위한 것이다. 성문과 연결된 성벽을 돌출시킴으로써 '치(雉)'의 기능과 역할을 하도록 만든 것이다.

산성 계곡을 지키던 수문

북한산성 입구로부터 머지않은 거리. 대서문 북쪽 아래에는 폭 50척(15.5m), 높이 16척(5m) 규모의 수문이 있었다. 비교적 큰 규모의 수문이었지만, 지금은 사라지고 없다.

중성문 수문보다 한참 아래쪽에 있었기에, 수문이 세워졌던 곳 물

대서문 옆 수문 터

길의 폭은 꽤 넓다. 길옆 표지판에 그려진 상상도(想像圖)에는 오간수문의 형태를 취하고 있는데, 한양도성의 오간수문과 비슷하다.

1915년 집중호우 때 상류의 중성문 옆 수문과 마찬가지로 이곳 수문도 거센 물살을 견디지 못하고 무너졌다.

현재는 계곡으로 내려갈 수 없어 수문이 있던 자리를 직접 확인할 수는 없다. 다만 계단 위에서 물길 양편으로 이어진 성벽을 바라보며 옛 수문의 크기를 가늠해볼 뿐이다.

승영사찰을 걷다

북한산을 산행하다 보면 유독 많은 절과 절터를 만날 수 있다. 숙종은 북한산성과 행궁을 만들고, 산성 수비와 관리를 위해 3군문 유영과 승영사찰을 조성한다.
세월의 부침(浮沈)에 따라 북한산성 축성 당시 승영사찰의 대부분은 현재 폐사지로 남아있다. 설령 건립 당시의 이름을 유지하고 있다 해도 한국전쟁 이후 재건된 경우가 대부분이기 때문에 원래의 승영사찰은 <북한산 유산기> 등 일부 기록으로만 확인할 수 있을 뿐이다.
<북한지>에는 산성 안팎 20곳의 사찰에 대해 기록하고 있으나, 여기서는 북한산성 수비를 담당한 3군문 관할지의 승영사찰에 대해서만 살펴본다. 승영사찰의 본부인 중흥사를 필두로 산성 북측 훈련도감 관할(수문 북쪽에서 용암문까지) 사찰, 산성 동쪽의 금위영 관할(용암봉 남쪽에서 보현봉까지) 사찰과 산성 서쪽 어영청 관할(수문 북쪽에서 보현봉까지) 사찰등 3군문 관할로 구분하여 살펴본다.

승영사찰

승영사찰이란 불전(佛殿)과 군사시설을 갖춘 사찰이다. 승영사찰의 군사시설은 무기와 군량미를 저장하는 창고가 중심이었으며, 군사 훈련장과 무기제조에 필요한 숯 등을 보관하는 부속시설이 있었다.

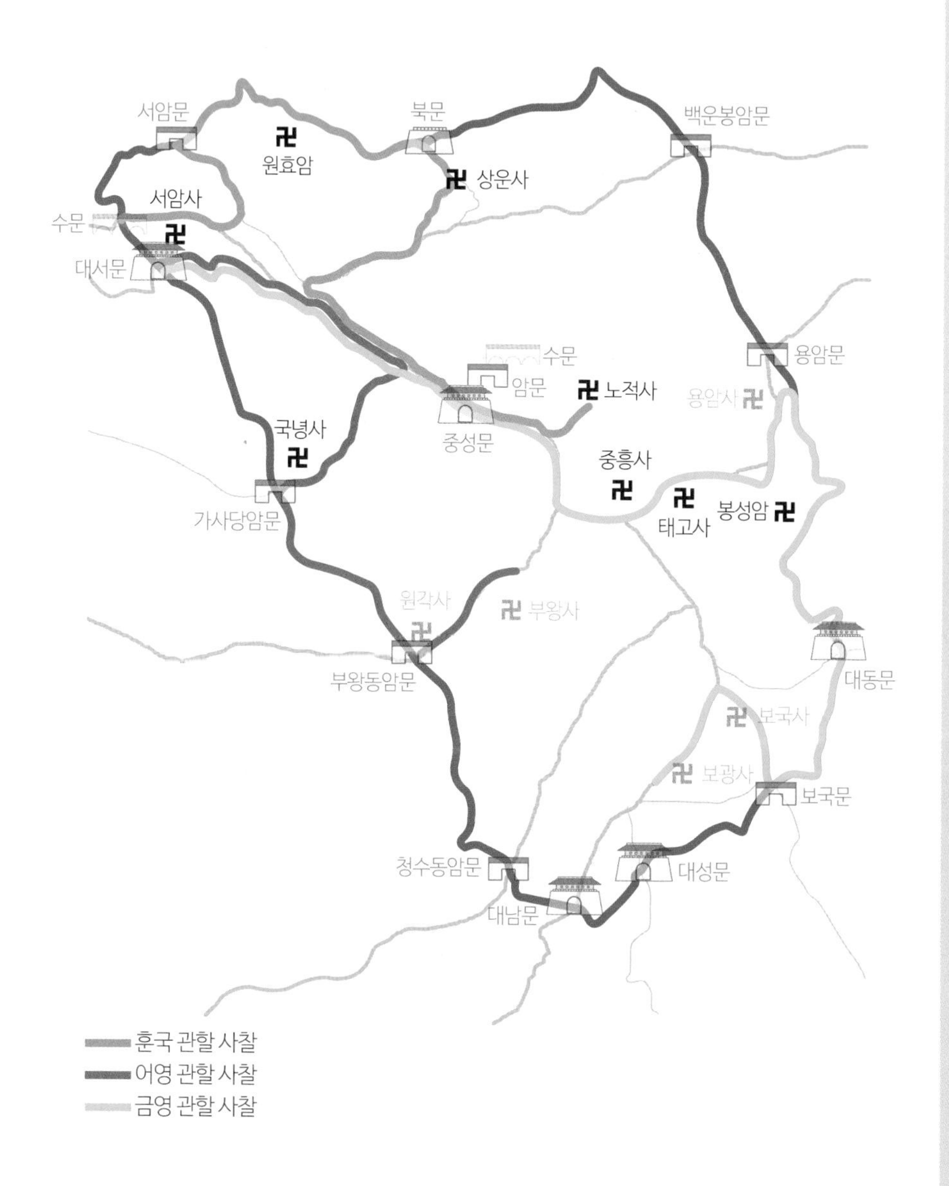
서암문
북문
백운봉암문
원효암
상운사
서암사
수문
대서문
수문
암문
노적사
용암문
용암사
중성문
국녕사
중흥사
가사당암문
태고사
봉성암
원각사
부왕사
부왕동암문
대동문
보국사
보광사
보국문
청수동암문
대성문
대남문
훈국 관할 사찰
어영 관할 사찰
금영 관할 사찰

승군(僧軍), 북한산성을 쌓고 지키다

조선은 군정(軍丁, 병역이나 노역 따위의 부역에 종사하는 장정) 확보를 목적으로 승려가 되는 것을 법으로 제한하는 도첩제(승려 허가제도)를 시행하였다. 조선시대 국가에서 벌이는 건축과 토목공사 등에 승려를 동원하고, 일이 끝나면 승려 신분을 보장하는 도첩과 호패를 발급하는 종교정책이었다.

황인규의 '조선후기 의승군과 북한산성 승영사찰'(<북한산성 연구논문집>, 2016) 논고에 따르면, 예부터 승군(전투에 참여한 승려)이 있었지만 조선의 승군은 양란 후 산성 축성 등 승역을 담당하였다.

1711년(숙종37) 북한산성 축성에는 기술자인 모군(募軍)과 3군문의 군인, 그리고 도성의 백성들과 함께 승군이 동원되었다. 승군의 총책임자는 화엄사 출신 팔도도총섭(八道都摠攝) 계파(桂坡) 성능(性能)이 맡았다.

3군문에 소속된 북한산성 승영사찰 산성 축성 이후 산성의 수비와 관리를 위해 3군문 외 11개의 승영사찰과 2개의 암자를 건립했다. 11사찰 2암자는 문수사, 용암사, 보국사, 보광사, 부왕사, 원각사, 국녕사, 상운사, 서암사, 태고사, 진국사, 봉성암, 원효암 등이다. 이 가운데 용암사, 서암사, 진국사, 봉성암, 원효암은 성능이 창건하였고, 태고사는 중창하였다.

북한산성의 승영사찰은 주로 성의 문 가까운 곳에 세워졌다. 서암사는 서문과 수구문, 상운사는 북문, 국녕사와 원각사, 용암사와 부왕사는 암문에 보광사는 대성문 근처에 자리했다.

각 승영사찰에는 승장(僧將)과 수승(首僧) 1명씩을 주둔시키고 그 아래 의승 3명을 두었다.

북한산성 승영사찰의 본부인 중흥사는 산성 가운데 위치하여, 승대장을 겸임한 팔도도총섭(八道都摠攝) 성능이 머물면서 산성 내 모든 승영사찰을 관리하였다. '금위영이건기비'에 '숙종 37년 10월 산성을 완축한 후 금위영이 담당 구간 소속사찰로 보국사, 보광사, 용암사, 태고사 네 절을 소속시켰다'고 기록되어 있다. 이를 통해 당시 승영사찰이 삼군문에 소속되어 있었음을 알 수 있다.

승영사찰(僧營寺刹)의 본부, 중흥사(重興寺)

<북한지>에는 등안봉(登岸峯) 아래 있으며, 옛날 절은 30여 칸뿐이었으나 북한산성을 쌓은 후 늘려 짓게 되어 136칸이 되었다고 기록되어 있다.

중흥사는 고려 후기 태고(太古) 보우(1301~1382)국사가 중수한 사찰이다. 북한산성 수축시 중흥사를 증축하여 승대장이자 팔도도총

중흥사지 표지석

섭이던 성능이 머물며, 산성 내 모든 사찰을 지휘·관리하던 곳이다.

중흥사는 조선의 내로라하는 사대부들은 물론 왕까지 거둥(擧動)했던 사찰로, 이곳을 찾아 남긴 기록이 적지 않다.

농은(農隱) 이엽(1729~1788)은 <북한도봉산유기(北漢道峰山遊記)>에 중흥사에 대한 기록을 남겼다.

산영루 위로 길이 점차 험준하고 가팔랐다. …(중략)… 날이 저물어 중흥사에서 묵었다. 절 문에는 '치영(緇營)'이라는 편액이 달려 있다. 앞에 창고 건물이 가로놓여 있고, 작은 누각에는 숙종의 어제시(御製詩)가 걸려 있다. 총섭승(摠攝僧)이 인사하러 왔는데, 안색과 외모가 괴이했다. 산속의 고적을 얘기하여 벌져주니, 끊임없이 도란도란 들을 만하였다. 중흥사는 백제의 시조인 온조(溫祚)왕의 옛터로, 산성은 신미년(1691, 숙종17)부터 쌓기 시작했다. 주민이

중흥사 석축

7천 가구이고, 절이 열두 곳이고, 창고가 넷으로, 곡식이 10여 만 석 쌓여 있었다. 식사 때는 산나물, 들나물 등을 제공하여, 절로 맑은 이야기를 나누게 된다. 밤에 일어나 달이 뜬 뜰을 거닐자니, 고목이 그늘을 드리우고 달빛이 새어 나온다.…(하략)…

중흥사와 관련하여 재미있는 기록도 찾을 수 있다. 농암(農巖) 김창협(金昌協, 1651~1708)이 중흥사를 방문한 뒤 쓴 시에, 훗날 이곳을 찾은 정조가 차운(次韻, 남이 지은 시에서 운자를 따서 시를 지음)하여 시를 쓴 것이다.

訪重興寺(중흥사 방문)

김창협 시

깊은 가을 서리 이슬 산숲 씻어 말끔하여 (高秋霜露洗林丘)
하늘 끝에 높이 뜬 삼봉 반겨 바라보네 (喜見三峯天畔浮)
절벽의 싸늘한 놀 비 기운 남아 있고 (絶壁冷霞餘雨氣)
무너진 성 기운 햇살 차가운 개울 비추네 (壞城斜日映寒流)
덩굴 얽힌 옛길이라 갈피 잡기 어려워 (藤蘿古道深難取)
등불 밝힌 절간 방 날 저물어 들어갔네 (燈火禪房暝始投)
아름다운 산수 속에 언제나 은둔하여 (勝處每懷長往志)
계수나무 부여잡고 스님 함께 머물고파 (會攀叢桂共僧留)

過重興寺 次農巖韻(중흥사를 지나며 농암의 시에 차운하다)

정조 시

풍경소리 희미하니 절은 가까운데 (細聞淸磬近禪丘)
깊고 깊은 숲은 하늘에 떠도네 (萬木深深天外浮)
이끼 낀 벽에는 비구름 감도는데 (苔壁歸雲增雨氣)

성벽에 걸린 석양 냇가를 비추네 (雉城斜照入泉流)
책 읽는 이 몇인지 산창은 조용하고 (幾人經卷山窓靜)
늙은 중 느린 지팡이 돌길을 더듬네 (老釋閒笻石逕投)
문득 농암의 산수유람 버릇 생각나네 (忽憶農巖山水癖)
절 방에서 가부좌 얼마나 참았을꼬 (佛龕趺坐幾曾留)

정조의 <열성어제(列聖御製)>

이덕무(1741~1793)도 <기유북한>에 중흥사에 대한 기록을 남겼다.

중흥사라는 절이 있는데 고려 시대에 세워진 것이다. 11개의 사찰 중에 가장 오래되었고 크다. 앉아있는 금불(金佛)은 높이만도 한 길(丈)이 넘는다. 승장(僧將)이 개부(開府. 관청을 설치하고 관리를 두다)하여 주둔하고, 팔도(八道)의 승병(僧兵)을 영솔하였는데, 이

복원불사 중인 중흥사

름은 '궤능(軌能)'이라 하고 직책은 '총섭(總攝)'이라고 한다. 옆에 마석(磨石)이 있는데 암석에다가 그대로 조각한 것이었다.

중흥동 계곡 옆 넓은 터에 자리한 중흥사는 1904년 화재로 불타고 말았다. 조면구의 <북한산성>에 따르면, 항일의병 전쟁이 한창이던 1907년 이후에는 이곳에 일본군 헌병이 배치되어 머물렀고, 1915년 8월 집중 폭우로 인한 노적봉의 산사태로 폐허가 되었다.

중흥사는 터만 남아있었으나, 2005년 지홍스님이 주지로 부임하여 새로이 불사를 시작하여 2012년 대웅전을 준공하였다. 2017년에는 만세루와 전륜전이, 2018년에는 제2요사채가 완공되는 등 복원 불사가 지속적으로 이어지고 있다.

바위에 새겨진 북한승도절목(北漢僧徒節目)

산영루 앞 북한산성선정비군이 어지러이 늘어선 화강암 암벽 아래쪽으로 시선을 옮기면 한자리에 빼곡히 새겨진 암각문이 눈에 들어온다. 이 암각문은 1855년(철종6)에 새긴 '북한승도절목'으로, 총 325자로 이루어져 있다.

명문(銘文)은 산성 내 승려 도총섭 임명에 따른 원칙을 준엄하게 정한다는 내용으로, 외부 인물이 북한산성 승영의 총섭에 임명되는 것을 엄금하고 있다. 이를 위해 북한산성 총섭을 임명할 때 예상되는 폐단을 없애기 위한 3가지의 규칙을 제시하고 있다.

현재는 마모가 심한 상태여서 암각문을 제대로 확인하기 쉽지 않다. 이에 경기박물관에 소장되어있는 탁본(1980년대 추정)을 경기문화재단에서 해석한 내용을 인용한다.

북한산성은 국가를 보호할 중요한 지역이다. 사찰을 창건하거나 승도를 모집하는 것이 어찌 헛되이 그러겠는가? 곧 산성을 쌓아 수로하려는 뜻이거늘, 최근에 승도가 없어지고 사찰이 피폐하여 조석으로 지키지 못하게 된 것은 어째서인가?

대개 승도들이 질거나 마른 것을 꺼리지 않고 힘을 다해 나라 일에 봉사하는 것은 장수에게 기대하는바 오직 총섭 한 자리에 달려 있을 따름인데, 매번 교체할 때마다 성 밖의 승려로 임명하는 폐단이 빈번하다. 이로 말미암아 승도들이 성을 고수하려는 뜻을 갖지 않고 흩어져 사방으로 가버리니 형세가 실로 당연하다. 이제 총섭의 임기가 다해 교체할 때 만약 정해진 규칙을 거듭 밝혀서 영구함을 도모하지 않는다면, 어찌 승도들을 위로하여 성을 수호하는 책무를 다하게 하겠는가? 하물며 임금의 교지를 받아 정한 규칙은 정중할 뿐만 아니라 거기에는 떠받드는 도가 있어야 하니, 어찌 감히

북한산승도절목

소홀히 할 수 있겠는가? 이번에 절목을 지어 바위에 새기고는 이에 따라 시행할 것이니, 만들어진 법령을 어기지 말지어다.

1. 총섭이 비어 교체할 때에는 이번의 예에 의거하여 먼저 투서함을 받고 다시 권점을 행한 뒤에 점수가 많은 대로 시행하여 공평무사한 뜻을 알게 할 것.

1. 이번에 이 정식을 되풀이하여 밝힌 뒤에도 만약 성 밖 승려 중에 자기가 임명되도록 도모하는 자가 있으면 성 내의 승도들이 수교 정식과 이번의 절목을 가지고 영문에 소송하여 그를 어기는 일이 없도록 할 것.

1. 이번 정식은 진실로 승도들을 위해 보장하려는 뜻에서 나왔으므로 총섭은 이 애틋한 마음을 알아서 사찰의 폐단은 바로잡기를 바라고 국가에 대한 봉사에 극진히 노력하여 앞으로 실효가 있도록 할 것.

을묘년(철종6, 1855년) 5월 일 사동 김 등

조선후기 북한산성 관리의 한 축을 담당했던 승군 운영체제의 단면을 엿볼 수 있는 귀중한 문화유산이다.

북한승도절목이 등장하게 된 배경이라 할 수 있는, 외부 인물이 북한산총섭이 되었다는 내용이 여러 기록에서 확인된다.

이옥의 <중흥유기>(1793)에는 '승(僧)사일(獅馹)은 '호종천교 정각보혜(護宗闡教 正覺普慧) 팔로제방대주지(八路諸方大住持) 팔도승병도총섭(八道僧兵都摠攝)'과 화산 용주사 총섭을 지내다 북한산 총섭으로 옮겼다'고 기록되어 있다.

<만기요람> '군정(軍政)' 편에는 '승병을 설치하고 치영(緇營, 승병으로 조직된 군영)이라 하였다. 중흥사에 있다. 총섭 1명 본시는 종전부터 거주하는 중으로 임명하였는데, 1797년(정조21) 정사에 수원유수 조심태(趙心泰)의 계청에 의하여 용주사(龍珠寺)의 중으로 번갈아서 임명하게 하였다'는 기록이 있다.

훈련도감 소속의 사찰 (서암사, 원효암, 상운사, 진국사)

북한산성 내 훈련도감의 관할구역은 대서문 북쪽 수문에서 시작하여 용암문까지다. 훈련도감 구역에 자리했던 사찰은 서암사와 원효암, 그리고 북문 아래쪽 상운사, 노적봉 아래 진국사(현 노적사)로 3개의 사찰과 1개의 암자이다.

서암사(西巖寺) <북한지>에 '서암사는 수구문 내에 있다. 133칸이며, 승(僧) 광헌(廣軒)이 창건하였다 在水口門內。一百三十三間。僧廣軒所䈴。'고 기록되어 있다.

<다시 읽는 북한지>에는 '처음에는 민지사(閔漬寺)라고 불렀는데, 문인공(文人公)의 민지(閔漬, 1248~1326)의 유지(遺址)가 그 옆에 있기 때문이다. 그 후에 공의 휘(諱)를 피해 지금의 이름(서암사)으로 고쳤다'고 쓰여 있다.

경기문화재단에서 발행한 <북한산성 유산기>에 실린 허목(許穆, 1595~1682)이 1658년(효종9)에 쓴 '고양산수기(高陽山水記)'에 서암사에 관한 기록이 있다.

석문의 반석을 지나니, 물은 더욱 맑고 돌은 희다. 동굴과 구렁은 모두 가파르고 높은 암벽으로, 꼭대기까지 모두 그랬다. 그 아래 민지암(閔漬巖)이 있다. 민지(閔漬)는 고려 때 재상으로, 불도를 좋아하고 유명한 산수를 유람했다.

송상기(宋相琦, 1657~1723)가 1717년(숙종43)에 쓴 ‘유북한기(遊北漢記)’에서도 민지사에 대한 기록을 찾아볼 수 있다.

계곡 가운데를 따라가서 민지사에 도착하였다. 이 역시 새로 지은 것이다. 민지암은 중흥사에 비할 정도였으나 바위가 모래에 묻히면서 예전 같지 않다. 걸은 서문 안에 있어 그윽하고 깊은 맛은 부족하였으나, 계곡과 폭포와 바위와 골짜기는 볼만했다. 절방은 크고 탁 트이고 밝고 시원해서 여러 절 중 최고였다.

지금의 서암사는 2006년 발굴조사를 시작으로, 2007년 경기도 문화재 자료로 지정되어 중창 불사를 진행하고 있다. 경기문화재연구원에서 발간한 보고서 <북한산성의 역사와 문화유적>(2014)에 따르면, 서암사는 성능이 지은 사찰로 6개의 무기고가 있는 승병훈련장이어서 일제에 의해 먼저 훼손되었다.

서암사

원효암(元曉庵) 북한산 원효암은 서암문과 원효봉 사이 가파른 계단 길에서 만나는 낡은 암자로, 성능이 창건한 10칸 규모의 암자이다. 인근에 신라시대 원효(元曉, 617~686)대사가 수도하던 바위가 있었다 하여, 원효암이라 이름 붙었다.

원효암에는 원효대사가 지팡이로 뚫었다는 이야기가 전해지는 석간수(石間水)가 나오는 약수와 원효대 지명이 남아있다. 대웅전 안에 원효대사의 진영(眞影, 초상화)이 있으며, 산신각에는 채색된 마애여산신상(摩崖女山神像)이 자리하고 있다. 원효암의 산신각에는 산신할아버지가 아니라 독특하게 여산신이 모셔져 있다.

한국전쟁으로 소실되었다가 다시 건립된 원효암 절벽 아래로 대서문 일대가 한눈에 보인다. 성호 이익(李瀷, 1681~1763)은 원효암에서 보는 낙조를 '삼각산8경'의 하나로 꼽았다.

원효암 산신각 여산신

원효암낙조

이익 시

서쪽 고개에 저녁달 걸려있고 (西嶺膽殘月)
하늘은 핏빛 붉게 물들었는데 (光輝血色紅)
몇 조각 구름은 다투어 빛나고 (餘雲爭溢射)
숲에는 저녁 안개가 아련하네 (林露共濛濛)

상운사(祥雲寺) 원효봉에서 백운대 방향 아래쪽으로 지붕 위에 卍(만)자가 그려져 있는 곳이 상운사다. <북한지>에 '영취봉 아래에 있다. 133칸이며, 승(僧) 회수(懷秀)가 창건하였다 在靈鷲峯下。一百三十三間。僧懷秀所刱。'고 기록되어 있다.

상운사 경내의 안내문에는 이렇게 쓰여 있다.

상운사 3층석탑과 향나무

'북문에서 직선거리 288m 정도에 위치한 사실로 미루어 훈련도감 유영과 함께 북문의 관리와 수비를 맡았다고 짐작된다. 상운사는 창건 후 승영사찰로 제 역할을 다해오다가 한국전쟁 중에 사찰 건물이 대부분 소실돼 폐사 직전에 이르렀다.'

상운사 약사굴은 예부터 대구 팔공산 갓바위와 경주 백률사와 함께 약사여래불의 성지로 꼽혔다. 상운사 경내의 400년 된 향나무는 아이를 못 낳는 사람의 소원을 들어준다는 이야기를 품고 있고, 한켠에는 1999년에 고려시대 석탑 일부를 이용해 쌓은 3층 석탑이 있다.

고개를 들면 백운대, 만경대, 노적봉의 장엄한 모습이 눈 앞에 펼쳐진다.

진국사(鎭國寺, 현 노적사) <북한지>에는 '노적봉 아래 중성문 안에 있다. 85칸이며, 승 성능이 창건하였다 在露積峯下中城門之內。八十五間。僧聖能所刱。'고 기록되어 있다.

진국사는 북한산성이 축성된 다음 해인 1712년(숙종 38)에 새롭게 만든 중성문 안쪽, 노적봉 아래 위치한 사찰이다. 진국사는 훈련도감과 함께 북한산성 내에 겹성으로 구축한 중성 일대의 방비를 맡았다.

노적사(구 진국사)

원래의 진국사는 오래전에 사라졌고, 그 터에 1960년대에 새로 절을 지은 것이 오늘날의 노적사(露積寺)이다. 중성문을 지나 노적교

노적봉 아래 자리한 노적사

를 건넌 후 가파른 돌길을 오르면, 노적사의 관문인 보임루(保任樓)가 보인다. 경내로 들어서면 대웅전 북쪽으로 우뚝 솟은 산봉이 노적봉이다. 그 모양이 마치 노적가리 같아서, 노적봉이라 이름 붙었다.

이덕무는 <기유북한>에서 진국사를 이렇게 노래했다.

산영루를 등지고 험한 산길을 돌아 북으로 가면 세 장쯤 되는 돌에 '백운동문'이라 새겨져 있고, 돌길을 돌아 절문에 당도하니 붉은 나무와 흰 돌이 있고 계곡은 차갑더라.

背山映樓, 崎嶇而北, 三丈石。銘白雲洞門。循石路, 到寺門, 紅樹白石。鑿而泠泠。

금위영 소속의 사찰 (용암사, 태고사, 봉성암, 보국사, 보광사)

북한산성 안의 금위영 관할구역은 산성 동쪽의 용암봉 남쪽에서 보현봉까지이다. 금위영 구역에 자리했던 사찰은 용암문 인근에 있었던 용암사를 시작으로, 태고사와 봉성암, 그리고 지금은 터만 남은 보국사와 보광사 등 4개의 사찰과 1개의 암자이다.

용암사(龍巖寺) <북한지>에 '일출봉 아래에 있다. 87칸이며, 북한산성을 쌓은 후 창건하였다 在日出峯下。八十七間。以下並築城後刱。'고 기록되어 있다. 용암사는 창건한 인물이 알려지지 않은 승영사찰이다.

오늘날 무인 대피소인 북한산대피소 인근에 남은 석탑의 흔적만이 이 일대가 과거 용암사 터였음을 말해주고 있다. 북한산국립공원관리공단의 기록에는 옥개석과 탑신석의 일부를 통해 신라말에서 고려 초에 건립된 탑으로 추정되며, 숙종 조 이전에 건립된 사찰로 산성 수비와 승병들의 훈련장으로 사용되다 갑오개혁 즈음 승병해

용암사 터에 남겨진 석탑의 잔해

산으로 폐사된 것으로 보인다고 쓰여 있다. 용암사가 있었던 또 다른 흔적은 인근에 있는 암문의 이름으로 남아있다.

이덕무는 <기유북한>에서 용암사가 '북한산 동쪽 가장 깊숙한 곳에 있다'고 기록했다.

태고사(太古寺) <북한지>는 '태고대(太古臺) 아래에 있으니, 바로 중흥사 왼쪽 봉우리이다 在太古臺下, 卽重興寺左峯。'라고 기록하고 있다. 또 태고사가 보우·이색과 깊은 관련이 있음을 말하는 내용도 있다.

고려시대 스님 보우(普愚, 1301~1382)가 이곳에 거주하면서 '태고(太古)'라고 편액(扁額)하였다. …(중략)… 보우가 입적(入寂)하자 목은(牧隱) 이색(李穡, 1328~1396)이 그의 비명(碑銘)을 지었다. 북한산성을 축성한 후에 총섭(摠攝)인 승(僧) 성능(聖能)이 보우의 유지(遺址)에 태고사를 창건하였는데, 총 131칸이었다. 옛 이름을 따라서 태고사라고 하였다. 高麗僧普愚住此, 扁以太古。…(중략)… 及死李牧隱穡撰碑銘。築城後摠攝僧聖能, 普愚遺址經紀刱寺, 凡一百三十一間, 仍名以太古。

태고사원증국사탑

<다시 읽는 북한지>에 따르면, <천자문> <사서삼경> <전등신화>를 비롯하여 모두 5,700여 판(板)을 판각하고, 그 책판(冊板)을 태고사에 보관하였다.

이 내용은 1789년(정조13) 4월 2일자 <일성록>(日省錄, 1760년부터 1910년까지 국왕의 동정과 국정에 관한 제반 사항을 수록한 정무政務일지)에서도 찾아볼 수 있다.

이덕무는 <기유북한>에 태고사에 있는 보우의 비에 대한 기록을 남겼는데, 태조 이성계에 관한 내용도 있다.

절 동쪽 산봉우리 밑에 고려의 국사(國師)인 보우(普愚)의 비(碑)가 있으니, 목은(牧隱)이 지었고 글씨를 쓴 사람은 권주(權鑄)였다. 국사의 시호는 원증(圓證)이고 태고(太古)는 호이다. 신돈(辛旽)이 권세를 잡자 상소하여 그 죄를 논하여 당시 임금에게 내쫓겼으니 불가의 절개 있는 사람으로는 탁월하다. 입적(入寂)하사 사리(舍利) 100매가 나왔는데 이것을 세 곳의 부도(浮屠)에 간직하였다. 비음(碑陰, 비석 뒷면에 새긴 글)에 우리 태조(太祖)가 나라를 세우기 전의 벼슬과 성명(姓名)이 있는데 벼슬은 '판삼사사(判三司事)'라고 되어있다. 상(上)이 올해 특별히 명하여 비각을 지어 덮게 하였다.

태고사원증국사탑비

寺東峯下, 有高麗國師普愚碑。牧隱撰。書者權鑄也。師謚曰圓證, 太古爲號。辛旽用事, 上書論其罪, 爲時君所逐, 卓乎桑門之有節者。旣寂, 舍利百枚。三浮屠以藏之。 碑陰有我太祖微時爵姓諱, 爵曰判三司事。上之今年, 特命閣以覆焉。

조선후기 문신인 월곡(月谷) 오원(吳瑗, 1700~1740)은 자신의 문집 <월곡집>에 '태고사'라는 시를 남겼다.

말에서 내려 선문에 이르니 풍경소리 맑게 울려퍼지는데
표연히 종려나무와 대나무가 우거진 산길로 들어가노라
물안개와 서리 내리는 뭇골짜기에 가을의 모습이 깨끗해
무수한 산봉우리에 단풍빛 산뜻하고 저녁 산기운 맑게 퍼지네
온조왕의 웅대한 포부, 옛 성터와 함께 사라지고
고려의 옛 흔적, 바위 위에 이끼 되었네
국가에서 험준한 곳에 성곽을 세워 방비에 노고하니
비취빛 아름다운 누각을 세워 영채들을 감싸안게 하였노라

下馬禪門一聲淸
飄然椶竹入山徑
煙霜衆壑秋容
楓櫪千巖夕氣晴
溫祚雄圖遺堞盡
麗朝舊刻老苔生
邦家設險勞籌策
翡翠樓護拱列營

시는 백제의 옛 성터에 북한산성을 쌓았으며, 사찰이 고려시대에 창건되었음을 말하고 있다.

귀룽나무와 요사채 뒤로 3단 능선 위에 절집이 있다. 계단을 오르면 대웅전과 탑비를 만날 수 있다. 산신각 지나 다시금 계단길을 오르면 태고사 뒤편 산등성에서 3층 석탑을 만난다. 보우의 사리탑인 태고사원증국사탑이다. 그 앞에는 이색이 보우의 행적을 기록했다는 태고사원증국사탑비가 서 있는데, 둘 다 보물이다.

봉성암(奉聖菴) <북한지>에 '구암봉(龜巖峯) 아래에 있다. 25칸으로, 승(僧) 성능(聖能)이 창건하였다 在龜巖峯下。二十五間。僧聖能所刱。'고 기록되어 있다.

경기문화재단 북한산성문화사업팀에서 운영하는 공식블로그 '북한산성'에 따르면, 봉성암은 1860년(철종11)에 중수하였고, 보담(寶曇)이 쓴 상량문에 많은 승려가 머물렀다.

또 1918년에 강제 폐사되어 태고사에 합병되었고, 보련당대사(寶蓮堂大士) 응향(應香, 1792년 입정한 계율이 엄격한 승려)의 승탑과 계와 성능의 것으로 전하는 승탑이 있다. 성능의 승탑(고양 봉성암전성능대사부도 高陽奉聖庵傳性能大師浮屠)은 한국진쟁 때 폭격맞은 것을 1960년대에 복원한 것이다. 또 앞뜰에는 화강암으로 만든 정방형의 우물이 남아있다.

봉성암전성능대사부도

보국사(輔國寺) <북한지>에 '금위영 아래에 있다. 177칸이며, 승 탁심(琢心)과 명희(明凞) 등이 창건하였다 在禁衛營下。一百七十七間。僧琢心、明熙等所刱。'고 기록되어 있다.

<다시 읽는 북한지>에 '보국사는 금위영의 창고 아래에 있다', <북한산성금위영이건기>에는 '(금위영은) 보국사, 보광사, 용암사, 태고사 네 곳의 절을 맡았다. …(중략)… 을미년(1715, 숙종41) 3월에 보국사 아래로 옮겨지었다'고 쓰여 있어, 보국사가 금위영 관할이었음과 그 위치 또한 분명히 하고 있다.

북한산성이 축성될 때 창건된 보국사는 산성 내 사찰 중 규모가 가장 큰 사찰이었다. 이는 송상기(宋相琦, 1657~1723)가 1717년(숙종43)에 쓴 <유북한기(遊北漢記)>를 통해 알 수 있다.

어영청 별관과 보국사를 두루 관람하였다. 보국사는 새로 창건한

보국사지

절이기 때문에 하나도 볼 만한 것이 없었다 仍歷見御營廳別館及輔國寺, 寺新創無可觀。

보광사(普光寺) <북한지>에 '대성문 아래에 있다. 71칸으로 승 설휘(雪輝)가 창건하였다 在大成門下。七十一間。僧雪輝所刱。', 또 같은 책 '치영'에는 '보광사는 대성문 아래에 있다 普光寺。在大城門下。'고 기록되어 있어, 정확한 위치를 알 수 있다.

이덕무의 <기유북한> 내용 중 보광사에 관한 기록을 통해 당시 사찰의 역할을 짐작할 수 있다.

드디어 보광사 법당(法堂)에 이르러 오른쪽 조정(藻井)에 세 사람의 이름을 크게 써 놓았다. 화상(和尙)들은 모두 군사(兵)에 관한 이야기를 하였으며, 벽실(壁室)에는 창·칼·활·화살 등을 저장하고 있었다.

보광사 터

遂抵普光法堂, 右藻井, 大書三人字姓。和尙皆談兵, 壁室, 貯鎗、刀、弓、矢。

지금은 건물터와 잘 쌓은 석축만이 남아있다.

어영청소속 사찰 (국녕사, 원각사, 부왕사)

북한산성 안의 어영청 관할구역은 산성 서쪽의 수문에서 보현봉까지이다. 어영청 구역에 자리했던 사찰은 가사당암문 아래쪽에 있는 국녕사, 부왕동암문 인근에 있었다는 원각사, 그리고 부왕동암문에서 산성 안으로 이어지는 길의 남쪽 산중턱에 그 흔적이 남아있는 부왕사까지 모두 3개이다.

국녕사(國寧寺) 북한동역사관을 지나 중성문으로 오르는 길에 다리를 건너자마자 오른쪽 작은 암자 방향으로 오르면 거대한 불

국녕사 청동대불

상이 있는 국녕사를 만난다.

절을 지나 계속 오르면 가사당암문에 닿는다.

<북한지>에는 '의상봉(義相峯) 아래에 있다. 86칸이며, 승(僧) 청휘(淸徽)와 철선(徹禪)이 창건한 것이다 在義相峯下。八十六間。僧淸徽、徹禪所刱。'라고 기록되어 있다.

국녕사는 의상대사, 사명대사와 연을 맺고 있다.

국녕사 앞 표지판은 '국녕사는 일찍이 신라 화엄사상의 대종장이시며 원효와 더불어 배달겨레 최고의 선지식이신 의상대사께서 天供(천공, 天人들의 공양)을 받으시며 수행정진 하시던 기도터'이며, '사명당 대사께서 나라에 환난이 있을 것을 예지하시고 국녕사가 흥하면 나라가 흥하고 국녕사가 무너지면 나라가 무너진다 하시면서 호국기도도량 승병양성도량으로 건립하신 86간의 대가람'이라고 기록하고 있다.

원각사(元覺寺) 터 <북한지>에 '증봉(甑峯) 동쪽 가까이에 있다. 74칸이며, 승(僧) 신초(信楚)가 창건한 것이다 在甑峯近東。七十四間。僧信楚所刱。'라고 기록되어 있다.

<정조실록>에 기록된 북한산성 안찰어사 신기(申耆)의 보고 역시 원각사의 위치를 짐작케 한다.

의상봉과 용출봉 사이는 국령사의 암문이요, 시루봉(증봉)과 나한봉 사이는 원각사의 암문
義相、龍出之間, 爲國靈寺暗門, 甑峰、羅漢之間, 爲圓覺寺暗門。

<정조실록> 20권, 정조 9년 6월 17일 갑오 1785년

부왕동암문을 원각사암문이라 한 것은 암문 가까운 곳에 원각사가 자리 잡고 있었음을 뜻한다. 오늘날 사찰은 없고, 그 터만 남았다.

이덕무는 <기유북한>에 부암동암문 밖에 삼천사가 있음을 기록

하고 있다.

나한봉(羅漢峯)이 있으니 높이 솟은 모양이 부처(浮屠)가 서 있는 것 같다. 그 아래에 절터가 있는데, 고려시대에 3천 명의 중이 거처하였으므로 '삼천승동(三千僧洞)'이라 한다.
有羅漢峯, 巍然如浮屠立也。其下有寺墟, 麗時三千僧處焉, 仍名曰三千僧洞也。

부왕사(扶旺寺) 터 부왕동암문에서 산성 안 계곡을 향해 내려가다 '청하동문(靑霞洞門)'이라 새겨진 바위 인근에서 남쪽으로 오르면 산 중턱에서 부왕사 터를 만난다. 너른 곳에 늘어선 커다란 초석들만으로도 예전 절의 규모를 짐작할 수 있다. 인근의 석축과 기단석 등도 이곳에 부왕사가 있었음을 말하고 있다.

<북한지>에 '휴암봉 아래에 있다. 111칸이며, 승 심운(尋雲)이 창

부왕사 터 길목에서 만나는 청하동문 각자

건한 것이다 在鵂巖峯下。一百一十一間。僧尋雲所刱。'라고 기록되어 있다.

<북한지>의 '치영'은 '부왕사는 휴암봉 아래에 있다 扶旺寺。在鵂巖峯下。'고 쓰고 있다.

부왕사는 고려 시대부터 절이 있었다고 하며, 조선 개국 전 이성계가 100일 기도를 올렸다고 전하고 있는 것으로 미루어 부왕사가 창건되기 이전부터 유서 깊은 장소였던 곳이다.

송상기는 <유북한기>에 부왕사가 새로이 창건되었다고 기록하고 있다.

증봉 이래에는 부왕사를 새로 건축했다. 그 단청이 소나무, 회나무 숲을 은근히 비추고 있는 모습이 눈에 크게 뜨였다.
甑峰下扶王寺新刱。金碧隱映於松檜中, 亦覺開眼。

부왕사 터에 남은 초석

이덕무의 <기유북한>에 부왕사에 대해 상세한 기록을 남겼다.

이 절은 북한산 남쪽 깊은 곳에 있다. 골짜기는 청하동(青霞洞)이라 하는데 동문(洞門)이 으슥하고 고요하여 다른 곳은 모두 이와 짝하기 어렵다. 임진왜란 때 승장(僧將)이었던 사명대사(四溟大師)의 초상이 있다.

寺在漢之南奧。 洞名曰青霞洞, 門其幽而寂。它皆難與之侔。有壬辰僧將泗溟師像

부왕사 승탑

현재 절터에는 누각의 초석으로 추정되는 돌기둥 16기가 3열로 남아있다. 축대 위쪽에는 승탑과 '扶旺寺'라고 새겨진 것으로 보이는 돌이 남아있다. 한국민족문화대백과사전에 따르면, 1939년 영산전과 별당을 신축하였으나, 한국전쟁 때 모두 파괴되어 현재에 이르고 있다.

북한산성의 승영사찰은 조선후기가 되면서 명맥만을 유지하다가 1894년 갑오개혁 시 승군 및 의승방번제가 폐기되면서 더욱 쇠락하여 갔다. 특히 일제의 군대해산령에 따라 산성 내 군사시설과 화약고 등이 폭파되면서 보국사, 원각사, 용암사, 보광사, 국녕사, 서암사 등은 폐사되었다.

현재 북한산성에는 상운사, 태고사, 진국사(노적사), 국녕사 등의 사찰이 있으나, 승영사찰의 원래 모습은 찾아보기 어렵다.

북한산성, 능선을 걷다

1983년, 북한산은 도봉산과 함께 북한산국립공원으로 지정되었다. 이름은 북한산국립공원이지만 북한산과 도봉산을 묶어 하나의 국립공원으로 지정하였기에, 북한산국립공원과 북한산은 엄격히 구분해야 한다. 도봉산과 북한산을 구분하는 기준은 우이령(牛耳嶺)으로, 경기도 양주시 장흥면 교현리와 서울시 강북구 우이동으로 이어지는 고갯길이다.

북한산의 규모는 생각보다 크고, 넓다. 북한산이 품고 있는 능선의 수도 상당하다. 산성주능선을 시작으로 우이능선, 형제봉능선, 형제봉동능선, 대성능선, 칼바위능선, 진달래능선, 상장능선, 원효능선, 의상능선, 사자능선, 비봉능선, 응봉능선 등이 모두 북한산 능선이다. 웬만큼 북한산을 오른 이들도 낯선 이름이 적지 않을 듯하다.

이 가운데 북한산성은 의상능선과 산성주능선, 그리고 원효능선을 연결하여 축성되었다. 따라서 여기서는 많은 능선 중 북한산성과 연결된 3개의 능선을 살펴본다.

북한산성의 설계작업은 1711년(숙종37) 이른 봄에 시작되었다. 봉우리와 능선 자체를 성벽으로 삼는 축성방안이었다. 북한산성 입구에서 시작하여 능선을 따라, 용출봉 용혈봉 증취봉 나월봉 나한봉 상원봉 문수봉 시단봉

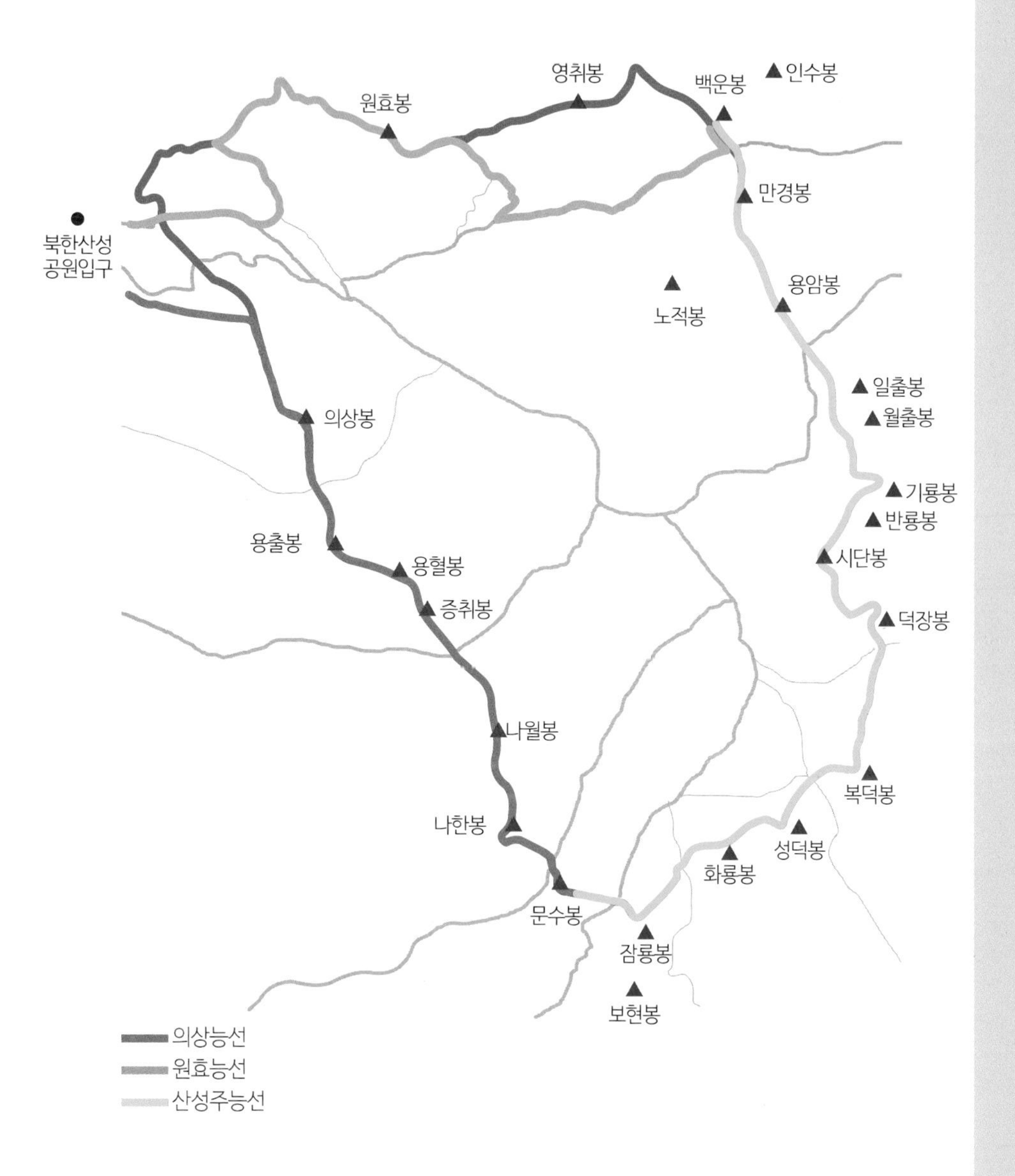
영취봉
백운봉
인수봉
원효봉
만경봉
북한산성
공원입구
용암봉
노적봉
일출봉
의상봉
월출봉
기룡봉
반룡봉
용출봉
용혈봉
시단봉
증취봉
덕장봉
나월봉
복덕봉
나한봉
성덕봉
화룡봉
문수봉
잠룡봉
보현봉
의상능선
원효능선
산성주능선

용암봉 백운봉 영취봉 원효봉으로 이어지는 대규모 성곽으로,
성곽의 둘레는 모두 12.7km이다. 기암이 자연성벽을 이룬
봉우리 정상 부분은 성벽을 쌓을 필요가 없었다. 자연 지세가
성벽으로 활용된 부분이 4.3km에 달하며, 성벽을 쌓은
구간은 모두 8.4km이다.
능선의 경우, 진행 방향에 따라 펼쳐지는 풍경이 사뭇
다르기에, 16성문처럼 한 방향으로 계속 걷지 않고 3개의
능선으로 나누어 각각 다른 방향으로 진행하기로 한다. 첫
번째 코스는 북한산성 입구에서 시작하여 대남문까지 늘어선
의상능선, 두 번째 코스는 북한산성 입구에서 원효봉을
넘어 백운봉암문까지 오르는 원효능선, 그리고 세 번째는
백운봉에서 대남문까지 이어지는 북한산성 주(主)능선을
다루기로 한다.

의상능선

첫 번째 코스인 의상능선은 북한산성 입구에서 시작하여 의상봉 용출봉 용혈봉 증취봉 나월봉 나한봉 상원봉 문수봉 대남문으로 이어지는 총길이 4.5km의 아름다운 능선이다.

북한산성 입구에 서면 늠름하게 솟아오른 북한산의 산봉들이 보이고, 길 오른쪽에 의상봉, 왼쪽에 원효봉이 있다. 계곡으로 향하는 갈림길을 지나 포장길을 따라 약 300m 정도 올라가다 보면, 의상봉으로 향하는 표지판이 나온다. 의상봉은 해발 502m로, 신라의 고승(高僧) 의상의 이름을 따서 붙인 이름이다.

의상봉을 향해 오르기 시작한다. 의상봉 표지판이 있는 갈림길에서 의상봉까지는 1.3km이다. 의상능선은 북한산의 여러 능선 가운데서도 난이도가 높은 능선 중 하나이다.

초반 40여 분을 오르면 널찍한 경사면 바위로 이루어진 북쪽으로 탁 트인 공간을 만나게 되는데, 경사면에 놓인 바위가 토끼 두 마리를 닮았다고 하여 쌍토끼바위라 불리는 곳이다. 이후부터는 산행길 곳곳에서 성랑지를 만나게 된다. 성랑은 북한산성을 지키던 초소로 산성 내에 총 143개가 있었다.

의상봉(義相峯, 502m) 의상능선의 첫번째 봉우리는 의상봉이다. 해발 502m로 의상능선에서 가장 낮지만, 만만치 않은 암릉이 숨어 있는 곳이다. 의상봉 정상에서 보는 삼각산의 자태는 그야말로 의상능선의 백미이다. 원효봉과 영취봉 그리고 백운대 만경대 노적

원효암에서 바라본 의상봉

봉 용암봉이 차례로 늘어서 있다. 노적봉 앞쪽으로 보이는 뾰족한 봉우리는 북장대지이다.

<북한지>의 '산계(山谿)'에는 기린봉(麒麟峯, 472m)으로 노적봉 아래쪽에 있다고 기술되어 있다.

등산객들은 의상봉을 의상대라 부르기도 한다. '대(臺)'는 정상 봉우리가 아니더라도 평평한 부분을 일컫는다. 등산객들이 부르는 것처럼 의상대와 의상봉은 같은 곳일까. 경기문화재단에서 발간한 <다시 읽는 북한지>에는 다음과 같이 설명하고 있다.

미륵봉(彌勒峯): 본서 〈산계(山谿)〉에서 '의상대-미륵봉 아래에 있다. [義相臺在彌勒峯下]'고 하여 의상대 위쪽 사이 미륵봉이었음을 알 수 있고, 〈사찰(寺刹)〉에는 '국녕사(國寧寺)-의상봉(義相峯) 아래쪽에 있다'고 하였으므로 국녕사 뒷산이 의상봉이었다는 사실을 알 수 있다. 본서 〈사실(事實)〉에는 숙종36년(1710) 이기하(李基夏, 1646~1718)가 홍복산성과 북한산성을 간심(看審)하고 올린 계사(啓辭)가 실려있으니, 여기에는 의상봉으로 되어있다. 이런 사실들을 종합하면 의상봉은 의상대의 다른 이름이 분명하다고 하겠다. 그러나 성능은 의상봉을 미륵봉이라고 하고 미륵봉과 국녕사 사이 의상대로 불리던 산부리를 의상봉이라고도 했던 것으로 추정된다.

위의 글 가운데 '이런 사실들을 종합하면 의상봉은 의상대의 다른 이름이 분명하다고 하겠다'는 부분은 '의상봉은 미륵봉의 다른 이름이 분명하다고 하겠다'로 고쳐 쓰고, 성능이 의상봉이라고 불렀던 부분을 '의상대'로 부르는 것이 타당하다. 그렇다면 의상봉 바로 밑의 평평한 지대가 의상대이다.

용출봉(龍出峯, 571m)·용혈봉(龍穴峯, 581m) 용이 승천

했다고 전해오는 봉우리. 의상봉을 넘은 후 아기자기한 암릉선을 타는 쏠쏠한 재미가 이어진다. 가사당암문을 지나 용출봉 용혈봉 증취봉까지 1시간가량 마음껏 산행을 즐긴다.

용출봉에서 용혈봉까지는 그리 오래 걸리지 않는다.

용출봉에서 이어지는 철계단을 타고 내려오면서 바위 사이에 낀 바위를 밟고 지나간다.

앞으로 가야 할 나월봉·나한봉·상원봉과 보현봉이 멀리서 손짓하고 있고, 북동쪽으로는 원효능선과 함께 백운봉과 만경봉이, 그리고 그 앞쪽에 노적봉이 그야말로 우뚝 솟아 있다. 누군가는 저 산에 올라서 도읍지를 정했다지만, 필부들은 저 장엄한 산에서 경외와 신성을 느꼈을 것이다. 뒤돌아보면 용이 승천했다는 용출봉이 용솟음치듯 뾰족하게 솟아 있다.

증취봉에서 바라본 용출봉 용혈봉

산행길 곳곳에서 산성의 흔적을 만날 수 있다. 산성의 돌들은 쓸려 내려가고, 여기저기 흩어지고, 최근에 이르기까지 여러 산객들이 휴식 또는 식사할 때 깔고 앉는 돌로도 이용되고 있다.

증취봉(甑炊峯, 593m) 증취봉은 용혈봉과 거의 붙어있는 모습이다. 증취봉 바위는 휴식을 취하기에 좋다. 마침 바위 옆의 소나무는 그늘을 제공한다.

증취봉은 <북한지>에서 증봉(甑峯)이라는 이름과 혼용되어 사용되었다. 한국의 많은 산봉우리에 붙은 이름인 시루봉의 한자가 증봉이다. 증취봉은 시루가 불타는 모습처럼 생겼다 해서 붙은 이름이다.

가파른 바위 위에 박아놓은 철난간에 의지하여 증취봉을 내려가면, 제법 널찍한 공간이 나온다. 커다란 바위가 있고, 가을에 붉은 단

나월봉에서 바라본 용출봉 용혈봉 증취봉

풍이 아름다운 부왕동여장이 있는 곳이다. 암문 옆 표지판의 내용에 따르면, 북한산성 여장 가운데 이곳 부암동여장이 가장 원형에 가깝다.

'여장이란 성벽 위에 설치한 낮은 담장으로, 적을 관측하고 공격하면서도 자신을 방어하기 위한 목적으로 만들었다. 여자도 넘을 수 있다고 하여 여장이란 이름을 붙였다는 견해가 있다. …(중략)… 이곳 부왕동암문 가까이에 있는 여장은 '부왕동여장'으로 불리는데, 대략 8.4km에 달하는 북한산성의 여장 중에서 그 원형이 가장 잘 남아있다. 북한산성의 여장은 전돌로 만든 남한산성의 여장이나 잘 다듬은 돌을 이용하여 만든 화성의 여장과 차이를 보이는데, 적당히 다듬은 할석(割石, 깬돌)으로 쌓았다. 현재 동장대 주변에 복원된 여장은 세부 재료와 축조 방식에서 부왕동여장과 차이를 보여 원형이 잘 반영된 복원이라 할 수 없다. 앞으로 여장 복원은 이곳 부왕동여장을 참고하여 이루어져야 하겠다.'

나월봉(蘿月峯, 651m)·나한봉(蘿漢峯, 711.5m) 증취봉을 지나면 나월봉을 향해 디시금 가파르세 올라야 한다. 부왕동암문에서 성밖으로 나가 삼천사계곡에 발을 담그고 싶은 유혹을 이겨내야 하는 곳이기도 하다.

나월봉에 오르면 힘든 만큼 절경을 만난다.

나월봉에서 나한봉으로 이어지는 능선에 펼쳐지는 풍경은 의상봉에서의 그것과는 사뭇 다르다.

의상봉에서 건너편 삼각산 봉우리들을 가까이서 볼 수 있었다면, 나월·나한봉에서의 풍경은 삼각산 봉우리들과 함께, 지나온 의상능선까지 모두 파노라마로 보여준다. 의상능선 상에서 빼놓을 수 없는 절경 중 하나이다.

나한봉

나월봉에 오를 때 성벽이 보이지 않는다는 것을 알게 된다. 험준한 바위 절벽이 곧 성벽이기 때문이다.

이어지는 나한봉 정상에는 항상 식사하는 등산객들로 인해 북적였는데, 2021년 여름 현재 공사가 한창이다.

나한봉을 내려와 청수동암문을 향해 나아간다. 의상능선을 마무리하기 위해 상원봉(칠성봉 또는 715봉이라고도 부른다)을 올라 조금만 진행하면 청수동암문에 닿는다.

문수봉(文殊峯, 727m) 청수동암문과 이어진 성벽을 따라가면 만나는 바위로 이루어진 봉우리가 문수봉이다. 지리적으로는 경기도 고양시 덕양구 북한동에 속한다.

문수봉의 큰 바위에 서면 남쪽에 우뚝 선 보현봉과 구기동, 그리고 한양 땅을 조망할 수 있다. 문수봉과 보현봉은 불교에서 서방정토

문수봉

에는 부처님의 좌우에 보현보살과 문수보살이 앉아있다는 데서 따온 이름이다.

<다시 읽는 북한지>에는 1710년(숙종36) 10월에 훈련대상 이기하(李基夏)가 북한산을 살펴보고 돌아와 논한 내용을 전하는데, 이 가운데 문수봉에 관한 내용이다.

'동과 서, 양쪽은 더없이 험준하였고, 인수봉·백운대·만경대의 세 봉우리는 이것이 삼각산이 되어 도성 뒤쪽에 우뚝 솟아 있었습니다. (삼각산) 약간 서쪽으로 있는 봉우리가 노적봉이라는 것이고, 그 아래에 중흥사가 있었습니다. 그리고 만경봉이 동쪽으로 돌아가며 구불구불 이어지면서 석가현, 보현봉, 문수봉이 되었습니다.

문수봉이 날개를 펼치면서 형제봉의 두 봉우리가 되었고, 또 남쪽은 구준봉과 백악산이 되었습니다. 그리고 문수봉에서 한 지맥이 서쪽으로 돌아가며 칠성봉이 되었고, 칠성봉에서 두 지맥이 뻗어 나와 한 지맥은 뚝 떨어져서 나한봉·증봉·혈망봉·의상봉 등 여러 봉우리가 되어 중흥동 수구(水口)에 이르렀고, 한 지맥이 서쪽으로 달려가면서 승가봉과 향림사 뒤 봉우리가 되었습니다.'

문수봉의 정확한 위치와 함께 문수봉을 중심으로 뻗어내린 산줄기에 대해 명확하게 설명하고 있다.

문수봉에서 대남문으로 내려와서 의상능선 산행을 마무리한다.

문수사

대남문 밖 바로 인근에 문수사가 자리하고 있다. 문수사에 대한 기록은 <북한지>에서 찾을 수 있다.

문수봉 아래는 문수굴(文殊窟)이 있고, 굴 안에는 감천(甘泉)과 돌을 다듬어 만든 문수보살상(文殊菩薩像)과 오백나한상(五百羅漢像)이 있다.

峯下有文殊窟, 窟中有甘泉、鍊石像文殊與五百羅漢。

<다시 읽는 북한지>는 이덕무(1741~1793)가 '기유북한(記遊北漢)' 에서 문수사에 대해 기록한 내용을 전한다.

저녁 때 문수사에 이르러 평지를 굽어보니 하늘의 절반쯤 오른 듯하다. 불감(佛龕, 사당 안에 신주(神主)를 모시어 두는 장)을 큰 석굴(石窟)로 만들었다. 감실을 따라 좌우로 구불구불 걸어가는데 물방울이 비 오듯 하여 옷을 적신다. 끝까지 가자 돌샘이 있는데 물빛이 푸르고 차갑다. 좌우에는 오백나한을 나란히 앉혀 놓았다. 석굴의 이름은 보현사(普賢寺)라고 하고 문수사라고도 한다. 삼불이 있는데 돌로 만든 것은 문수보살이고, 옥으로 만든 것은 지장보살이며, 금으로 도금한 것은 관음보살이다. 이 때문에 삼성굴(三聖窟)이라고도 한다. 굴 옆에 칠성대(七星臺)라고 부르는 대(臺)가 있다. 여기에서 머물러 밥을 먹고 북쪽 문수문(文殊門)을 통해 성에 들어갔다.

<북한지>에 따르면, 남연년이라는 사람이 문수사 굴 안에 이름을 적었다고 기록하고 있다.

조선 시대 충장공(忠壯公) 남연년(南延年, 1653~1728)이 굴 안에 이름을 적었는데, 무신란(戊申亂 1728)에 순절하였다. 훗날 승(僧) 보심(普心)이 이를 바위에 새겼고, 지금 대사성(大司成) 이천보(李天輔, 1698~1761)가 기문(記文)을 지었다.

本朝忠壯公南延年, 題名於窟中, 戊申殉節。後僧普心刻之。今大司成李天輔爲之記

남연년은 1728년(영조4) 일어난 이인좌의 난 때 청주성에서 반란군에 의해 죽임을 당하였고, 이후 좌찬성(左贊成)으로 추증된 인물로, 당시 75세의 고령이었다. 남연년이 북한산을 유람한 것은 그의 나이 일흔이던 1723년이다.

또 '지금 대사성 이천보가 기문을 지었다'는 글귀에서 이천보가 대사성으로 제수된 1744년부터 병조참의에 제수된 1745년 사이에 <북한지>가 기록되고 있었다는 점을 알 수 있다.

문수굴

보현봉(普賢峯, 714m)

<북한지>에 '대서문 밖에 있다 在大西門外'고 기록되어 있는데, 이는 대남문 혹은 대성문에 대한 오기(誤記)로 보인다. 보현봉은 의상능선에도, 산성주능선에도 포함되지 않는다. 북한산을 찾는 산객들은 사자능선과 형제봉능선에 넣기도 한다.

보현봉은 도읍지 한양을 논할 때 기준이 되는 중요한 봉우리이다. 경복궁의 광화문과 근정전의 중심을 연결하여 선을 그으면 남으로는 관악산 연주대, 북으로는 북한산 보현봉으로 이어진다고 한다. 이렇듯 보현봉은 경복궁의 중심축선상에 위치하여 중요한 역할을 하고 있다.

형제봉에서 본 보현봉

원효능선

두 번째 코스인 원효능선은 북한산성 입구에서 시작해 동쪽으로 수문과 서암사, 덕암사, 서암문, 원효암을 거쳐 원효봉에 오른 다음, 다시 북문과 상운사를 지나고 지루한 계단길을 올라 백운봉암문을 거쳐 백운봉에 이르는 길이다.

백운봉암문에서 북한산의 최정상인 백운봉을 다녀오는 것은 각자의 선택에 맡겨야 할 듯. 계속되는 오르막길을 걸어왔기에 지친 탓도 있지만, 정상까지 가는 길이 험하고 좁은 데다 항상 등산객들이 밀려 있기 때문이기도 하다.

하지만 백운봉 정상에 올라 걸어온 원효능선 방향으로 눈을 돌리면, 가슴이 탁 터지듯 시원한 경치가 한눈에 들어온다.

북한산성 입구에서 원효봉으로 향한다. 수문터와 복원중인 서암사

왼쪽부터 원효봉 영취봉 백운대 만경봉 노적봉 용암봉

를 지나 물길을 따라 걷다가 만나는 원효교를 건너 길을 오른다. 덕암사를 지나 숲길을 걸어 서암문에 이르러서야 북한산성을 만난다. 산성 안쪽에서 성벽을 따라 원효봉을 향해 비교적 가파른 길을 걷는다.

북한산성 안찰어사(按察御史) 신기(申耆)의 서계(書啓)의 내용 중에 백운봉에서 영취봉을 지나 북문과 서암문, 그리고 수문에 이르기까지를 묘사한 내용이 있다.

성첩의 주위(周圍)는 백운봉(白雲峰)으로부터 오른쪽으로 돌아 영취봉(靈鷲峰)에 이르기까지는 산세가 높고 험준하여 본래 성을 쌓지 않았으나 백운봉과 영취봉 사이의 움푹 들어간 곳에는 두 건성(乾城)이 있고, 영취봉 산허리에서 비로소 성이 시작되어 북문(北門)에 이르렀는데 문루(門樓)는 갑오년의 재변(災變)을 치른 뒤에도 중건(重建)되지 않은 채 문의 자물쇠는 오랫동안 잠겨져 있고, 홍예문(虹蜺門)은 아직도 완전합니다. 북문에서부터 솟아 올라가 원효봉(元曉峰)을 이루었는데, 높고 뾰족하여 성이 끊어졌으며, 돌을 깎아 계단을 이루었습니다. 원효봉의 오른쪽은 단애(斷崖)로서 깎아지르듯이 내려갔고 곁에 층성(層城)을 끼고 있으며, 층성 아래에 암문(暗門)이 있습니다. 암문에서 돌아 내려가 평지(平地)를 이루었는데, 곧 북한산성의 도수구(都水口)입니다. 양쪽 바위가 깎아 세운 듯하고, 좌우에 있는 성(城)의 모퉁이는 바위에 이르러 그쳤으며, 물은 그사이로부터 나옵니다.

城堞周廻, 自白雲峰, 右轉至靈鷲峰, 山勢高峻, 自不築城, 而白雲、靈鷲之間低凹處, 有二乾城, 自靈鷲腰始起城, 至北門。門樓, 經甲午災後, 不重建, 而門鑰永鎖, 虹蜺尙完。自北門而上, 爲元曉峰, 尖高城絶, 斲石爲梯。元曉之右, 懸厓直下, 傍挾層城, 層城之下, 有暗門。自暗門轉下, 而作平地, 卽北城都水口。兩巖削立, 左右城角, 及巖而止,水從其間出。

<정조실록> 권20, 정조 9년 6월 17일 갑오 1785년

원효봉(元曉峯, 510.3m) <북한지>에는 '수구문(水口門) 위쪽에 있으며 원효암(元曉庵)이 있다 在水口上, 有元曉菴'고 기록되어 있다.

<다시 읽는 북한지>에 따르면, 봉우리 아래에 신라시대 원효(元曉, 617~686)대사가 수도하던 토굴(土窟)이 있어 원효봉이라 이름 붙었다.

한국 불교계의 두 고승인 원효와 의상은 서로 마주 보고 있다. 북한산뿐 아니라 한반도의 산 가운데 원효봉과 의상봉이라 이름 붙은 봉우리가 있는 곳이면 어디든 원효는 의상을, 의상은 원효를 바라보고 있다.

북한산의 두 봉우리는 의상능선과 원효능선에서 가장 낮은 봉우

의상능선에서 본 원효봉

리지만, 험준하기 이를 데 없다. 지맥을 따라 더 큰 봉우리로 나아가라고 한껏 자신을 낮추었지만, 그럼에도 쉽게 자신을 허락하지도 않는다. 원효암에서 원효봉까지 꽤나 시간이 걸린다.

원효봉의 높이는 해발 510.3m에 불과해 높다고 할 수 없는 곳이지만, 쉽사리 허락하지 않는다.

원효봉에 올라 눈 앞에 펼쳐진 북한산봉의 멋진 파노라마와 함께 의상봉을 바라본다. 원효봉에서 바라보는 삼각산의 자태는 가히 일품이다. 백운봉과 만경봉, 그리고 노적봉 사이의 거리감이 입체적으로 느껴진다. 확실히 의상봉에서 바라보는 것보다 거리상 가까워서 자세히 살펴볼 수 있다. 또 노적봉에서 내려온 곳에 위치한 기린봉(472m, 북장대지)을 코앞에서 보듯 내려다볼 수 있다.

원효봉에서 북문을 지나 길을 따라 내려오면 머지않아 상운사(祥

부왕사지에서 바라본 영취봉 백운대 노적봉 만경봉

雲寺)를 만난다. 상운사의 하늘은 온통 영취봉, 백운봉, 만경봉, 노적봉 등으로 가득 차 있다. <북한지>에는 상운사는 영취봉 아래에 있으며, 그 규모가 133칸이라고 기록되어 있다. 그러나 <동국여지비고>의 '한성부'에는 89칸이라고 쓰여 있다.

상운사에 들러 스님에게 청하면, 목조아미타삼존불(高陽祥雲寺木造阿彌陀三尊佛)을 볼 수 있다.

목조아미타삼존불상은 아미타불상(높이 57㎝)을 중심으로, 관음보살상(높이 40.5㎝)과 대세지보살상(높이 55.4㎝)이 협시(挾侍, 본존을 좌우에서 모시다)하는 모습이다.

한국민족문화대백과사전에는 '관음보살상은 크기와 조형적인 특징이 다른 두 불상과 달라 원래 같이 조성한 보살상이 없어져 다른 보살상을 이운(移運, 불상을 옮겨 모심)한 것으로 보인다'고 기록하고 있다.

영취봉(靈鷲峯, 662.2m) <북한지>에는 영취봉을 '원효봉 위쪽에 있다 元曉峯上'고 기록하고 있다.

원효봉에서, 더 정확히 말하자면 북문에서 영취봉으로 가는 길은 암릉구간으로, 전문적인 등반 장비가 필요하다. 입구에서는 국립공원 직원이 장비를 갖췄는지 확인을 하기도 하지만, 대부분의 일반 산객들은 정상인 백운봉으로 향하기 위해 우회하는 길을 택한다.

영취봉은 일반적으로 염초봉(廉峭峰)이라 부르고, 그렇게 널리 알려져 있다. 오늘날 사람들이 영취봉을 염초봉이라 부르는 것은 <북한지>를 편찬한 성능의 탓이 크다. 성능은 <북한지>의 본문에는 영취봉(靈鷲峯)이라고 기록하고 있지만, 지도인 '북한도'에는 염초봉(廉峭峯)이라고 판각함으로써, 후대 산객들을 혼동케 했다.

<다시 읽는 북한지>에서는 각주를 통해 이렇게 설명하고 있다.

상운사에서 바라본 영취봉

영취봉(靈鷲峯, 범어 梵語): '靈鷲'는 '영축' 또는 '영추'로 읽어야 옳으나, 잘못된 음으로 굳어졌으므로 그대로 번역하였다. <북한지>에 실린 '북한도'에는 영취봉을 염초봉(廉峭峯)으로 판각해놓아 오늘날 염초봉으로 불리고 있으나, 다른 어떤 기록에도 염초봉은 보이지 않는다. 염초는 '청렴하여 용서하지 않는다'는 뜻을 지닌 말이어서, 의미로도 전달이 되지 않는다. 이는 <북한지> '북한도'를 편찬할 때 오류로 추정된다.

이와 관련하여 김홍준 기자의 '등산 바람 든 사대부들, 북한산 염초봉 이름도 바꾸다'는 기사(<중앙일보> 2018년 9월 7일자)는 제법 흥미롭다.

기사에 따르면, 영취는 영험한 독수리를 가리키는 불교와 연이 있는 이름이기도 하고, 석가모니가 묘법연화경 설법을 했던 인도의 산

의상능선에서 바라본 삼각산

이름이기도 하다.

이에 반해 염초는 '날카롭고(廉), 가파르다(峭)'는 뜻을 지녔는데, 주희와 정약용은 '염은 모서리가 뾰족(廉)한 것으로, 사람의 행위가 바르고 위엄이 있다'고 해석함으로써 정신적 강직함과 올곧음을 말한다. 이는 염초가 유교적 의미를 지닌 용어라는 것이다.

북한산성을 축조한 이래 사대부들의 북한산 방문이 유행처럼 번져나가던 당대의 상황 속에서 도총섭으로 활동하며 불교의 생존을 꾀하던 성능이 사대부와의 공존을 위해 불교식 이름에 유교식을 더하는 절충안을 내세운 것이라는 견해가 꽤 그럴듯하다.

백운봉(白雲峯, 836m) <북한지>에는 '백운봉은 인수봉 서쪽에 있으니 백운대(白雲臺)라고도 부르는데, 바로 삼각산에서 가장 높은 곳 在仁壽峯西, 一名白雲臺, 卽山之最高處也'이라고 쓰여 있다. 북한산의 주봉인 백운봉은 서울에서 가장 높은 산봉이며, 당시에도 백운대라 불렸음을 알 수 있다.

백운봉은 북쪽의 인수봉(仁壽峯, 810.5m), 남쪽의 만경대(800m)와 더불어 삼각을 이루고 서 있기에, 북한산은 '삼각산'이라 불렸다. 김윤우가 쓴 <북한산 역사지리>(1996, 범우사)에 따르면, 부아악으로 불리던 산 이름은 고려 성종 때부터 삼각산으로 불리기 시작했으며, 조선시대를 관통해 부르던 이름이다.

또 이 책은 삼각산은 조선시대에 이르러서도 확고부동한 북한산의 본명으로 정착되었고, <세종실록지리지> <신증동국여지승람> <여지고> <북한지> <대동지지> 등 역대 지리지와 <조선왕조실록>에 한결같이 북한산의 본명을 삼각산으로 기록하고 있다고 쓰고 있다.

백운봉

그러나 <조선왕조실록>을 살펴보면 삼각산과 함께 '북한(北漢)'이라는 명칭으로 북한산을 지칭하는 기록이 드물게 나타나고 있다. 오늘날에는 북한산이 주된 명칭이 되었고, 삼각산은 일명(一名)으로만 언급될 뿐이다.

북한산을 어느 방향에서 보느냐에 따라서 삼각산이 모두 보이기도 하고, 한 봉우리가 숨어 있기도 하고, 또는 다른 형상으로 보이기도 한다. 보는 지역과 각도에 따라서 겹쳐 보이거나, 일부가 보이지 않기 때문이다. 이런 연유로 백운봉과 인수봉, 그리고 노적봉이 삼각을 이루는 것을 일컬어, 일명 '내삼각산'이라고 부르기도 한다.

김윤우는 또 같은 책에서 백운봉이 고려시대에는 중봉이라고 불렸는데, 개성에서 보았을 때 삼각을 이루는 산봉들 가운데 백운봉이 가운데 봉우리이기 때문이라고 한다.

백운봉에 오르면 원효능선의 산행이 마무리된다. 화강암 덩어리로 이루어진 백운봉 정상에는 세찬 바람에 펄럭이는 태극기와 함께 '3.1운동 암각문', 그리고 한국산악회에서 세운 '통일서원' 비가 자리하고 있다.

3.1운동 암각문은 백운봉 정상 바위에 가로 150cm, 세로 270cm 규모로 새겨져 있다. 사람들이 밟지 못하도록 통나무 울타리를 설치해 보호하고 있지만, 세월의 흐름에 따라 비바람에 마모되어 상당수의 글자가 읽기 쉽지 않다. 고양시의 기록에 따르면 아래의 내용이다.

獨立宣言紀事

己未年二月十日朝鮮獨立宣言書作成

京城府淸進町 六堂 崔南善也

庚寅生

己未年三月一日塔洞公園獨立宣言萬歲導唱

海州 首陽山人 鄭在鎔也

丙戌年

독립선언기사

기미년(1919) 2월10일 조선독립선언서 작성

경성부청진정 육당 최남선이라 경인생(1890)

기미년(1919) 3월1일 탑동공원 독립선언 만세 도창

해주 수양산인 정재용이라 병술생(1886)

또 암각문의 네 귀퉁이에 '敬天愛人(경천애인)'이 한 글자씩 새겨져 있다.

인수봉(仁壽峯, 810.5m)

바로 삼각산(三角山)의 제일봉인데 사면이 온통 깎아지른 절벽처럼 우뚝 서 있다.

卽三角山之第一峯, 四面純石削立。

<북한지>에 기록된 '인수봉이 삼각산의 제일봉(第一峯)'은 잘못된 내용이다. 삼각산의 제일봉은 백운봉이다.

<다시 읽는 북한지>는 인수봉과 관련하여 <삼국사기>의 내용을 압축하여 <신증동국여지승람>에 기록된 내용을 전한다.

고구려 동명왕의 아들 비류와 온조가 남쪽으로 내려와 한산(漢山)에 이르러 부아악(負兒岳)에 올라 살 만한 땅을 물색하였다고 하는데, 바로 이 봉우리이다.

인수봉을 부아악이라고도 하는데, 이는 바위 하나가 봉우리 뒷면에 볼록 솟아 있어 마치 어린아이를 업은 형상이기 때문이다.

인수봉은 백두대간에서 갈라지는 한북정맥의 한 줄기로 이어지는 봉우리이지만, 북한산성의 능선에는 포함되지 않는다. 그렇지만 백운봉, 만경봉과 함께 삼각산을 이루는 중요한 봉우리이다.

북한산성 주능선

북한산성 주능선이라 함은 백운봉에서 문수봉까지의 능선을 일컫는다. 산성주능선 코스는 산성을 한 바퀴 도는 코스와 겹치지만, 산봉을 중심으로 살펴본다.

백운봉은 원효능선의 끝자락이자, 산성주능선의 시작점이기도 하다. 백운봉 정상에서 남쪽 방향으로 이어지는 산성주능선은 백운봉암문 옆 만경봉으로 이어진다. 그러나 백운봉암문에서 만경봉과 용암봉으로 이어지는 곳은 험한 산세로 인해 쉽사리 산봉을 내어주지 않는 위험구간이다. 일반 산객들은 만경봉 허리를 가로지르는 바윗길과 산길을 따라 산행을 진행해야 한다.

백운봉암문에서 산성 안쪽 계단길 아래 남으로 이어지는 데크길을 따라 산성주능선 산행을 시작하면, 곧바로 암릉 구간을 만난다.

백운봉에서 시작하는 산성주능선

거대한 바위 위에 박힌 철난간에 의지해서 산행을 진행해야 하지만, 언제나 시원한 바람이 솟는 땀을 식혀주는 구간이기도 하다.

탁 트인 시야에 북으로는 원효능선이, 서남쪽으로는 의상능선이 펼쳐진다. 또 노적봉의 북사면과 산성 입구와 그 너머의 경치까지도 한눈에 확인할 수 있는 경치 좋은 곳이다.

암릉 구간을 지나면 노적봉의 동쪽 사면 입구를 만나고, 이때부터는 산길이 이어진다.

산길은 용암봉을 우회하는 길로, 얼마간 걸으면 용암문을 만난다. 용암문을 나서면 우이동 도선사로 내려가는 길이다.

용암문부터 대성문까지는 백운봉암문 이후 한동안 만나지 못했던 성벽이 줄곧 이어진다. 대부분의 산객들은 이 코스를 진행할 때면 성벽을 따라 오르내리며 걸을 뿐, 산봉에 대해서는 크게 생각하지 않는다. 이는 눈에 띄게 크고 높은 산봉이 없기 때문이다.

그렇지만 산성주능선의 용암문~대남문 사이에는 잘 알려지지 않는 산봉이 10개나 있다. <북한지>의 '산계(山溪)'에 따르면, 용암문 남쪽 산성주능선에는 일출봉 월출봉 기룡봉 반룡봉 시단봉 덕장봉 복덕봉 성덕봉 화룡봉 잠룡봉이 차례로 서 있다. 북한산을 자주 찾는 이들조차 잘 알지 못하는 것은 산봉에 이름을 나타내는 표식이 없어서이기도 하지만, 각각의 산봉들이 그다지 높지 않기 때문이다.

하지만 북한산성을 쌓던 시기에는 그 경사지(?)를 봉우리로 인정하고 성을 쌓았을 것이며, 특히 성 안팎의 지형 등을 고려하여 치성과 곡성을 쌓거나 바위를 이용해 자연성으로 활용했을 것이다.

북한산성 주능선을 따라 산행하면서 낮은 봉우리를 살펴보며, 제 이름을 불러주면 어떨까. 북한산성 주능선 산행길이 전혀 지루하지 않을 것이다.

만경봉(萬景峯, 800.6m) <북한지>에는 백운봉 남쪽에 있으며, 웅장하다고 기록하고 있다.

백운봉(白雲峯) 남쪽에 있다. 산이 높고 가팔라서 빼어나고 웅장하기로는 인수봉(仁壽峯)과 자웅을 다툰다.

在白雲峯南。峻拔奇壯，與仁壽峯爭雄。

<다시 읽는 북한지>에는 만경대(萬景臺) 또는 만수봉(萬壽峯)이라고도 부른다고 쓰여 있다. 무학대사가 이 봉우리에 올라 도읍을 정했다는 이야기가 전해지며 국망봉이라고도 불린다. <북한산국립공원>(2011, 북한산국립공원관리공단)에 따르면, 만경봉은 암석과 수림이 서로 대비적으로 어울리는 장엄한 산봉우리다.

원효능선의 북문-영취-백운봉 구간과 마찬가지로, 백운봉암문-만경봉-용암봉 구간은 거대한 바위가 위용을 뽐내며 서 있는 자연성벽

만경봉

구간이다. 만경봉 허리를 가로지르는 바윗길에서 만나는 북한산 능선의 풍경을 바라보는 것으로 만경봉 정상을 밟지 못한 아쉬움을 달랜다.

노적봉(露積峯, 716m)

<북한지>에는 만경봉 서쪽에 있으며, 우뚝 솟은 산봉우리가 드높고 그 모양이 노적가리 같아서 노적봉이라고 이름 지어졌으며, 중흥동(重興洞)의 옛 석성(石城)이 여기에 있다고 쓰여 있다.

<다시 읽는 북한지>에는 <동국여지비고>의 '성 안에 산이 있는데, 우뚝 높이 솟아 있는 것이 노적 같으므로 민간에서 노적봉이라고 한다'는 내용을 실었다.

노적사에서 본 노적봉

용암봉(龍巖峯, 616m) <북한지>의 '산계(山溪)'에 용암봉은 만경봉 남쪽에 있다고 기술되어 있다. 우뚝 솟은 암봉으로 용암봉으로 오르는 길 역시 위험해 막혀 있다. 전문 등반 장비를 갖춘 이들을 제외하고는 만경봉 바윗길에 이어 용암봉 우회로 산길을 걷는 것으로 만족해야 한다.

백운봉암문에서부터 시작된 자연성벽은 만경봉을 지나 용암봉까지 이어지고, 용암봉이 끝나는 지점에서 다시 북한산성을 만난다. 성벽이 보이면서 만나는 용암문은 성 밖 우이동의 도선사로 연결된다.

용암문부터 산성주능선이 끝나는 문수봉까지는 복원된 성벽이 끊임없이 이어진다.

일출봉(日出峯, 617m) <북한지>에 일출봉은 용암봉 앞쪽에 있다고 기술되어 있다. 용암봉 앞쪽이란 남쪽을 가리킨다. 용암봉 방면에서 보았을 때는 뭉툭해 보이지만, 이보다 남쪽에 자리한 기룡봉에서 보면 확실히 봉우리답게 솟아올라 있음을 알 수 있다. 북한산대피소 동쪽 산봉이 일출봉이다.

월출봉(月出峯, 600m) <북한지>에 월출봉은 일출봉과 나란히 솟아 있다고 기록되어 있다. 일출봉에 붙어 있으며, 현장에 가보면 성가퀴 앞의 조그만 바위로 월출봉임을 판단한다.

기룡봉(起龍峯, 588m) <북한지>에 월출봉 앞쪽에 있다고 기록되어 있다. 기룡봉은 절벽으로 둘러싸여 있고, 성벽의 일부가 돌출되어 있는 곡성이다. 현재는 곡성으로 가는 길을 막아놓아 접근하지 못한다.

반룡봉(盤龍峯, 583m) <북한지>에 기룡봉 옆에 있다고 기술되어 있다. 반룡봉은 기룡봉 바로 남쪽 앞에 붙어 있는 봉우리이다. 반룡봉에서 기룡봉을 돌아보면 기룡봉이 곡성으로 이루어져 있음을 알 수 있다.

시단봉(柴丹峯, 595m) 반룡봉에서 남쪽으로 내려가면 바로 동장대가 나온다.

<북한지>에는 시단봉에 동장대가 있다고 기록하고 있어서, 동장대가 있는 곳이 시단봉임을 알 수 있다.

반룡봉 남쪽에 있다. 그 위에 동장대(東將臺)가 있고 그 아래 어수재(御需齋)가 있다.

在盤龍峯南, 上有東將臺, 下有御需齋。

<다시 읽는 북한지>는 김구주(1740~1786)가 1760년 쓴 <유북한기>를 소개한다.

마침내 다시 수백여 보를 가니 동장대가 있고, 동장대 아래에는

동장대가 자리한 시단봉

어수재가 있다. 예컨대, 환난을 당했을 때에는 어가(御駕)가 이 동장대에 와서 머물고, 이 수라간에서 어공(御供)하려고 갖춘 것이다. 동장대는 높이가 3층인데, 그 위에 따로 누각은 없다.

遂復行百餘步, 有東將臺, 臺下有御需齋。如遇患難時, 鑾輿來住于此臺, 而此厨所以備御供處也。臺高三層, 其上別無樓閣焉。

이 글에 따르면, 어수재는 수라간이다.

덕장봉(德藏峯, 586m) <북한지>에 시단봉의 남쪽에 있으며, 봉우리들이 모두 이 덕장봉을 둘러싸고 읍(揖)하는 모습이기에 이름 지어졌다고 기록되어 있다.

산봉 이름 한자를 그대로 풀어보면, '덕을 간직하고 있는 봉우리'이다. 다른 봉우리들이 감읍한 것일까. 덕장봉에서 바라보는 삼각산은 왠지 겸손해 보인다.

제단이 설치되어 있는 덕장봉

덕장봉의 곡성 앞에는 제단이 설치되어 있다.

덕장봉에서 내려오면 곧 대동문이다. 대동문 앞의 넓은 터는 금위영이 보국문 쪽으로 옮겨가기 전에 있던 자리이다. 대동문 현판은 숙종의 글씨를 집자(集字)한 것이다.

복덕봉(福德峯, 594m) 대동문에서 보국문으로 가는 길에 여장 하나 정도의 길이로 성벽이 열려있다. 성 밖으로 난 계단길은 남쪽에 보이는 칼바위능선으로 이어진다. 여장 없이 뚫린 곳 바로 옆에는 칼바위 방향으로 튀어나온 치성이 있고, 치성 남서쪽으로 30m 지점의 성 밖에 자리한 봉우리가 복덕봉이다.

〈북한지〉에 복덕봉은 덕장봉 남쪽에 있으며, 그 형세와 기상이 덕장봉과 비슷하여 마찬가지로 이름 지어졌다고 기록되어 있다. 조금 더 가면 보국문이 나온다.

복덕봉 인근에 설치된 치성

보국문을 통해 성 밖으로 나가면 정릉으로 이어진다.

성덕봉(聖德峯, 631m) 보국문을 지나 대성문 방향으로 가는 길, 산 중턱에 공간이 탁 트이며 북쪽 산봉들이 한눈에 들어온다. 경치 좋은 곳에 지나온 산봉들의 이름이 적힌 산성주능선 전망 표지판이 설치되어 있다.

조금 더 오르면 또 하나의 곡성을 만난다. 곡성 가운데 2m가 넘는 바위가 우뚝 서 있다. 산객들은 이 바위에 올라 사진을 찍기도 하고, 또는 남쪽으로 펼쳐진 서울의 전경을 감상하기도 한다. 지형을 아는 이들은 멀리 한양도성을 찾기도 한다.

이 바위가 성덕봉이다.

화룡봉(化龍峯, 644m) <북한지>에는 성덕봉 옆에 붙어있다고 기록되어 있다. 성덕봉에서 대성문 방향으로 진행하는 길에 오

성덕봉

대성문 뒤로 보이는 잠룡봉

르막을 올라 바위에 설치된 철난간을 잡고 대성문으로 내려가는 길 성벽 밖에 있는 봉우리이다.

잠룡봉(潛龍峯, 701m) <북한지>에 화룡봉 서쪽 가까이에 있다고 쓰여 있다. 성벽을 따라 대성문에서 대남문으로 향하는 길 정상부에 바위가 얹혀 생긴 커다란 구멍이 있는 부분을 만난다. 이곳은 언제나 시원한 바람이 불어, 산객들의 땀을 식혀주는 곳이기도 하다. 이곳에서 성 밖으로 보이는 봉우리가 잠룡봉이다. 대남문 문루에서 성 밖을 보면 보현봉과 함께 왼쪽에 자리한다.

백운봉에서 시작되는 산성주능선은 용암봉까지는 산허리를 지나야 한다. 이후 용암봉암문부터 대남문까지는 성벽을 따라서 오르락내리락하는 코스이지만 어지러운 돌계단이 많고, 봉우리에 대한 표

산성주능선과 의상능선이 마추치는 문수봉

식이 없어 의상능선이나 원효능선에 비해 산행의 재미가 반감된다. 그러나 산행 중 곳곳에서 경치 좋은 능선을 바라볼 수 있는 전망지점을 만날 수 있고, 또 유일하게 남아있는 지휘소인 동상대와 곡성 등 앞선 다른 능선에서 만나지 못했던 북한산성의 조선시대 군사시설을 만날 수 있는 곳이다.

숙종과 영조, 산성에 들다

임금이 궁궐 밖으로 나가는 것을 거둥(擧動) 또는 행행(行幸)이라고 한다. 임금이 궁을 떠나 이동하는 것은 종종 고도(高度)의 정치적인 행위였다. 태조가 왕자의 난 이후 함흥으로 옮긴 일이나, 정조가 수원 화성에 행행한 것이 대표적인 예이다.

숙종은 북한산성을 쌓은 이듬해인 1712년(숙종38) 4월 10일, 연잉군을 대동하여 산성에 행행하였다. 영조는 연잉군 시절을 포함하여 세 번이나 북한산성을 찾았다. 조선후기 양란(兩亂)으로 피폐해진 민심을 수습하고 태평성대를 구가한 숙종과 영조, 두 임금이 북한산성에 거둥한 뜻은 무엇이었을까.

북한산성 축성과 '수성(守城)' 의지 천명

임진왜란과 병자호란의 잇단 전화(戰禍) 속에서 임금은 도성과 백성을 버리고 도망쳤다. 선조는 의주로 몽진 후 요동으로 망명을 꾀했고, 인조는 남한산성으로 피신하였으나 삼전도에서 청(淸) 황제에게 굴욕적으로 항복했다.

병자호란 이듬해(1637년, 인조15) 조선은 청나라와 다시 성을 쌓거나 수리하지 않겠다는 조약을 맺었다. 청나라에 인질로 끌려갔던 봉림대군은 효종으로 등극 후 북벌을 추진했지만, 공허하고 비현실적인 외침에 불과했다. 백성을 버린 왕조와 지배층의 체면과 위신은 땅에 떨어졌다.

숙종 대에 와서야 변화가 감지되었다. 청나라는 '삼번의 난'으로 전국이 환란에 휩싸이고, 1710년(청 강희제 49년, 숙종36)에는 왜적의 공격을 받는다. 이렇게 청나라가 안팎의 어려움으로 인해 조선을 감시할 여유가 없는 틈을 이용해 숙종은 이듬해(1711년, 숙종37) 도성을 수리하고, 북한산성을 축조한다. 이어 1712년(숙종38) 백두산에 정계비를 설치하고, 압록강과 토문강을 경계로 청나라와 국경선을 확정지었다.

숙종의 북한산성 축성과 행행은 국경분쟁과 침략의 가능성이 컸던 당시의 국제 상황 속에서 일어났다. 숙종은 산성 축성을 통해 국력의 신장을 대외적으로 과시하고, 산성에 몸소 행행함으로써 대내적으로는 민심을 다독거렸다. 선대 왕처럼 도성을 버리고 도망치지 않겠으며, 백성과 함께 성을 지키겠다는 여민공수(與民共守)의 결심을 분명하게 밝힌 것이다.

숙종의 행행

1712년 4월 10일, 숙종은 아침 일찍 길을 나섰다. 수많은 기병이 호위하고, 북과 피리를 불어 임금의 행차를 알렸다. 숙종을 태운 어가(御駕)는 녹번을 지나 산성입구를 통해 대서문으로 입성했다. 숙종은 수문의 상태를 살펴보고, 행궁에 들었다가 시단봉에 자리한 동장대에 올랐다.

동장대에서 산성의 형세를 살핀 숙종은 '북한산성의 서쪽이 낮아 취약하니 중성을 쌓으라'고 지시한다.

임금이 북한산성에 행행(行幸)하였다. 아침 일찍 떠나 서교(西郊)

를 경유하여 북한 산성에 이르렀다. 서문(西門)으로 들어가 수문(水門)을 차례로 관람하고 이어 소석가현(小釋迦峴)에 올라 성(城) 안팎을 두루 보고자 하였으나 길이 험하고 닦아지지 않았기 때문에 단지 시단봉(柴丹峰)에만 올랐을 뿐이었다. 임금이 서문 가장자리가 가장 낮으니 중성을 쌓지 않을 수 없다며 속히 의논하여 쌓도록 명하였다.

上幸北漢。早發由西郊, 至北漢。自西門入, 歷覽水門, 仍欲登小釋迦峴, 周覽城內外, 以路險不治, 只上柴丹峰。上以西門邊最低, 重城不可不築, 命斯速議築

〈숙종실록〉 51권, 숙종 38년 4월 10일 임술 2번째 기사 1712년

숙종은 북한산성의 성첩을 두루 돌아보며 어제시를 지었다. 어가가 행차하는 장소마다 북한산의 산세에 감탄하며 천험(天險, 천연적

숙종의 어가가 지나간 대서문

숙종의 행행길

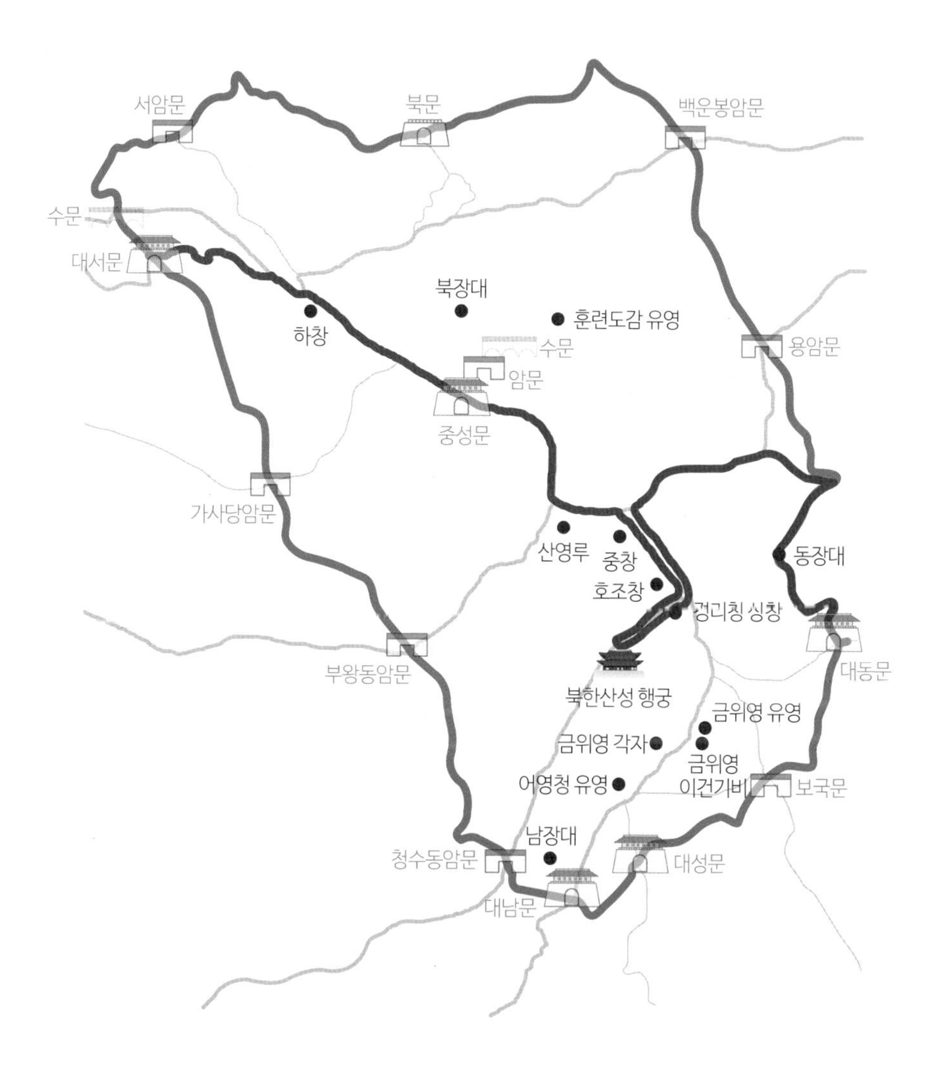
서암문
북문
백운봉암문
수문
대서문
북장대
훈련도감 유영
하창
수문
용암문
암문
중성문
가사당암문
산영루
중창
동장대
호조창
경리청 상창
부왕동암문
대동문
북한산성 행궁
금위영 유영
금위영 각자
금위영
이건기비
보국문
어영청 유영
남장대
청수동암문
대성문
대남문

으로 험함)의 요새임을 확인한다. 대서문 초입에서 산성을 돌아보니 6개월의 짧은 기간동안 이룩해낸 역사(役事)가 뿌듯하다. 숙종은 다시 한번 백성을 버리지 않겠다고 다짐한다.

서문 초입에서 한번 고개 돌려 돌아보니 西門初入一回頭
기운 솟고 뜻 웅장해져 내 근심 사라지네 氣壯心雄寫我憂
도성 지척에 금성탕지같은 성 굳건한데 國都咫尺金湯固
어찌 우리 백성 지키는 서울을 버리겠소 何棄吾民守漢州

<다시 읽는 북한지>, 북한산성 사료총서 제2권, 2018

다시 십리를 움직여 행궁에 도착한 숙종은 행궁에서 동장대를 바라본다. 우뚝 솟은 시단봉 위 동장대에 도열한 군사들이 행궁의 주인에게 경의를 표한다. 동장대 뒤의 거대한 노적봉과 백운봉이 마치 천

행궁 터에서 바라본 시단봉

군만마와도 같이 행궁을 둘러싸고 호위하는 듯하다. 숙종은 자욱한 안개 속에 쌓인 노적봉과 백운봉을 바라보며, 다시 한번 산성의 영험함을 느낀다. 천혜의 자연에 인간이 만든 난공불락(難攻不落)의 요새는 도성민의 보호처요, 외적(外敵)의 무덤이 될 터였다.

숙종은 자욱한 안개와 구름속을 뚫고 대동문을 지나 도선사방향으로 하산하여 흥인문을 통해 입성 후 환궁하였다.

어렵사리 십 리를 가서 행궁에 이르르니 間關十里到行宮
우뚝 솟은 시단봉 바로 동쪽에 있었구나 崒崒柴丹即在東
노적봉 꼭대기엔 구름 걷히지 아니했고 露積峯頭雲未捲
백운대 위에는 여전히 안개가 자욱하오 白雲臺上霧猶朦

행궁 터에서 본 노적봉과 백운봉

동장대

동장대 올라오니 하늘에 오른 듯하고 登彼東臺若上天
일천 봉우리 치솟아서 구름에 닿았네 千峯峭立接雲烟
적군이 감히 범접하지 못할 뿐 아니리 寇賊非徒不敢近
원숭이도 기어오르려면 필시 걱정하리 猿猱亦必愁攀緣

<다시 읽는 북한지>, 북한산성 사료총서 제2권, 2018

영조의 거둥

1735년(영조11), 청나라 건륭제가 25세의 나이로 황제의 자리에 올랐다. 이후 60여년간 조선과 청나라는 우호적인 관계를 이어갔다. 따라서 두 나라 간 전쟁이 발발할 가능성은 지극히 낮았다. 영조 대에는 오히려 '무신(戊申)년의 난(이인좌의 난, 1728년, 영조4)' 등 도성을 노리는 내부의 소요가 안보의 걸림돌로 작용했다.

영조의 거둥길
북한산성
북한산성 행궁
청수동암문
대남문
대성문
문수봉
보현봉
승가봉
향로봉
비봉
동령폭포
형제봉
평창계곡
구기탐방지원센터
탕춘대성
서성
동성
세검정
초교
숙정문
백악산
창의문
한양도성

영조는 부왕(父王) 숙종이 시작한 도성방어전략을 보완하여, <수성절목(守城節目)>(1746,영조22)과 <수성윤음(守城綸音)>(1751, 영조27)을 반포한다. 숙종이 도성방어를 위해 북한산성이라는 거대한 요새를 구축하였다면, 뒤를 이은 영조는 구체적인 규칙과 행동규범을 제정함으로써 백성을 버리지 않겠다는 약속의 신뢰도를 높였다.

다만, 숙종과는 달리 영조의 도성방어전략은 북한산성보다 한양도성에 무게 중심이 실렸다. 영조는 한양의 백성들을 빠짐없이 삼군영에 소속시키고, 세부직인 방어구역과 위치를 설정하여 비상시를 대비하도록 했다. 또한 유사시에는 영조 자신도 성 위에 올라 백성들과 함께하겠다는 의지를 공고히 했다. 백성을 버리지 않겠다는 아버지 숙종의 뜻을 잇고 있음을 재확인한 것이다.

'그러므로 비국(備局)으로 하여금 그 절목(節目)을 첨가 윤색(潤色)하여 오부(五部)에 간포(刊布)하게 하여 사서로 하여금 사변이 없을 때는 소속된 영(營)과 지켜야 할 곳을 상세히 알게 하고, 혹시 사변이 있어서 징소(徵召)할 때는 부관(部官)을 따라 첩(堞)에 오르게 하라. …(중략)… 옛적에 촉한(蜀漢)의 소열 황제(昭烈皇帝)는 한 조그마한 성(城)의 백성도 오히려 차마 버리지 못하였는데, 더구나 도성(都城)의 누십만(累十萬)의 사서들은 바로 옛날에 애휼(愛恤)하던 백성이니, 어찌 차마 버리고 홀로 갈 수가 있겠는가? 이것으로써 생각을 한다면 모든 백성과 더불어 마음을 같이 한다고 할 수가 있다. 이번 이 하교(下敎)의 의도(意圖)는 실상 백성을 위한 것이다. 지금 비록 원기(元氣)와 정신이 피곤하지만 도성(都城)을 지키려는 뜻은 저 푸른 하늘에 질정할 수 있으니, 설혹 이런 일이 있다면 내가 먼저 기운을 내서 성위의 담에 올라가 백성을 위로할 것이

다. …(하략)…'

이에 앞서 병인일(丙寅日)에 절목(節目)을 지을 것을 명하였는데, 이에 이르러 비로소 반포(頒布)하였다

故令備局添潤其節目, 使之刊布五部, 令士庶無事之時, 則詳知所屬之營、所守之處, 其或有事而徵召, 則隨部官而登堞。…(중략)…昔昭烈, 一小城之民, 猶不忍棄也, 況都城累十萬士庶, 卽昔年愛恤之民也, 豈忍棄而獨往乎? 以此興思, 可謂與萬民同心。今者此敎, 意實爲民。今雖氣憊神薾, 守城之意, 可質彼蒼, 設或有此, 予先强氣登埤而慰民。…(하략)… 先是丙寅, 命撰節目, 至是始頒布。

<영조실록> 영조 27년 9월 11일 갑술 2번째기사 1751년

영조는 1760년(영조36), 성을 지키는 방법을 논의하기 위해 북한산성을 찾는다. 숙종이 대서문으로 행행했던 길과 달리, 영조는 창의

영조가 도성을 나간 창의문

문을 통해 도성을 나와 대성문으로 입성하였다. 행궁에 들어 군사들의 수고를 위로하고, 숙종이 쓰던 포진(鋪陳, 방석 또는 돗자리)을 보고 눈물을 흘렸다고 한다.

아버지의 손길을 느꼈기 때문일까. 영조는 하산하여 어머니 숙빈 최씨의 사당이 있는 육상궁에 술을 따라 올렸다.

임금이 북한산(北漢山)에 거둥하였다가 육상궁(毓祥宮)에 역림(歷臨)하여 작헌례(酌獻禮)를 행하였다. 임금이 융복(戎服) 차림으로 말을 타고 창의문(彰義門)에 나가서 총융사(摠戎使)로 하여금 갑주(甲冑)를 갖추고 대성문(大城門) 밖에서 공경히 맞이하게 하고, 중군(中軍)은 행궁(行宮)밖에서 공경히 맞이하게 하였으니, 이때에 성(城)지킬 계책을 의논한 때문이었다. 임금이 옛 해에 쓰던 포진(鋪陳)을 보고 눈물을 흘리면서 총융사에게 궤(櫃)안에 간직하라고

대성문

명하였고, 수가(隨駕)하는 군사에게는 건호궤(乾犒饋)를 내려 주라고 명하였다.

幸北漢, 歷臨毓祥宮, 行酌獻禮。上具戎服乘馬, 出彰義門, 令摠戎使具甲胄, 祗迎於大城門外, 中軍祗迎於行宮外, 時議守城之策也。上, 見昔年所御鋪陳而涕泣, 命摠戎使藏之櫃中, 命賜隨駕軍兵乾犒饋。

<영조실록> 96권, 영조 36년 8월 20일 신묘 1번째 기사 1760년

영조는 1772년(영조48년), 79세의 나이로 다시 북한산성을 찾았다. 4월 10일, 60년 전 아버지 숙종과 함께 행행했던 바로 그 날이었다. <수성윤음>을 반포한 지 어느덧 21년이 흘렀다. 50여 년을 통치하는 동안 적의 침입은 단 한 차례도 없었다.

이날 영조의 행차는 부왕 숙종을 기리는 추모의 마음에서 나온 것이었다. 자신이 60년 전 숙종을 호위했듯, 이번에는 할아버지를 대신

육상궁이 있던 현재의 칠궁

해 대리청정하던 20세의 세손(정조)이 동행했다.

영조는 창의문으로 도성을 나와 대남문을 통해 행궁에 들었고, 동장대에 올라 어가를 호위하는 군사들의 늠름한 모습과 천험의 요새를 재확인한다. 60년 성상(星霜, 햇수를 비유적으로 나타내는 단위)이 흘렀으나 험준한 자연지형은 여전히 장엄했고, 군사들의 기상도 하늘을 찌를 태세였다.

영조와 세손은 다시 창의문을 지나 도성으로 환궁했다.

임금이 북한산성(北漢山城)의 행궁(行宮)에 나아가 시단봉(柴丹峰)에 올랐다가, 날이 저물어 환궁(還宮)하였다. 북한산성은 도성의 북쪽에 있는데, 산이 높고 험준하고 가파라서 성궁(城宮)을 쌓아 진양(晉陽, 보장지保障地)의 불우(不虞)에 대비하게 하였었다. 옛날 임진년 4월에 우리 숙묘(肅廟)께서 어가(御駕)를 타고 임어하여 친히 살펴보신 적이 있었는데, 이날 동가(動駕)한 것은 추모하는 뜻에서 나온 것이었다.

上詣北漢行宮, 登臨柴丹峰, 日暮還宮。北漢在都城北, 山高險巇, 築城宮以備晉陽之虞。在昔壬辰四月, 我肅廟駕臨親審, 是日動駕, 蓋出於追慕也。

<영조실록> 118권, 영조 48년 4월 10일 을해 1번째기사 1772년

연로해진 영조는 금성탕지이자 철옹성인 북한산성의 든든한 빗장을 다시 한번 확인하며 부왕 숙종을 기념한다. 한양 땅을 수호하는 높은 산봉우리와 자신을 호위하는 군사들의 든든한 모습이 대견스러운 듯하다.

도읍 북쪽에는 금성탕지 있으니　　京都之北有金湯
높은 봉우리들 한양 땅을 지켜주네　　元元山峯護漢陽

산성에 들릴 때 마다 오위 뒤 따르네　十年曾參五衛列
이곳까지 배종하니 그 모습 장하도다　陪從于此歷看詳

<열성어제> 영조

종사를 보전하고 백성을 지키기 위한 숙종과 영조의 방위 전략은 달랐다. 숙종은 북한산성을 위기 때 피신하기 위한 보장처로 삼으려고 했고, 영조는 한양도성을 지키기 위한 전초기지로 북한산성을 활용하려 했다.

방법은 달랐지만 백성을 버리지 않고, 백성과 함께 도성을 지키겠다는 의도만은 같았다. 영조는 부왕의 뜻을 잘 알고 있었다.

북한산성은 숙종과 영조 대의 국력 신장과 애민정신의 상징이다. 그들은 산성 거둥을 통해 '백성을 향한 마음을 다지고 지키겠다'는 군주의 뜻을 세상에 널리 알렸다.

숫자로 풀어보는 북한산성

2020년 기준 650만 명이 찾은 북한산, 최고봉인 백운봉을 비롯하여 저마다의 위용을 자랑하는 수십 개의 봉우리와 그 모습을 계절마다 다양하게 볼 수 있는 능선, 북한산의 매력은 헤아릴 수 없다. 300년 전, 조선의 19대 왕 숙종은 그곳에 견고한 산성을 쌓고 나라의 위기에 대비하고자 했다. 지금은 등산코스로 더 잘 알려진 16성문을 비롯해 북한산성의 이모저모를 숫자로 풀어본다.

2 王, 북한산성 행행길에 오르다

숙종(1712) 북한산성을 쌓은 이듬해인 1712년(숙종38) 4월 10일, 숙종은 당시 19살이던 아들 연잉군(영조)을 오위도총관으로 앞세우고 길을 나섰다. 의주로를 따라 홍제교를 건넜고, 구파발을 지나 대서문을 통해 북한산성으로 들어선다.

감격에 겨워 어제시(御製詩)를 읊는 숙종. 행궁을 들러 동장대에서 아래를 굽어보고 서문이 취약하니 중성을 더 쌓으라 명한다. 이후 대동문을 나와 흥인지문을 통해 환궁하였다.

보위에 오르던 순간부터 바라왔던 북한산성의 완성을 30여 년이 지나서야 보게 된 숙종의 감회를 무엇에 비길 수 있을까. 효사물거(效死勿去: 목숨을 바쳐서 지키고 떠나지 않겠다는 뜻)의 의지가 북한산성으로 완성되었다 여겼는지 자못 궁금하다.

영조(1760, 1772) 연잉군 시절까지 포함하면 영조는 북한산성을 3번이나 찾았다.

1751년, 영조는 <수성윤음>을 발표하였다. 도성을 버리지 않고 백성과 함께 지키겠다는 의지를 다시 한번 천명한 것이었다.

1760년(영조36), 왕이 되어서는 처음으로 북한산성을 다시 찾았다. 대성문을 통해 행궁, 동장대에 차례로 올랐다. 두 번째는 임오화변(1762) 후 10년이 지난 1772년(영조48), 당시 세손이었던 정조와 함께 북한산성에 올랐다.

아버지 숙종과 함께 행행한 지 60년 만이었고, 그의 나이 79세였다. 노구를 이끌고 아들이 아닌 세손의 손을 잡고 산성을 오르며 그는 어떤 회한에 잠겼을까. 이날 영조는 대남문을 통해 산성에 들어가 행궁에 머물다 환궁하였다.

3 장대, 삼군문의 지휘소

'장대(將臺)'란 군대를 지휘하는 장수가 올라서서 명령할 수 있도록 높은 곳에 쌓은 대(臺)를 말한다.

북한산성에는 산성과 행궁이 내려다보이는 곳에 동장대(東將臺), 남장대(南將臺), 북장대(北將臺) 3개의 장대를 축조했다. 이 가운데 동장대(東將臺)만 1996년에 복원되었다.

장대의 위치에 대해 <북한지>에 다음과 같이 전한다.

'동장대(東將臺)는 봉성암(奉聖庵) 뒤쪽 봉우리에 있다. 남장대

(南將臺)는 나한봉(羅漢峯) 동북쪽에 있다. 북장대(北將臺)는 중성문(中城門) 서북쪽에 있다.'

7 창고, 유사시를 대비한 준비

전쟁 등 유사시에 항전하기 위해서는 무엇보다 무기와 식량의 확보가 중요하다. 북한산성에는 이를 대비해 총 7개의 창고를 만들었다. 경리청이 관할하는 4개의 창고(하창, 중창, 경리청상창, 호조창)와 삼군문 유영지에 각각 마련된 3개의 창고(훈창, 금창, 어창)였다.

이들 창고에는 5만석 정도의 양곡을 확보하였으며, 매년 봄이면 인근 백성들에게 구휼미로 제공하고, 가을에 거두어들이는 방식으로 변질을 방지하였다.

16 성문, 사람과 물이 드나들다

1711년(숙종37) 축성 당시 북한산성에는 수문, 서암문, 북문, 백운봉암문, 용암암문, 소동문, 동암문, 대동문, 소남문, 청수동암문, 부왕동암문, 가사당암문, 대서문 등 13개의 문을 완성하였다. 이후 숙종의 지시에 따라 중성문을 추가로 만들어 겹성의 형태를 갖추었으며, 시구문과 수문을 추가하여 총 16개의 문이 완성되었다.

16 (3군문+13사찰), 북한산성을 쌓고 지키다

한양도성의 수비를 맡고 있던 삼군문(훈련도감, 어영청, 금위영)이 북한산성의 축조와 수비도 맡았다. 조금 다른 점이 있다면 북한산성에는 삼군문 지휘 아래 승영사찰을 두었다는 것. 삼군문과 관할 구역에 속한 승영사찰(11사찰 2암자)이 북한산성을 쌓고 수비하였다. 승영사찰의 총 책임자인 팔도도총섭은 사령부에 해당하는 중흥사에 머물렀다.

30+70%, 서울·고양시

북한산성 면적의 30%는 서울시에, 70%는 고양시에 속해있다.

36년, 축성논란

숙종은 1674년 등극하자마자 14세의 나이임에도 수렴청정을 거치지 않고 친정을 실시하였다. 즉위 초부터 시작된 북한산성 축성에 대한 논의는 36년간에 걸쳐 계속되었다. 북한산성 축조는 1711년(숙종37) 4월 3일부터 10월 19일까지 6개월 보름여 만에 완성되었다. 숙종의 나이 51세였다.

115칸, 왕의 피난처 행궁

북한산성 행궁은 1712년(숙종38) 5월에 완공되었다. 내전과 외전이 각각 28칸, 여기에 부속된 건물 59칸 등 총 115칸의 규모로 지어졌다.

125물(26못+99우물), 북한산성의 생활 수

산성 내에 수(水)자원이 풍부하게 존재했던 것도 북한산성 축조 결정의 한 요인이었다. 계곡물 외에도 26개의 인공 못과 99개의 우물이 있었다고 <북한지>는 전한다. 인공 못은 훈련도감 관할 내에 11곳, 어영청 관할 내에 12곳, 금위영 관할 내에 3곳이 있었다.

143 성랑, 북한산성을 지키던 초소

북한산성 곳곳에 성랑지 표식을 발견할 수 있다. 성랑이란 성을 지키는 경비초소를 말하며, 오두막 형태로 지어 규모에 따라 수 명까지 묵으며 성을 지킬 수 있었다. 총 143개의 성랑지가 있었고, 관할 군영별로는 훈련도감 42개소, 어영청 41개소, 금위영 60개소이다.

7620보·557,663㎡, 둘레와 면적

북한산성의 둘레는 약 12.7km에 달한다. <북한지>에 성 둘레의 길이와 삼군문이 담당한 축성 구역이 다음과 같이 기록되어 있다.

'성은 둘레가 7,620보(步)이다. 리(里)로 환산하면 21리 60보 이내이다. 수문(水門) 북쪽으로부터 용암(龍巖)까지 2,292보(步)는 훈련도감(訓鍊都監)에서 축성하였고, 용암 남쪽으로부터 보현봉(普賢峯)까지 2,821보(步)는 금위영(禁衛營)에서 축성하였고, 수문(水門) 남쪽으로부터 보현봉까지 2,507보(步)는 어영청(御營廳)에서 축성하였다'

북한산성의 총면적은 557,663m^2로, 약 16만6천 평에 달한다.

참고자료

웹사이트

경기문화재연구원 https://gjicp.ggcf.kr
국가기록원 https://www.archives.go.kr
국가문화유산포털 https://www.heritage.go.kr
국내 독립운동·국가수호 사적지 http://sajeok.i815.or.kr
국립국어원 표준국어대사전 https://stdict.korean.go.kr
국립문화재연구소 https://www.nrich.go.kr
규장각한국학연구원 http://kyujanggak.snu.ac.kr
다음백과 https://100.daum.net
문화체육관광부 해외문화홍보원 https://www.kocis.go.kr/koreanet/view.do?seq=1012875
배재학당역사박물관 https://appenzeller.pcu.ac.kr
북한산국립공원 https://www.knps.or.kr
비변사등록 http://db.history.go.kr/id/bb_064r_001_03_0130
사단법인 홍난파의 집 https://lanpa.co.kr/INTRO
서소문성지역사박물관 https://www.seosomun.org
서울역사박물관 https://museum.seoul.go.kr
서울역사편찬원 https://history.seoul.go.kr
서울지명사전 https://history.seoul.go.kr/nuri/etc/sub_page.php?pidx=146579435936
서울학연구소 https://seoulstudies.uos.ac.kr
승정원일기 http://sjw.history.go.kr
식민지역사박물관 http://historymuseum.or.kr
우리역사넷 http://contents.history.go.kr
조선왕조실록 http://sillok.history.go.kr
종로문화재단 https://www.jfac.or.kr
한국사데이터베이스 http://db.history.go.kr

단행본

강홍빈(2015)『서울 한양도성』(주)디자인인트로
경기문화재단 경기문화재연구원(2012)『다시 읽는 북한지』조은출판사
경기문화재단 경기문화재연구원(2010)『[illegible]』[illegible]문화사
경기학연구센터(2016)『북한산성 연구논문집』
고동환(2021)『조선후기 서울의 상업공간과 도성』새한문화사 / 서울역사 중섬연구 10 <조선후기 서울 상업 공간과 참여층>
국립고궁박물관(2011)『대한제국』민속원
권기봉(2012)『다시, 서울을 걷다』알마
김기빈(1993)『600년 서울 땅이름 이야기』살림터
김도형(2010)『순성의 즐거움』효형출판
김용관(2012)『서울, 한양의 기억을 걷다』인물과사상사
까를로 로제티(1996)『꼬레아 꼬레아니』서울학연구소
나각순(2013)『한양도성』그린북
노영구(2018)『조선후기 도성방어체계와 경기도』경기그레이트북스
도경재(2020)『한양의 물길을 걷다』모두출판협동조합
메리 린리 테일러(2014)『호박 목걸이:딜쿠샤 안주인 메리 테일러의 서울살이 1917-1948』
문화재청(2007)『서울 혜화동 성당 기록화 조사보고서』대원
박원순(2013)『대한민국의 혼이 살아 숨쉬는 곳 경교장』(주)삼성문화인쇄
박인식(1995)『북한산』대원사
배재학당역사박물관(2011)『졸업앨범을 통해 본 한국근대인물』효성문화
배재학당역사박물관(2015)『아펜젤러의 친구들』태산애드컴
서울대학교박물관(1999)『그들의 시선으로 본 근대』눈빛
서울시 공원조성과(2014)『남산 회현자락 한양도성의 유산가치』제5차 한양도성 학술회의
서울시(2015)『한양도성 발굴조사와 축성술』연합프로세스
서울역사박물관 한양도성연구소(2015)『서울 한양도성』디자인인트로
서울역사박물관(2010)『도성 발굴의 기록, 아동광장발굴보고서』
서울역사박물관(2014)『남산에서 찾은 한양도성』특별전
서울역사박물관(2015)『남산의 힘』
서울역사편찬원(2016)『개항기 서울에 온 외국인들』경인문화사
서울정동협의체(2020)『정동사람들』한길사
서울중구청(2014)『서울중구지역 역사문화자원조사』

서울중구문화원(2007) 『정동: 역사의 뒤안길』 상원사
서울특별시사편찬위원회(2009) 『서울역사2000년』 경인문화사
승효상 외(2015) 『서울의 재발견』 페이퍼스토리
신병주(2021) 『56개 공간으로 읽는 조선사』 위즈덤하우스
심산(2019) 『산과 역사가 만나는 인문산행』 바다출판사
심준용(2013) 『기네스북 북한산에서 세계유산 조선왕릉까지』 경인문화사
안창모(2009) 『덕수궁』 동녘
양승렬(2020) 『사사건건 경복궁 』 시대의창
이경민(2005) 『경성, 카메라 산책』 아카이브북스
이경숙 외(2010) 『한국을 사랑한 메리 스크랜튼』 이화여자대학교출판문화원
이경아(2019) 『경성의 주택지』 정암총서
이덕일 외(2012) 『산성으로 보는 5000년 한국사』 예스위캔
이사벨라 버드 비숍(1994) 『한국과 그 이웃나라들』 살림
이순우(2012) 『정동과 각국공사관』 하늘재
이현군(2009) 『옛 지도를 들고 서울을 걷다』 청어람미디어
전우용(2015) 『우리 역사는 깊다 1, 2』 푸른역사
조규형(2014) 『한양도성과 숭례문을 중심으로』 한양도성학술총서 3책, 문화재청
조면구(1994) 『북한산성』 대원사
조윤민(2013) 『성(城)과 왕국』 주류성출판사
종로문화원(2016) 『종로의 역사·문화 유산』 조은출판사
종로문화원(2017) 『종로의 표석이야기』 조은출판사
지그프리트 겐테, 권영경 역(2007) 『신선한 나라 조선,1901』 책과함께
최열(2012) 『옛 그림따라 걷는 서울길』 서해문집
토드A.헨리(2020) 『서울,권력도시』 산처럼
홍기원(2010) 『성곽을 거닐며 역사를 읽다』 살림
홍순민(2016)『서울 육백 년을 담다』 서울시

논문·강좌

김대호(2015) <20세기 남산회현자락의 변형, 시각적지배와 전쟁-공원, 신사, 동상을 중심으로> 도시연구 13
김백영(2006) <개항기 서양 지식인들의 서울 인식-로웰, 길모어, 비숍을 중심으로> 향토서울 68호
김병규(2020) <'북한시'를 통해 본 북한산성의 지리와 역사> 서울역사박물관대학 온라인 강좌
심재우(2016) <조선시대의 감옥, 사형, 그리고 사형장의 변화> 역사문화학회
김영수(2019) <한양도성의 세계유산적 가치> KYC시민교육
김왕식(2012) <한양도성의 성곽과 문루> 조선 오백년의 한양도성, 서울역사박물관대학 제22기
나각순(2012) <한양도성의 기능과 방위체계> 조선 오백년의 한양도성, 서울역사박물관대학 제22기
박경하(2012) <대한제국의 다문화 공간:정동> 중앙대학교 중앙사학연구소
박희용(2016) <대한제국기 남산과 장충단> 서울학연구소
박희용(2020) <지도와 도면으로 보는 서울의 변화> 서울학연구소, 서울역사박물관대학 온라인 강좌
백종오 (2013) <조선 후기 북한산성의 축성과 운영체계> 한국사학보 50
서울역사문화답사(2020) <서울의 남산일대 답사자료집> 권2, 3, 4
서울특별시사편찬위원회 <조지 길모어의 수도 서울> 조용만역, 향토서울 2호
송인호(2012) <서울 한양도성의 진정서오가 완전성> 조선 오백년의 한양도성, 서울역사박물관대학 제22기
윤기엽(2014) <북한산성의 승영사찰僧營寺刹> 국학연구 25
이도경(2019) <한양도성 성벽부의 훼철과 주변 도시조직 변화에 관한 연구>한양대학교 대학원석사학위논문
이상구(2017) <동아시아 도성의 역사 속의 한양도성> 조선 오백년의 도성과 한강, 토요서울학강좌 제1기
이수연 외(2011) <1900년 말부터 1980년대 초까지 남산공원의 공간적 특성과 의미 변화에 대한 연구 7> 건축역사연구 20권 6호
이해수(2014) <남산의 재구성 박정희 정권의 어린이 보건·복지정책과 남산의 변화> 서강대 학위논문
장규식(2019) <열강의 각축장이 된 근대 정동> KYC시민교육
전우용(2012) <대한제국기 이후 한양도성의 변모> 조선 오백년의 한양도성, 서울역사박물관대학 제22기
정붓샘(2014) <새문안로 가로 변천 연구> 서울시립대학교 서울학연구소
정연학(2018) <서울국사당의 역사적 변천과 기능> 서울민속학 5
한현석(2017) <사진 그림엽서로 본 식민지 조선에서의 국가 신도체제 선전과 실상-조선신궁사례를 중심으로> 일본문화연구소
홍순민(2017) <북한산과 한강 사이 한양도성> 조선 오백년의 도성과 한강, 토요서울학강좌 제1기
홍순민(2017) <한양도성에 밴 땀과 눈물> 조선 오백년의 도성과 한강, 토요서울학강좌 제1기
홍순민(2019) <조선후기 도성문 관리 방식의 변동> 서울과 역사
홍순민(2019) <한성부 도시구조의 이해> KYC시민교육
황인규(2009) <인왕산사와 무학대사> 한국선학회